GLI ADELPHI

7

Gerald Durrel (1925-1995), zoologo, ha fondato nel 1958 il Jersey Zoological Park e nel 1964 il Jersey Wildlife Preservation Park. Di lui, oltre a *La mia famiglia e altri animali*, pubblicato in Inghilterra nel 1956, sono apparse presso Adelphi le seguenti opere: *Incontri con animali* (1978); *Luoghi sotto spirito* (1980); *Storie del mio zoo* (1982); *La terra che sussurra* (1988); *Il naturalista a quattro zampe* (1994); *Il picnic e altri guai* (1996); *Io e i lemuri* (2003).

Gerald Durrell

La mia famiglia e altri animali

TRADUZIONE DI ADRIANA MOTTI

ADELPHI EDIZIONI

TITOLO ORIGINALE:
My Family and Other Animals

Ventiduesima edizione: gennaio 2010

I edizione GLI ADELPHI: gennaio 1990
WWW.ADELPHI.IT

ISBN 978-88-459-0733-3

INDICE

PARTE TERZA

LA MIA FAMIGLIA E ALTRI ANIMALI

A mia madre

È una melanconia che mi è propria, un composto di molti elementi, estratti da molti oggetti, e più precisamente la visione complessiva dei miei viaggi che, per la frequente meditazione, mi avvolge in una capricciosa tristezza.

SHAKESPEARE, *Come vi piace*, IV, 1

L'ARRINGA DELLA DIFESA

> «Be', talvolta mi è capitato di credere non meno di sei cose impossibili già prima del breakfast».
>
> LA REGINA BIANCA
> *Alice attraverso lo specchio*

Questa è la storia dei cinque anni che ho trascorso con la mia famiglia nell'isola greca di Corfù. In origine doveva essere un resoconto blandamente nostalgico della storia naturale dell'isola, ma ho commesso il grave errore di infilare la mia famiglia nel primo capitolo del libro. Non appena si sono trovati sulla pagina, non ne hanno più voluto sapere di levarsi di torno, e hanno persino invitato vari amici a dividere i capitoli con loro. Soltanto con immensa fatica, e usando una notevole astuzia, sono riuscito a salvare alcune pagine sparse che ho dedicate esclusivamente agli animali.

Nelle pagine che seguono ho cercato di dare un quadro preciso e tutt'altro che esagerato dei miei familiari; essi sono rappresentati come li vedevo io. Per spiegare alcuni dei loro tratti più strambi, comunque, mi sento in obbligo di precisare che nel periodo in cui stemmo a Corfù eravamo tutti molto giovani: Larry, il più grande, aveva ventitré anni; Leslie diciannove; Margo diciotto; mentre io ero il più piccolo, avendo appena toccato il tenero e impressionabile traguardo dei dieci anni. Non siamo mai stati molto sicuri dell'età di mia madre per il semplice motivo che lei non riesce mai a ricordarsi la sua data di nascita; posso dire soltanto che era abbastanza avanti negli anni da avere quattro figli. Mia madre vuole anche ch'io dica che è vedova, perché, come ha osservato acutamente, non si sa mai che cosa può pensare la gente.

Per condensare cinque anni di eventi, osservazione scientifica e vita felice in qualcosa che fosse un po' meno lungo dell'*Enciclopedia Britannica* sono stato costretto a incastrare, sfrondare e innestare, sicché resta ben poco della cronologia originale. E sono stato anche costretto a lasciar fuori una bella quantità di avvenimenti e personaggi che mi sarebbe piaciuto descrivere.

Non sono ben sicuro che avrei scritto questo libro senza l'aiuto e l'entusiasmo delle persone qui sotto elencate. Le cito perché il biasimo ricada su chi di dovere.

Perciò ringrazio sentitamente:

Il dottor Theodore Stephanides. Con la generosità che lo distingue, mi ha consentito di attingere al materiale della sua opera inedita su Corfù, e mi ha fornito una quantità di terribili giochi di parole, che ho in parte utilizzati.

La mia famiglia. Dopo tutto, senza saperlo, mi hanno fornito un bel po' di materiale, e durante la stesura del libro mi hanno molto aiutato discutendo ferocemente e trovandosi ben di rado d'accordo su ogni episodio su cui li consultavo.

Mia moglie, che mi ha lusingato ridendo fragorosamente nel leggere il manoscritto, per poi informarmi che a divertirla tanto era la mia ortografia.

Sophie, la mia segretaria, che si è assunta la responsabilità di introdurre le virgole e di fare giustizia sommaria dell'infinito scisso.

Vorrei rendere un tributo speciale a mia madre, alla quale questo libro è dedicato. Come un gentile, entusiasta, comprensivo Noè, ha guidato con grande perizia il suo vascello pieno di strana progenie attraverso i mari tempestosi della vita, sempre minacciata dalla possibilità dell'ammutinamento, sempre circondata dalle secche dello scoperto in banca e degli sperperi, senza mai essere sicura che la ciurma avrebbe approvato la sua rotta, ma certa che sarebbe stata biasimata per tutto quello che andava storto. Che sia sopravvissuta alla traversata è un miracolo, ma è sopravvissuta e, per giunta, con la ragione più o meno intatta. Come osserva giustamente mio fratello Larry, possiamo essere orgogliosi del modo come l'abbiamo educata; lei ci fa onore. Che abbia raggiunto quel felice nirvana dove nulla più sconvolge o sorprende è dimostrato dal fatto che di recente, in un fine settimana in cui era tutta sola in casa, si è vista capitare tra capo e collo una serie di ceste che contenevano due pellicani, un ibis scarlatto, un avvoltoio e otto scimmie. Una simile sorpresa avrebbe potuto sgomentare una creatura meno solida, ma non mia madre. Il lunedì mattina l'ho trovata nel garage, con una scatola di sardine in mano, inseguita torno torno da un furioso pellicano che lei stava cercando di nutrire.

«Meno male che sei venuto, caro,» mi ha detto ansimando «questo pellicano è *un po'* difficile da trattare».

Quando le ho domandato come faceva a sapere che le bestiole erano mie, mi ha risposto: «Be', certo che sapevo che erano tue, caro; chi altro mi manderebbe dei pellicani?».

Il che dimostra quanto conosce bene se non altro uno dei suoi figli.

Per finire, mi sento in dovere di sottolineare che tutti gli aneddoti sull'isola e sugli isolani sono rigorosamente veri. Vivere a Corfù era proprio come vivere in una delle più scintillanti e farsesche opere buffe. Mi sembra che tutta l'atmosfera e il fascino del luogo siano concisamente riassunti in una mappa dell'Ammiragliato che avevamo a casa e che mostrava in grande l'isola e la costa limitrofa. In fondo c'era una piccola leggenda che diceva:

> AVVISO: Poiché le boe che segnalano le secche sono spesso fuori posto, si raccomanda ai naviganti di stare in guardia quando rasentano queste coste.

PARTE PRIMA

C'è un piacere sicuro
nell'esser matto, che i matti soltanto conoscono.
DRYDEN, *The Spanish Friar*, II, 1

LA MIGRAZIONE

Luglio si era spento come una candela sotto il soffio di un vento tagliente che aveva fatto da scorta a un plumbeo cielo d'agosto. Cadeva una pioggerella pungente e fitta che ogni raffica di vento faceva ondeggiare come opachi lenzuoli grigi. Lungo il litorale di Bournemouth le cabine volgevano le loro vuote facce di legno verso un mare grigio-verdastro e crestato di spuma che balzava impetuoso contro il parapetto di cemento lungo la riva. I gabbiani erano stati rovesciati a valanghe sopra la città, e ora vagavano alti sui tetti, ad ali tese, lamentandosi queruli. Era proprio un tempo fatto apposta per mettere a dura prova la pazienza di tutti.

Considerata in gruppo, la mia famiglia quel pomeriggio non offriva uno spettacolo molto edificante, perché il tempo aveva portato con sé il solito repertorio di malattie alle quali andavamo soggetti. A me, che me ne stavo sdraiato sul pavimento a catalogare le conchiglie della mia collezione, aveva portato il catarro, rovesciandomelo nel cranio come una colata di cemento, sicché respiravo rantolando con la bocca aperta. A mio fratello Leslie, rincantucciato cupo e torvo accanto al fuoco, aveva infiammato i canali semicircolari delle orecchie a tal punto che gli sanguinavano, in modo leggero ma persistente. A mia sorella Margo aveva regalato una nuova fioritura di acne su un viso che era già marezzato come un velo rosso. Per mia madre c'era un bel raffreddore gorgogliante, insaporito da un attacco di reumatismi. Era indenne soltanto il mio fratello maggiore, Larry, ma il fatto che fosse irritato dai nostri malanni bastava.

E naturalmente fu Larry a cominciare. Noi ci sentivamo troppo apatici per pensare ad altro che ai nostri mali, ma Larry è stato designato dalla Provvidenza a passare attraverso la vita come un piccolo, biondo fuoco d'artificio, facendo esplodere idee nelle menti altrui e poi raggomitolandosi al modo mellifluo di un gatto e declinando ogni responsabilità per le conseguenze. Man mano che il pomeriggio avanzava era diventato sempre più irritabile. Infine, girando uno sguardo truce per la stanza, decise di attaccare mamma, come se fosse l'ovvia causa di tutti i guai.

«Perché sopportiamo questo maledetto clima?» domandò all'improvviso, facendo un gesto verso la finestra coi suoi obliqui ruscelli di pioggia. «Guarda lì! E quanto a questo, guarda noi... Margo tutta gonfia come un piatto di porridge rosso... Leslie che se ne va in giro con dieci metri di ovatta nelle orecchie... Gerry che pare che abbia il palato fesso dalla nascita... E guarda te: ogni giorno che passa hai un'aria più decrepita e stravolta».

Mamma gettò un'occhiata al di sopra di un grosso volume intitolato *Ricette facili del Rajputana.*

«Neanche per sogno!» disse sdegnata.

«E invece *sì,*» insistette Larry «cominci a somigliare a una lavandaia irlandese... e i tuoi figli sembrano le illustrazioni di un'enciclopedia medica».

A questo mamma non riuscì a trovare nessuna risposta veramente schiacciante, quindi si accontentò di dargli un'occhiata severa prima di tornare a rifugiarsi dietro il suo libro.

«Quello che ci vuole per noi è il sole,» continuò Larry «non sei d'accordo, Les?... Les... *Les!*».

Leslie si srotolò da un orecchio un bel pezzo d'ovatta.

«Cosa hai detto?» domandò.

«Eccoti servita!» disse Larry, voltandosi trionfante verso mamma. «Parlare con lui è diventata un'impresa problematica. Dimmi tu che razza di situazione! Un fratello non sente quello che gli dici e l'altro non lo si capisce quando parla. Francamente è ora di fare qualcosa. Non si può pretendere che io crei la mia prosa immortale in un'atmosfera pregna di tetraggine e di eucalipto».

«Sì, caro» disse mamma in tono vago.

«Quello che ci vuole per tutti noi» disse Larry tornando in argomento «è il sole... un paese dove possiamo *espanderci*».

«Sì, caro, sarebbe bello» convenne mamma senza ascoltare veramente.

«Stamattina mi è arrivata una lettera di George – dice che Corfù è magnifica. Perché non facciamo le valigie e non andiamo in Grecia?».

«D'accordo, caro, se ti fa piacere» disse mamma incautamente.

Quando si trattava di Larry, di solito stava molto attenta a non compromettersi.

«Quando?» domandò Larry, alquanto stupito di questa cooperazione.

Mamma, rendendosi conto di avere commesso un errore tattico, abbassò con circospezione le *Ricette facili del Rajputana.*

«Be', penso che sarebbe ragionevole che tu andassi avanti e sistemassi tutto. Poi scrivi e mi dici se è un posto carino, e noi possiamo seguirti» disse abilmente.

Larry la incenerì con uno sguardo.

«*Questo* lo dicesti già quando proposi di andare in Spagna,» le ricordò «e io sono rimasto due mesi interminabili a Siviglia ad aspettare il vostro arrivo, mentre tu non facevi altro che scrivermi lettere chilometriche sulle fognature e sull'acqua potabile come se io fossi il segretario comunale o qualcosa del genere. No, se dobbiamo andare in Grecia ci andiamo tutti insieme».

«Ora stai *esagerando,* Larry,» disse mamma in tono querulo «in ogni modo, ora come ora non posso partire. Devo prima risolvere il problema di questa casa».

«Risolvere? Risolvere che cosa, per amor del cielo? Vendila».

«Questo non posso farlo, caro» disse mamma, un po' scossa.

«Perché no?».

«Ma l'ho appena comprata!».

«Appunto, vendila finché è ancora in buono stato».

«Non essere ridicolo, caro,» disse mamma con fermezza «non se ne parla nemmeno. Sarebbe una pazzia».

Perciò vendemmo la casa e scappammo dalla tetraggine dell'estate inglese come uno stormo di rondini migratrici.

Viaggiammo leggeri, perché avevamo preso soltanto le cose che ci sembravano essenziali per vivere. Quando aprimmo il bagaglio per l'ispezione doganale, il contenuto delle nostre valigie denotava in modo abbastanza sintomatico il carattere e gli interessi di ciascuno. Infatti il bagaglio di Margo conteneva un'infinità di indumenti diafani, tre libri di diete dimagranti e uno sterminio di bottigliette piene di vari elisir garantiti per curare l'acne. La cassetta di Leslie custodiva due pullover a collo alto e un paio di calzoni in cui erano avvoltolati due rivoltelle, una pistola ad aria compressa, un libro intitolato *L'armaiolo in casa* e una grossa bottiglia d'olio che perdeva. Larry era accompagnato da due bauli di libri e da una ventiquattrore coi suoi vestiti. Il bagaglio di mamma era giudiziosamente spartito tra effetti personali e vari libri di cucina e di giardinaggio. Io mi portai dietro soltanto quelle cose che ritenevo necessarie per alleviare la noia di un lungo viaggio: quattro libri di storia naturale, un acchiappafarfalle, un cane e un barattolo per marmellata pieno di bruchi tutti in pericolo imminente di trasformarsi in crisalidi. Così, perfettamente equipaggiati secondo i nostri punti di vista, lasciammo le umide rive dell'Inghilterra.

La Francia malinconica e lavata dalla pioggia, la Svizzera che sembrava un dolce natalizio, l'Italia esuberante, chiassosa e puzzolente rimasero alle nostre spalle, lasciando in noi soltanto ricordi confusi. La minuscola nave si allontanò fremente dal tacco dell'Italia inoltrandosi nel mare crepuscolare, e mentre dormivamo nelle nostre cabine soffocanti, chi sa dove in quel tratto d'acqua brillantato di luna superammo l'invisibile linea divisoria ed entrammo nel vivido, caleidoscopico mondo della Grecia. A poco a poco questa sensazione di un cambiamento filtrò sino a noi e così, all'alba, ci svegliammo pieni di impazienza e salimmo sul ponte.

Il mare gonfiava i suoi azzurri e levigati muscoli ondosi mentre fremeva nella luce dell'alba, e la schiuma della nostra scia si allargava delicatamente dietro di noi come la coda di un pavone bianco, tutta scintillante di bollicine. Il cielo era pallido, con qualche pennellata gialla a oriente. Davanti a noi si allungava uno sgorbio di terra color cioccolata, una massa confusa nella nebbia, con una gala di spuma alla base. Era Corfù, e noi aguzzammo gli occhi per distinguere la forma delle sue montagne, per scoprirne le valli, le cime, i burroni e le spiagge, ma non ne vedevamo che i contorni. Poi, tutt'a un tratto, il sole spuntò sull'orizzonte e il cielo prese il colore azzurro smalto dell'occhio della ghiandaia. Le infinite e meticolose curve del mare si incendiarono per un istante, poi si fecero d'un intenso color porpora screziato di verde. La nebbia si alzò in rapidi e flessibili nastri, ed ecco l'isola davanti a noi, le montagne come se dormissero sotto una gualcita coperta scura, macchiata in ogni sua piega dal verde degli ulivi. Lungo la riva le spiagge si arcuavano candide come zanne tra precipiti città di vivide rocce dorate, rosse e bianche. Doppiammo il promontorio settentrionale, un liscio contrafforte di roccia color ruggine bucato da una serie di grotte gigantesche. Le onde cupe sollevavano la nostra scia e la portavano delicatamente verso quelle fauci, dove essa si frantumava sibilando avida tra le rocce. Doppiato il promontorio, le montagne scomparvero e l'isola si trasformò in un declivio dolce, macchiato dall'argentea e verde iridescenza degli ulivi, interrotta qua e là dal dito ammonitore di un nero cipresso stagliato contro il cielo. Il mare poco profondo nelle baie era azzurro farfalla, e nonostante il rombo dei motori potevamo distinguere l'eco soffocata – che ci giungeva dalla riva come un coro di voci sottili – degli stridi acuti e trionfanti delle cicale.

I

L'ISOLA INSOSPETTATA

Usciti dal chiasso e dalla confusione dell'ufficio doganale ci incamminammo lungo la banchina assolata. La città si innalzava ripida intorno a noi, gradinate di case ammucchiate a casaccio, persiane verdi spalancate ai due lati delle finestre come le ali di mille farfalle. Dietro di noi si stendeva la baia, liscia come una lastra, tutta permeata di quell'azzurro incredibile.

Larry camminava rapido, col capo eretto e un'espressione di alterigia così regale che non ci si accorgeva più della sua piccola statura, sorvegliando con occhi diffidenti i facchini che battagliavano coi suoi bauli. Leslie lo seguiva più lentamente, basso, tracagnotto, con un'aria di contenuta combattività, e poi veniva Margo, che si trascinava dietro metri di mussola e una scia di profumo. Mamma, che sembrava una minuscola ed esausta missionaria nel vortice di un'insurrezione, fu trascinata di prepotenza da un esuberante Roger sino al lampione più vicino, dove fu costretta a fermarsi, con lo sguardo perduto nel vuoto, mentre lui dava sfogo a tutti i sentimenti repressi che aveva accumulati nella sua cuccia. Larry scelse due carrozzelle gloriosamente sconquassate, fece caricare il bagaglio nella prima e si accomodò nella seconda. Poi si guardò intorno seccato.

«Be'?» disse. «Cosa stiamo aspettando?».

«Stiamo aspettando mamma» spiegò Leslie. «Roger ha trovato un lampione».

«Santo cielo!» disse Larry, poi si alzò in piedi nella carrozza e urlò: «Forza, mamma, vieni! Il cane non può aspettare?».

«Vengo subito, caro» rispose mamma in tono passivo, ed era una bugia perché Roger non dava segno di voler lasciare il lampione.

«Quel cane è stato una maledetta scocciatura per tutto il viaggio» disse Larry.

«Non essere così impaziente,» disse Margo indignata «lui non ne ha colpa... e del resto a Napoli sei stato *tu* a farci aspettare un'ora».

«Avevo lo stomaco sottosopra» spiegò Larry freddamente.

«Be', forse ha lo stomaco sottosopra anche *lui*» disse Margo trionfante. «Se non è zuppa è panforte».

«Vorrai dire pan bagnato».

«Come sia sia, è la stessa cosa».

In quel momento arrivò mamma, un po' scarmigliata, e dovemmo dedicarci all'impresa di far salire Roger sulla carrozza. Non era mai stato in un veicolo del genere e lo avvicinò con sospetto. Alla fine, mentre lui abbaiava come un disperato, dovemmo sollevarlo di peso, scaraventarlo dentro e poi montare tutti in fretta e furia, ansimanti, e tenerlo giù. Il cavallo, spaventato da tutto quel trambusto, spiccò un trotto barcollante, e noi finimmo tutti in mucchio sul pavimento della carrozza, con Roger che guaiva forsennatamente sotto di noi.

«Che ingresso!» proruppe Larry acido. «Avevo sperato di dare un'impressione di affabile maestà, e guarda che cosa succede... arriviamo in città come una compagnia di giocolieri medioevali».

«Smettila, caro,» disse dolcemente mamma raddrizzandosi il cappello «tra poco saremo in albergo».

Così la nostra carrozza si avviò tutta crepitante e tintinnante verso la città, mentre noi, seduti sui sedili di crine, cercavamo di darci quell'aria di affabile maestà che Larry pretendeva. Roger, prigioniero della poderosa stretta di Leslie, sporgeva la testa dalla sponda del veicolo e roteava gli occhi come se stesse esalando l'ultimo respiro. Poi passammo davanti a un vicolo dove quattro cani bastardi e rognosi stavano sdraiati al sole. Roger si irrigidì tutto, li fissò un istante, poi vomitò un torrente di cupi latrati. Subito i bastardi scattarono galvanizzati e si precipitarono dietro alla carrozza abbaiando freneticamente. Tutte le nostre pose andarono immediatamente a farsi benedire, perché ci vollero due persone per tenere Roger che pareva impazzito, mentre noialtri ci sporgevamo dalla carrozza e sventolavamo freneticamente libri e giornali contro l'orda inseguitrice. Questo ottenne l'unico risultato di eccitarli ancora di più, e ogni volta che passavamo davanti a un vicolo il loro numero cresceva: sicché, quando finalmente stavamo percorrendo la strada principale della città, intorno alle nostre ruote turbinavano a dir poco una ventina di bastardi quasi isterici di rabbia.

«Perché non *fate* qualcosa?» disse Larry, gridando per superare il frastuono. «Sembra una scena dalla *Capanna dello zio Tom*».

«Perché non fai qualcosa *tu,* invece di criticare?» scattò Leslie, che stava lottando con Roger.

Subito Larry si alzò in piedi, strappò la frusta dalla mano del vetturino, menò una staffilata tremenda contro l'orda di cani, mancò il bersaglio e prese Leslie sulla nuca.

«Che diavolo ti salta in mente?» ringhiò Leslie, girandosi paonazzo e furibondo verso Larry.

«Pura disgrazia» spiegò Larry disinvolto. «Sono fuori esercizio... è un pezzo che non adopero un frustino».

«Be', maledizione, sta' attento a quello che fai» disse Leslie con voce tonante e bellicosa.

«Via, via, caro, non l'ha fatto certo apposta» disse mamma.

Larry diresse un'altra staffilata contro i cani e mandò all'aria il cappello di mamma.

«Ma tu sei peggio dei cani!» disse Margo.

«Sta' attento, caro,» disse mamma afferrando il cappello «rischi di far male a qualcuno. Io lascerei stare quella frusta».

In quel momento la carrozza si fermò traballando davanti a una porta sulla quale era appesa un'insegna con su scritto Pension Suisse. I bastardi, sentendo che finalmente sarebbero riusciti a mettere le grinfie su quel cane nero ed effeminato che viaggiava in carrozza, ci circondarono formando intorno a noi un muro ansimante e compatto. La porta dell'albergo si aprì e un anziano facchino baffuto comparve e rimase a guardare con occhi stolidi tutto quel trambusto. L'impresa di tirar giù Roger dalla carrozza e di portarlo nell'albergo fu tutt'altro che facile, perché era un cane pesante e ci vollero gli sforzi di tutta la famiglia per sollevarlo, portarlo e trattenerlo. Larry aveva ormai dimenticato le sue arie maestose e si stava divertendo un mondo. Balzò sul marciapiede, e saltando a dritta e a manca con la frusta in mano, sgombrò dai cani un tratto di strada lungo il quale Leslie, Margo, mamma ed io ci affrettammo, portando Roger che si dibatteva e ringhiava. Entrammo barcollando nell'atrio e il facchino sbatté la porta d'ingresso e ci si appoggiò contro, coi baffi tremanti. Il direttore ci si avvicinò guardandoci con un misto di apprensione e di curiosità. Mamma lo affrontò, col cappello di traverso e stringendo in una mano il mio barattolo di bruchi.

«Ah!» disse con un dolce sorriso, come se il nostro arrivo fosse stato la cosa più naturale del mondo. «Il nostro nome è Durrell. Dovrebbero esserci alcune camere prenotate per noi».

«Sì, signora» disse il direttore, virando per evitare Roger che seguitava a ringhiare «sono al primo piano... quattro camere e un balcone».

«Che bello,» flautò mamma «allora sarà meglio che andiamo subito su per riposarci un po' prima di pranzo».

E con notevole e maestosa condiscendenza guidò la sua progenie su per le scale.

Più tardi scendemmo a pranzare in una sala vasta e tetra piena di palme in vaso tutte impolverate e di sculture contorte. Fummo serviti dal facchino baffuto, che una giacca a code e una pettorina di celluloide scrocchiante come un concerto di grilli avevano trasformato in capocameriere. Ma il pranzo era abbondante e ben cucinato e noi mangiammo di gusto. Quando ci fu servito il caffè, Larry si abbandonò con un sospiro contro lo schienale.

«Il pranzo non era male» disse generosamente. «Che te ne sembra di questo posto, mamma?».

«Be', il *cibo* era ottimo» disse mamma, rifiutando di compromettersi.

«Mi hanno l'aria di gente servizievole» continuò Larry. «Per spostare il mio letto più vicino alla finestra si è scomodato il direttore in persona».

«Non è stato molto servizievole quando gli ho chiesto della carta» disse Leslie.

«Carta?» disse mamma. «Per che farne?».

«Carta igienica... in bagno non ce n'era» spiegò Leslie.

«Ssst! Siamo a tavola» sussurrò mamma.

«Non hai guardato bene,» disse Margo con voce chiara e acuta «ce n'è una cassetta piena accanto al water».

«Margo, per favore!» esclamò mamma scandalizzata.

«Be', che c'è di strano? Non hai visto la cassetta?».

Larry diede in una risatina.

«A causa dell'impianto idraulico poco ortodosso di questa città,» spiegò gentilmente a Margo «quella cassetta serve per i... ehm... residui, diciamo così, dopo che hai finito di comunicare con la natura».

Margo avvampò per l'imbarazzo e il disgusto.

«Vuoi dire... vuoi dire che era... Dio mio! avrei potuto prendermi chi sa che malattia schifosa» gemette, e scoppiando in lacrime uscì di corsa dalla sala da pranzo.

«È terribilmente antigienico,» disse mamma in tono grave «francamente è un modo *disgustoso* di far le cose. A parte che ci si può sbagliare, direi che si corre il rischio di prendersi il tifo».

«Uno non si sbaglierebbe se facessero le cose come si deve» precisò Leslie tornando alla sua critica iniziale.

«Sì, caro; ma non mi sembra opportuno parlarne adesso. La cosa migliore è di trovarci una casa al più presto possibile, prima che ci ammaliamo tutti».

Al piano di sopra Margo, mezzo nuda, si rovesciava addosso litri di disinfettante, e fece passare a mamma un pomeriggio faticosissimo costringendola a intervalli a esaminarla da capo a piedi in cerca dei sintomi delle malattie che era certa di essersi buscata. Sfortunatamente per la serenità d'animo di mamma, la Pension Suisse era sulla strada che portava al cimitero locale. Mentre stavamo seduti sul balconcino che dava sulla strada, vedemmo passare sotto di noi una serie praticamente infinita di funerali. Evidentemente gli abitanti di Corfù erano persuasi che quando moriva qualcuno la cosa più importante fosse il corteo funebre, perché sembravano uno più sontuoso dell'altro. Carrozze decorate con metri di crespo nero e violetto erano tirate da cavalli così sovraccarichi di piume e di gualdrappe che ci si domandava come facessero a muoversi. Sei o sette di queste carrozze, su cui si trovavano parenti e amici orbati che davano pieno sfogo al proprio dolore, precedevano la salma.

Questa era issata su una specie di carro, chiusa in una bara così grande e fastosa da sembrare piuttosto un enorme dolce di compleanno. Alcune erano bianche con decorazioni viola, rosso-nere e azzurro cupo; altre erano d'un nero lustro tutte arabescate di filigrana d'oro e d'argento e con luccicanti maniglie di ottone. Non avevo mai visto niente di così bello e pittoresco. Conclusi che quello era veramente il modo ideale di morire, coi cavalli parati a lutto, ettari di fiori e un'orda di parenti debitamente afflitti. Tutto sporto dalla ringhiera del balcone, guardavo passare le bare con occhi intenti e affascinati.

Via via che passavano i funerali e le lamentazioni di cordoglio e lo scalpitio degli zoccoli si allontanavano, mamma diventava più nervosa.

«Sono sicura che c'è un'epidemia» proruppe infine, gettando uno sguardo preoccupato giù in strada.

«Ma via, mamma, non agitarti» disse Larry in tono leggero.

«Ma caro, sono *troppi*... è anormale».

«Morire non è affatto anormale... la gente muore in continuazione».

«Sì, ma non muore come le mosche, se non c'è sotto qualcosa».

«Forse li conservano e poi li seppelliscono tutti insieme» disse Leslie crudelmente.

«Non essere sciocco» disse mamma. «Scommetto che è colpa delle fognature. *Quei* sistemi non possono certo far bene alla salute».

«Dio mio!» disse Margo in tono sepolcrale «sta' a vedere che mi ammalo».

«No, no, cara, non è detto,» rispose mamma vagamente «forse non è una malattia infettiva».

«Se non è infettiva, non vedo come potrebbe esserci un'epidemia» osservò Leslie con una certa logica.

«In ogni caso,» disse mamma, rifiutando di farsi coinvolgere in una discussione medica «penso che dovremmo accertarcene. Non puoi telefonare all'ufficiale sanitario, Larry?».

«Come niente qui non c'è nemmeno l'ufficiale sanitario,» fece notare Larry «e anche se ci fosse, figurati se mi direbbe qualcosa».

«Be',» disse mamma risoluta «non c'è altra soluzione. Bisogna andar via. Dobbiamo andarcene dalla città. Dobbiamo trovare *subito* una casa in campagna».

La mattina dopo partimmo per la nostra caccia-alla-casa, accompagnati dal signor Beeler, la guida dell'albergo. Era un ometto grasso con gli occhi da cane bastonato e le guance lustre di sudore. Quando partimmo era tutto baldanzoso, ma ancora non sapeva quello che gli sarebbe toccato. Chi non è mai andato in cerca di case con mia madre non può nemmeno immaginarselo. Il signor Beeler ci scarrozzò per tutta l'isola in una nube di polvere, mostrandoci una serie di ville straordinariamente varie per forma, colore e posizione, e mamma le scartò tutte crollando la testa. Infine visitammo la decima e ultima villa dell'elenco del signor Beeler, e mamma crollò la testa ancora una volta. Il signor Beeler, scoraggiato, si sedette sugli scalini e si asciugò la faccia col fazzoletto.

«Madame Durrell,» disse infine «le ho fatto vedere tutte le ville che conosco, ma lei le ha rifiutate tutte. Madame, che specie di casa vuole? Cosa c'è che non va in queste ville?».

Mamma lo guardò stupita.

«Non se n'è *accorto*?» disse. «Nessuna ha la stanza da bagno».

Il signor Beeler la guardò con tanto d'occhi.

«Ma, madame,» gemette con genuino sgomento «a che cosa le serve una stanza da bagno?... Non c'è il mare?».

Tornammo taciturni all'albergo.

La mattina dopo mamma aveva deciso che avremmo preso un tassì e saremmo andati a cercare casa da soli. Era convinta che in qualche punto dell'isola fosse annidata una villa col bagno. Poiché noi non condividevamo la sua fiducia, la seguimmo in gruppo sino al posteggio nella piazza principale mostrandoci un tantino irritabili e polemici. I tassisti, non appena notarono la nostra innocente comparsa, si precipitarono giù dalle loro vetture e ci si affollarono intorno come tanti avvoltoi, gridando a più non posso per sopraffarsi a vicenda. Le loro voci si fecero sempre più acute, i loro occhi mandavano lampi, ognuno cercava di respingere gli altri a furia di strattoni e digrignando i denti; poi ci afferrarono come se volessero farci a pezzi. In realtà, stavamo assistendo alla più blanda delle dispute, ma noi non eravamo abituati al temperamento greco e avemmo l'impressione che le nostre vite fossero in pericolo.

« Larry, non puoi fare *qualcosa*? » squittì mamma, strappandosi con una certa difficoltà dalla stretta di un grosso tassista.

« Digli che li denuncerai al Console Britannico » consigliò Larry, gridando per superare il clamore.

« Non dire sciocchezze, caro » ribatté mamma ansimante. « Spiegagli solo che non capiamo ».

Margo, con un sorriso propiziatorio, saltò il fosso. « Noi inglesi, » urlò ai tassisti gesticolanti « noi non capire greco ».

« Se quello lì mi dà un'altra spinta gli faccio un occhio nero » disse Leslie, rosso come un gambero.

« Via, via, caro, » disse mamma col respiro affannoso, continuando a lottare col tassista che la stava spingendo vigorosamente verso il suo tassì « non credo che abbiano cattive intenzioni ».

In quel momento fummo tutti ridotti al silenzio da una voce che rombò al di sopra del frastuono, una voce profonda, piena, vibrante, il tipo di voce che ci si aspetterebbe da un vulcano.

«Ehi!» tuonò la voce «perché voi non avete qualcuni che parla vostra lingua?».

Voltandoci, vedemmo una vecchia Dodge ferma accanto al marciapiede; al volante c'era un individuo tozzo e grosso come un barilotto, con due mani che sembravano prosciutti e una faccia larga, accigliata e coriacea sormontata da un berretto a visiera messo sulle ventitré. Aprì lo sportello della macchina, emerse sul marciapiede, e con andatura da papero venne verso di noi. Poi si fermò, più accigliato che mai, e fissò il gruppo di ammutoliti tassisti.

« Loro hanno disturbati? » domandò a mamma.

« No, no, » disse mamma con scarsa veridicità « avevamo soltanto qualche difficoltà a capirci ».

« Voi occorre qualcuni che parla vostra lingua, » ripeté il nuovo arrivato « loro bastardi... se voi scusi la parola... trufferebbe le loro madri. Scusi un minuto e li sistemo ».

Sparò contro i tassisti una raffica di parole greche che per poco non li mandò a gambe all'aria. Offesi, gesticolanti, furibondi, furono respinti in massa verso le loro macchine da quell'uomo straordinario che poi, dopo avergli elargito un'ultima e, si sarebbe detto, sprezzante raffica di greco, tornò a rivolgersi a noi.

« Dove voi vuole andare? » domandò in tono quasi truculento.

« Può accompagnarci a cercare una villa? » domandò Larry.

« Sicuro. Accompagno dappertutti. Voi dici ».

« Noi » disse mamma con fermezza « stiamo cercando una villa con la stanza da bagno. Lei sa se ne esiste una? ».

L'uomo rimase meditabondo come un grosso e abbronzatissimo mascherone, con le nere sopracciglia contratte da un pensieroso cipiglio.

« Stanza da bagni? Voi vuole una stanza da bagni? ».

« Non c'era in nessuna delle ville che abbiamo viste finora » disse mamma.

«Oh, io so una villa con una stanza da bagni» disse l'uomo. «Io pensavo se era grande abbastanza per voi».

«Può portarci a vederla, per favore?» domandò mamma.

«Sicuro, io porto. Sali in macchina».

Ci infilammo nell'ampia macchina e il nostro autista issò la sua mole dietro il volante e ingranò la marcia con un rumore atroce. Passammo come un razzo per le strade sinuose alla periferia della città, serpeggiando tra asini carichi, carretti, gruppi di contadine e innumerevoli cani, col clacson che strombazzava un assordante allerta. Nel frattempo il nostro autista approfittò dell'occasione per conversare con noi. Ogni volta che ci diceva qualcosa girava la testa per vedere le nostre reazioni, e la macchina sbandava da una parte e dall'altra come una rondine impazzita.

«Voi inglesi? Io immaginato... Inglesi vuole sempre stanza da bagni... Io ho una stanza da bagni in casa mia... Mio nome è Spiro, Spiro Hakiaopulos... tutti mi chiama Spiro Americano perché io vivo in America... Sì, passato otto anni a Chicago... Questo è dove ho imparato mio buono inglese... Andato là per fare soldi... Poi dopo otto anni dico: "Spiro," dico "tu fatti abbastanza..." così torno in Grecia... porto questa macchina... la migliore sull'isola... nessun altro ha macchina così... Tutti turisti inglesi mi conosce, tutti domanda di me quando viene qui... Sa che non sarà truffati... Mi piace gli inglesi... buone persone... Non dico bugia, se non ero greco mi piaceva essere inglese».

Correvamo lungo una strada bianca coperta da uno spesso strato di sottilissima polvere che si sollevava come una nube vaporosa dietro di noi, una strada fiancheggiata da fichi d'India che parevano una palizzata di lamine verdi ingegnosamente in equilibrio l'una contro l'orlo dell'altra, e chiazzate dalle protuberanze dei frutti scarlatti. Rasentammo vigneti dove le viti minuscole e stente erano inghirlandate di foglie verdi, uliveti dove i tronchi butterati ci facevano un'infinità di smorfie stupefatte dall'oscurità delle loro ombre, e grandi ciuffi di canne zebrate che agitavano le loro foglie come una massa di verdi bandiere. Finalmente arrivammo rombando sulla cima della collina, e Spiro si aggrappò ai freni e fermò la macchina in mezzo a un alone di polvere.

«Ecco qua,» disse, protendendo un indice grosso e tozzo «questa è la villa con la stanza da bagni, come voi vuole».

Mamma, che aveva tenuto gli occhi serrati per tutto il viaggio, ora li aprì cautamente e guardò. Spiro stava indicando la gentile curva di un pendio che sorgeva dal mare scintillante. La collina e le valli tutt'intorno erano un piumino di uliveti che balenavano come pesci guizzanti nei punti dove la brezza sfiorava le foglie. A metà del pendio, protetta da un gruppo di cipressi alti e sottili, era annidata una piccola villa color rosa fragola, come un frutto esotico che ammicchi tra il verde. I cipressi ondeggiavano gentilmente nella brezza, come se per il nostro arrivo fossero intenti a dipingere il cielo di un azzurro ancora più vivido.

II
LA VILLA COLOR ROSA FRAGOLA

La villa era piccola e quadrata e si ergeva nel suo minuscolo giardino con un'aria di rosea risolutezza. La vernice delle persiane, in certi punti un po' screpolata e piena di bolle, sotto il sole si era sbiadita in un delicato color verde pallido. Il giardino, circondato da un'alta siepe di fucsie, era cosparso di aiuole che formavano dei complicati disegni geometrici ed erano contornate da sassi lisci e bianchi. I sentieri di ciottoli bianchi, larghi a malapena quanto un rastrello, serpeggiavano intorno ad aiuole non più ampie di un grosso cappello di paglia, aiuole a forma di stella, a mezza luna, triangolari, rotonde, tutte straripanti di una massa incolta di fiori inselvatichiti. Le rose lasciavano cadere petali grossi e levigati come piattini, rosso fiamma, bianco luna, lucidi e senza una grinza; le calendule, come nidiate di soli tutti arruffati, guardavano il cammino del loro padre lungo l'arco del cielo. Tra le erbe basse le viole del pensiero protendevano le loro facce vellutate e innocenti su dalle foglie, e le violette si nascondevano tristi sotto le loro foglie a forma di cuore. La buganvillea che copriva rigogliosa il balconcino sulla facciata era tutta adorna, come per una festa di carnevale, dei suoi violacei fiori a forma di lanterna. Nell'ombra della siepe di fucsie tremavano ansiose migliaia di corolle che sembravano ballerine. L'aria calda era greve del profumo di centinaia di fiori morenti, e colma del sommesso e carezzevole ronzio degli insetti. Al primo sguardo, subito desiderammo vivere in quel posto – era come se la villa fosse rimasta in attesa del nostro arrivo. Sentimmo che eravamo arrivati a casa.

Dopo essere piombato così inaspettatamente nella nostra vita, ora Spiro prese in mano le redini della situazione. Ci spiegò che era meglio che fosse lui ad occuparsi delle nostre faccende, visto che tutti lo conoscevano, e avrebbe provveduto lui a non farci imbrogliare.

«Non si preoccupa di niente, signora Durrell,» aveva detto con aria torva «lascia tutto a me».

Così ci portava in giro a far commissioni, e dopo aver gridato e sudato per un'ora riusciva a farci avere uno sconto di due dracme. Equivalevano sì e no a un penny; non era per il denaro, ci spiegò, ma per una questione di principio. Senza contare che era greco e adorava tirare sul prezzo. Quando scoprì che il nostro denaro non era ancora arrivato dall'Inghilterra, fu Spiro a sovvenzionarci, e si sentì in dovere di andare dal direttore della banca a lamentarsi della sua mancanza di organizzazione. Che quel povero direttore non c'entrasse affatto non lo scoraggiò minimamente. Fu Spiro a pagare il conto dell'albergo, a trovare un carro per il trasporto del nostro bagaglio alla villa e a portare lassù tutti noi, con la macchina stracolma di generi alimentari che ci aveva procurati lui stesso.

Che conoscesse tutti sull'isola, e che tutti conoscessero lui, scoprimmo presto che non era una spacconata. Dovunque si fermasse la sua macchina, subito si sentiva gridare il suo nome e molta gente sventolava la mano per invitarlo a bere un caffè ai tavolini sotto gli alberi. Vigili, contadini e preti lo salutavano e gli sorridevano quando passava; pescatori, bottegai e bettolieri lo accoglievano come un fratello. «Ehi, Spiro!» dicevano, e gli sorridevano con affetto, come se fosse un bambino un po' impertinente ma adorabile. Rispettavano la sua onestà, il suo spirito combattivo, ma soprattutto adoravano il disprezzo impavido e tipicamente greco che dimostrava verso qualsiasi specie di burocrazia governativa. All'arrivo, due delle nostre casse che contenevano biancheria e altre cose erano state confiscate dalla Dogana con lo strano pretesto che si trattava di merce. Così, quando ci trasferimmo nella villa color fragola e venne fuori il problema delle lenzuola, mamma parlò a Spiro delle nostre casse che languivano alla Dogana e chiese il suo consiglio.

«Perbacco, signora Durrell,» ruggì lui, mentre la grossa faccia gli si imporporava di rabbia «perché non mi dici mai prima? Quei bastardi di Dogana. Vi porto giù là domani e li sistemo io: li conosco tutti, e loro conosce *me*. Lascia tutto a me – li sistemo io».

La mattina dopo accompagnò in macchina mamma all'ufficio della Dogana. E noi andammo con loro perché non volevamo perderci quello spasso. Spiro irruppe nell'ufficio della Dogana come un orso infuriato.

«Dov'è le cose di questa gente?» domandò all'ometto grassoccio della Dogana.

«Sta parlando delle loro casse di merce?» domandò il funzionario nel suo migliore inglese.

«Cosa lei pensi che sto parlando?».

«Sono qua» ammise guardingo il funzionario.

«Siamo venuti a ritirare,» disse Spiro minaccioso «le fa' preparare».

Si girò e uscì con passo marziale dall'ufficio per cercare qualcuno che ci aiutasse a portare il bagaglio, e quando tornò vide che l'impiegato, che aveva chiesto le chiavi a mamma, stava alzando il coperchio di una delle cassette. Spiro, con un grugnito di rabbia, fece un balzo avanti e sbatté il coperchio sulle dita del malcapitato.

«Perché le apri, figliodiputtana?» domandò furibondo.

Il funzionario della Dogana, sventolando la mano schiacciata, dichiarò in tono vibrato che aveva il dovere di esaminare il contenuto.

«Doveri?» disse Spiro con sottile derisione. «Cosa lei intendi, doveri? È suo doveri aggredire stranieri innocenti, eh? Trattare come contrabbandieri, eh? Questo lei chiami doveri?».

Spiro si interruppe un momento, col fiato grosso, poi afferrò con le sue manone le due grandi cassette e si diresse verso la porta. Là si fermò e si volse per scoccare la freccia del Parto.

«Io ti conosco, Christaki, perciò tu non parli a me di doveri. Io ricordo quando hai preso dodicimila dracme di multa per pesca con dinamite. Mai un criminale parla a *me* di doveri».

Ci allontanammo dalla Dogana trionfanti, con tutto il nostro bagaglio, sano e salvo e non esaminato.

«I bastardi pensa che l'isola è loro» fu il commento di Spiro. Pareva non rendersi conto che lui si stava comportando come se invece fosse sua.

Una volta prese le redini, Spiro si appiccicò a noi come una cozza. Nel giro di qualche ora, da tassista era diventato il nostro difensore, e nel giro di una settimana si trasformò in guida, filosofo e amico. Diventò talmente di famiglia che ben presto non ci fu più nulla che facessimo o progettassimo di fare in cui in un modo o nell'altro non fosse coinvolto anche lui. Era sempre da noi, accigliato e tonante, a fare tutto quello di cui avevamo bisogno, dicendoci quanto dovevamo pagare per questo e per quest'altro, vigilando su di noi e raccontando a mamma tutto ciò che secondo lui doveva sapere. Simile a un grosso e brutto angelo bruno vegliava teneramente su di noi come se fossimo dei bambini un po' deficienti. Aveva una palese adorazione per mamma, e dovunque fossimo cantava le sue lodi a voce alta, mettendola profondamente in imbarazzo.

«Voi deve stare attenti a quello che fai» ci diceva, contraendo la faccia con fervore. «Noi non bisogna preoccupare vostra madre».

«Perché mai, Spiro?» protestava Larry con ben simulato stupore. «Lei non ha mai fatto niente per noi... perché dovremmo avere dei riguardi per lei?».

«Perbacco, signorino Larry, non *scherza* così» diceva Spiro afflitto.

«Larry ha ragione, Spiro» interveniva Leslie serissimo. «Francamente, non è proprio una madre esemplare».

«Non dici questo, *non dici questo*» ruggiva Spiro. «Non è bugie, se avevo una madre come la vostra, tutte mattine io scendo e bacio i suoi piedi».

Così prendemmo possesso della villa, e ci sistemammo e ci inserimmo nell'ambiente ognuno secondo la propria indole. Margo, limitandosi a indossare un costume da bagno microscopico e a prendere il sole negli uliveti, aveva radunato un'ardente schiera di bei giovanotti locali che come per magia comparivano da un paesaggio apparentemente deserto tutte le volte che un'ape le volava troppo vicino o bisognava spostare la sua sedia a sdraio. Mamma si sentì in obbligo di dirle chiaro che secondo lei quei bagni di sole erano *imprudenti.*

«In fondo, cara, quel costume non copre un gran che, non ti sembra?» le fece notare.

«Oh, mamma, non essere così antiquata» disse Margo spazientita. «Dopo tutto si muore una volta sola».

Quest'osservazione era sconcertante ma non per questo meno vera e chiuse la bocca a mamma.

C'erano voluti tre ragazzotti robusti e mezz'ora di sfacchinata per portare i bauli di Larry nella villa, mentre lui si dava un gran da fare a dirigere le operazioni. Uno dei bauli era così grosso che si dovette issarlo attraverso la finestra. Non appena i bauli furono in casa, Larry trascorse una giornata felice a disfarli, e la stanza era così piena di libri che era quasi impossibile entrarvi o uscirne. Dopo aver costruito bastioni di libri tutt'intorno al perimetro esterno, Larry passava le sue giornate chiuso là dentro con la sua macchina da scrivere, e ne usciva con aria sognante solo all'ora dei pasti. La seconda mattina, quando comparve, aveva un diavolo per capello perché un contadino aveva legato il suo asino proprio accanto alla siepe. A intervalli regolari, la bestia alzava il muso e gettava un lungo e lugubre raglio.

«Ma ditemi voi!» proruppe Larry «non è da ridere che le future generazioni debbano essere private della mia opera solo perché un ilota cretino ha legato quella puzzolente bestia da soma vicino alla mia finestra?».

«Sì, caro» disse mamma. «Perché non vai a spostarla, se ti disturba?».

«Cara mamma, non si può pretendere che io passi il mio tempo a inseguire gli asini per gli uliveti. Gli ho scaraventato addosso un opuscolo della Scienza Cristiana; che altro pretendi che faccia?».

«Quella povera bestia è legata. Non puoi pretendere che si sleghi da sola» disse Margo.

«Dovrebbe essere proibito per legge di parcheggiare quelle bestie disgustose vicino a una casa. Qualcuno di voi non potrebbe andare a spostarlo?».

«Perché? Non ci disturba mica» disse Leslie.

«Ecco il guaio di questa famiglia» disse Larry in tono acido. «Nessun aiuto reciproco, nessuna considerazione per gli altri».

«Sei *tu* a non avere molta considerazione per gli altri» disse Margo.

«È tutta colpa tua, mamma» disse Larry in tono austero. «Non avresti dovuto abituarci ad essere così egoisti».

«Questa è bella!» esclamò mamma. «Non me lo sono nemmeno sognata!».

«Be', non siamo certo diventati così egoisti senza *qualche* guida» disse Larry.

Alla fine, mamma e io staccammo l'asino e lo portammo un po' più giù lungo il pendio.

Leslie intanto aveva tirato fuori le sue rivoltelle e ci faceva sobbalzare con una serie apparentemente interminabile di esplosioni mentre dalla finestra della sua camera sparava contro un vecchio barattolo di latta. Dopo una mattinata particolarmente assordante, Larry uscì a precipizio dalla sua camera e disse che non si poteva pretendere che lui lavorasse se ogni cinque minuti la villa tremava dalle fondamenta. Leslie, offeso, disse che lui doveva esercitarsi. Larry ribatté che quello non sembrava un esercizio ma l'Ammutinamento dell'India. Mamma, che anche lei aveva i nervi un po' scossi da quei rimbombi, consigliò a Leslie di esercitarsi con una rivoltella scarica. Leslie impiegò mezz'ora a spiegare perché questo non fosse possibile. Finalmente, controvoglia, si decise ad andarsene col suo barattolo un po' più lontano da casa, da dove il rumore veniva un po' attutito ma altrettanto inaspettato.

Intanto che ci teneva d'occhio tutti quanti, mamma si sistemava a modo suo. In casa si diffondeva il profumo delle erbe aromatiche e l'odore penetrante dell'aglio e delle cipolle, e la cucina era piena di una serie di pentole in ebollizione tra le quali lei si affaccendava, con gli occhiali di traverso, borbottando tra sé. Sul tavolo c'era una pericolante pila di libri che ogni tanto lei consultava. Quando riusciva a strapparsi dalla cucina, gironzolava felice per il giardino, potando e recidendo con riluttanza, e seminando e piantando con entusiasmo.

Quanto a me, il giardino bastava ad assorbire tutto il mio interesse, e Roger e io vi imparammo alcune cose sorprendenti. Roger, per esempio, scoprì che non era prudente fiutare le vespe, che i cani campagnoli correvano via abbaiando se lui li guardava attraverso il cancello, e che le galline che tutt'a un tratto balzavano dalla siepe di fucsie, scoccodando come forsennate mentre cercavano scampo, erano una preda allettante ma proibita.

Questo giardino da bambola era una terra magica, una foresta di fiori nella quale si aggiravano creature che non avevo mai viste prima. Tra i petali carnosi e serici di ogni rosa vivevano minuscoli ragni che sembravano granchi e scappavano di sghembo quando li si disturbava. I loro piccoli corpi traslucidi avevano lo stesso colore dei fiori in cui abitavano: rosa, avorio, rosso vino, o giallo burro. Sugli steli delle rose, incrostati di afidi, le coccinelle zampettavano come giocattoli dipinti di fresco; coccinelle d'un rosso pallido con grandi macchie nere; coccinelle rosso mela con macchie marroni; coccinelle arancione picchiettate di grigio e di nero. Rotondette e amabili, si aggiravano tra le anemiche turbe di afidi, facendone scorpacciate. Le api legnaiole, simili a orsi pelosi color azzurro elettrico, zigzagavano tra i fiori con un ronzio cupo e affaccendato. Smerinti levigati ed eleganti come colibrì svolazzavano su e giù per i sentieri con indaffarata efficienza, rimanendo ogni tanto sospesi sulla frenetica nebbia delle ali per calare una lunga, sottile proboscide in una corolla. Tra i ciottoli bianchi, turbe di grosse formiche nere barcollavano e gesticolavano intorno a strani trofei: un bruco morto, un pezzetto di petalo di rosa, o un capolino secco ricco di semi. Ad accompagnare tutta questa attività, dagli uliveti che si stendevano oltre la siepe di fucsie veniva l'incessante e tremulo frinire delle cicale. Se la strana, confusa foschia dell'afa avesse un suono, questo sarebbe proprio lo strido scampanante di quegli insetti.

A tutta prima rimasi così stupefatto di una tale profusione di vita proprio sulla soglia di casa che mi aggiravo per il giardino come stordito, osservando ora quest'insetto, ora quello, continuamente distratto dalle vivide farfalle che volteggiavano sulla siepe. Ma un po' per volta, a mano a mano che mi abituavo a quel brulichio di vita tra i fiori, mi accorsi che riuscivo a concentrarmi un po' di più. Passavo ore e ore accoccolato o disteso a pancia sotto a osservare la vita privata delle creature che mi circondavano, mentre Roger mi stava accucciato accanto, con un'aria di rassegnazione sul muso. In questo modo imparai un sacco di cose affascinanti.

Scopersi che i piccoli ragni simili ai granchi erano bravissimi a cambiar colore come i camaleonti. Bastava prendere un ragno da una rosa color rosso vino, dove lui se ne stava come una goccia di corallo, e metterlo tra i petali di una fredda rosa bianca. Se ci rimaneva – e lo facevano quasi tutti – a poco a poco il suo colore impallidiva come se quel trasferimento lo avesse fatto ammalare di anemia, finché, due o tre giorni dopo, lo si vedeva appallottolato tra i petali bianchi come una perla.

Vidi poi che tra le foglie secche sotto la siepe di fucsie viveva un altro tipo di ragno, un piccolo e crudele cacciatore dotato dell'astuzia e della ferocia di una tigre. Si aggirava maestoso nel suo continente di foglie, con gli occhi che scintillavano al sole, fermandosi ogni tanto per drizzarsi sulle zampe pelose e guardarsi intorno. Se vedeva una mosca che si posava per godersi il sole, si irrigidiva tutto; poi, con la lentezza con cui cresce un germoglio, si faceva avanti, impercettibilmente, accostandosi pian piano, facendo ogni tanto una sosta per assicurare la sua sagola di seta sulla superficie delle foglie. Poi, quand'era abbastanza vicino, si fermava, spostando impercettibilmente le zampe per trovare un buon punto d'appoggio, e poi, con le zampe spalancate in un peloso abbraccio, balzava dritto sulla mosca sognante. Non ho mai visto uno di questi piccoli ragni mancare la sua preda, una volta riuscito a mettersi nella posizione giusta.

Tutte queste scoperte mi colmavano di una gioia così immensa che sentivo il bisogno di parlarne con qualcuno, e allora mi precipitavo in casa e facevo sussultare tutti quanti con la notizia che gli strani e pelosi bruchi neri sulle rose non erano affatto bruchi, ma i piccoli delle coccinelle, e con la notizia altrettanto stupefacente che le crisope deponevano le uova su dei trampoli. Quest'ultimo miracolo ebbi la fortuna di vederlo coi miei occhi. Trovai una crisopa sulle rose e stetti a guardarla mentre si arrampicava sulle foglie, ammirando le sue belle ali fragili come vetro verde e i suoi enormi occhi d'oro liquido. Poco dopo si fermò sulla superficie d'una foglia di rosa e abbassò la punta dell'addome. Rimase così per un momento, poi sollevò l'estremità, e da quella, con mio grande stupore, vidi alzarsi un filo sottile, come un capello chiaro. Poi, proprio sulla cima di quello stelo, comparve l'uovo. La femmina si riposò un istante, poi ripeté più volte l'operazione finché la superficie della foglia sembrò coperta da una foresta di musco lillipuziano. Finito di deporre le uova, la femmina mosse brevemente le antenne e volò via nella nebbiolina delle sue ali di velo verde.

Forse la scoperta più esaltante che feci in quella Lilliput multicolore in cui potevo aggirarmi fu un nido di forbicina. Da un pezzo desideravo trovarne uno e l'avevo cercato invano dappertutto, sicché la gioia di scoprirlo per caso fu indicibile, come se tutt'a un tratto mi avessero fatto un regalo meraviglioso. Sollevai un pezzo di corteccia, e là sotto ecco la sala parto, un piccolo buco nella terra che l'insetto doveva essersi scavato per rifugiarvisi. Lei ci stava acquattata dentro, proteggendo col suo corpo alcune uova bianche. Ci stava accovacciata sopra come una gallina, e non si mosse nemmeno quando il sole inondò il suo rifugio non appena sollevai la corteccia. Non riuscii a contare le uova ma mi parve che non fossero molte, sicché immaginai che non le aveva ancora deposte tutte. Rimisi teneramente a posto il suo coperchio di scorza.

Da quel momento sorvegliai il nido gelosamente. Eressi tutt'intorno un muraglione di sassi, e come precauzione supplementare scrissi con l'inchiostro rosso un avviso e lo attaccai a un palo là vicino per avvertire tutta la famiglia. L'avviso diceva: ATENTI —

NIDO DI FORBICINA — GIRATTE ALLARGO. La sua peculiarità consisteva nel fatto che le due uniche parole scritte correttamente erano quelle biologiche. Ogni ora circa sottoponevo la madre forbicina a dieci minuti di attento esame. Non osavo studiarla più spesso per paura che abbandonasse il suo nido. Finalmente il mucchietto di uova crebbe, e sembrava che lei si fosse abituata a quell'alzarsi continuo del suo tetto di corteccia. Conclusi addirittura che doveva aver cominciato a riconoscermi, perché agitava le antenne in modo molto amichevole.

Con mia profonda delusione, dopo tutta la briga che mi ero presa e la mia continua vigilanza, le uova si schiusero durante la notte. Mi pareva che dopo tutto quello che avevo fatto la madre avrebbe anche potuto aspettare ch'io fossi presente per far nascere i suoi piccoli. Comunque eccole là, una bella nidiata di piccole forbicine, minuscole, fragili, che parevano intagliate nell'avorio. Si muovevano pacatamente sotto il corpo della madre camminando tra le sue zampe, le più avventurose arrampicandosi persino sulle sue pinze. Era uno spettacolo entusiasmante. Il giorno dopo la sala parto era vuota: la mia meravigliosa nidiata si era sparsa per il giardino. Qualche tempo dopo vidi uno dei piccoli: era più grosso, naturalmente, più scuro e più forte, ma lo riconobbi subito. Dormiva tutto raggomitolato in un viluppo di petali di rosa, e quando lo disturbai si limitò a drizzare le pinze con gesto irritato. Mi avrebbe fatto molto piacere immaginarmi che fosse un saluto, una cordiale accoglienza, ma per onestà dovetti riconoscere che era soltanto un ammonimento da forbicina a un potenziale nemico. Però lo scusai. Dopo tutto, era molto giovane quando l'avevo visto l'ultima volta.

Arrivai a conoscere le contadinotte paffute che passavano davanti al giardino tutte le mattine e tutte le sere. Sedute all'amazzone sui loro goffi asini dalle orecchie pendule, erano garrule e colorate come pappagalli, e il loro chiacchierio e le loro risate squillavano tra gli ulivi. Al mattino, quando passavano sui loro asini trotterellanti, mi sorridevano gridandomi i loro saluti, e alla sera si sporgevano sulla siepe di fucsie, in precario equilibrio sui dorsi dei loro destrieri, e sorridendo mi offrivano dei regali – una manciata di grappoli ambrati ancora caldi di sole, dei fichi neri come il catrame, e striati di rosa dove maturando avevano crepato la buccia, o un cocomero gigantesco col dentro che sembrava ghiaccio rosa. Col passare dei giorni, a poco a poco arrivai a capirle. Quello che a tutta prima era stato un balbettio confuso si trasformò in una serie di suoni separati e riconoscibili. Poi, tutt'a un tratto, questi suoni acquistarono un significato, e lentamente, con molte incertezze, cominciai a usarli anch'io; e poi presi queste parole appena scoperte e le allineai in frasi sgrammaticate e incespicanti. Le nostre vicine ne furono incantate, come se cercando di imparare la loro lingua avessi fatto a tutte loro un grande onore. Si sporgevano sulla siepe, coi visi contratti e attenti mentre io mi imbarcavo esitante in un saluto o in una semplice frase, e quando riuscivo a cavarmela loro mi guardavano radiose, approvando e sorridendo, e battevano le mani. Dopo un po' imparai i loro nomi, di chi erano parenti, quali di loro erano sposate e quali speravano di sposarsi, e tante altre cose. Seppi dov'erano le loro casette in mezzo agli uliveti, e se per caso Roger e io passavamo da quelle parti tutti i familiari, felici e chiassosi, accorrevano a salutarci e portavano fuori una sedia per farmi sedere sotto il pergolato a mangiare con loro un po' di frutta.

A poco a poco la magia dell'isola ci avvolse gentile e persistente come un polline. Ogni giorno portava con sé una tale tranquillità, una tale durata fuori del tempo da far desiderare che non finisse mai. Ma poi la pelle scura della notte si sbucciava ed ecco un nuovo giorno davanti a noi, lustro e colorato come una decalcomania, e con lo stesso tocco di irrealtà.

III

L'UOMO DALLE CETONIE

Al mattino, quando mi svegliavo, le persiane della mia camera erano luminose, e il sole nascente le rigava d'oro. L'aria mattutina era colma dell'odore del carbone di legna acceso in cucina, colma del frenetico canto dei galli, del lontano abbaiare dei cani, e del tremulo, malinconico scampanio delle greggi che i pastori portavano al pascolo.

Facevamo colazione in giardino, sotto i piccoli mandarini. Il cielo era limpido e luminoso, non ancora di quell'azzurro violento del mezzogiorno, ma di un chiaro, latteo color opale. I fiori erano insonnoliti, le rose gualcite dalla rugiada, le calendule ancora del tutto chiuse. La colazione, nell'insieme, era un pasto che si svolgeva con comodo e in silenzio, perché a quell'ora nessuno di noi era molto loquace. Verso la fine del pasto si facevano sentire i benefici effetti del caffè, del pane tostato e delle uova, e noi cominciavamo a rivivere, a dirci quello che ci proponevamo di fare, perché pensavamo di farlo, e poi a discutere impetuosamente se quelle varie decisioni fossero sagge. Io non partecipavo mai a quelle discussioni, perché sapevo benissimo quello che mi proponevo di fare ed ero im-

pegnato a finir di mangiare il più presto possibile.
« Non puoi *proprio* fare a meno di ingozzarti a quel modo? » diceva Larry con voce esasperata, stuzzicandosi delicatamente i denti con un fiammifero.
« Mangia più piano, caro, » mormorava mamma « non c'è fretta ».
Non c'è fretta? Con Roger che mi aspettava al cancello, forma nera e vigile, osservandomi con bruni occhi impazienti? Non c'era fretta, con le prime cicale sonnacchiose che cominciavano a sviolinare come per prova tra gli ulivi? Non c'era fretta, con l'isola ancora fresca di mattino, vivida come una stella, che aspettava di essere esplorata? Ma non potevo certo pretendere che gli altri condividessero il mio punto di vista, così mangiavo più lentamente, finché non mi accorgevo che non badavano più a me, e allora tornavo subito a riempirmi la bocca.
Non appena finito, alla buon'ora, scivolavo via dal tavolo e mi incamminavo lentamente verso il cancello dove Roger, acquattato, mi fissava con aria interrogativa. Attraverso il cancello di ferro battuto guardavamo insieme gli uliveti che si stendevano dall'altra parte. Io allora dicevo a Roger che forse quel giorno non valeva la pena di uscire. Lui agitava la coda mozza in frenetica protesta, e mi toccava la mano col muso. No, dicevo io, non dovevamo andare a spasso, quel giorno. Pareva che stesse per piovere, e fissavo con espressione ansiosa il cielo limpido e lustro. Roger, con le orecchie dritte, fissava il cielo anche lui, poi mi guardava implorante. E, in ogni caso, continuavo io, anche se per il momento sembrava che non dovesse piovere, era quasi certo che sarebbe piovuto più tardi, e quindi era molto meglio restare in giardino a leggere un libro. Roger, disperato, posava una grossa zampa bruna sul cancello e poi mi guardava, alzando un angolo del labbro superiore e mostrando i denti bianchi in un sorriso sbilenco e accattivante, mentre la sua coda si trasformava in un vortice di eccitazione.

Questo era il suo asso nella manica, perché sapeva che non riuscivo mai a resistere a quel suo comico sorriso. Sicché smettevo di stuzzicarlo, andavo a prendere le mie scatole di fiammiferi e il mio acchiappafarfalle, il cancello si apriva cigolando e si richiudeva con un tonfo, e Roger si avventava negli uliveti rapido come l'ombra di una nuvola, salutando con cupi latrati il nuovo giorno.

In quei primi giorni di esplorazione Roger era il mio compagno inseparabile. Insieme ci avventuravamo sempre più lontano, scoprendo silenziosi e remoti uliveti che bisognava esplorare e ricordare, facendoci strada in mezzo a un dedalo di mirti pieni di merli, inoltrandoci in valli anguste dove i cipressi gettavano un manto d'ombra misteriosa e color inchiostro. Era un perfetto compagno di avventure, affettuoso ma non esuberante, coraggioso senza essere battagliero, intelligente, e pieno di cordiale tolleranza per le mie eccentricità. Se scivolavo mentre stavo arrampicandomi su un argine splendente di rugiada, Roger compariva tutt'a un tratto, faceva uno sbuffo che sembrava uno scoppio di riso soffocato, mi dava un fuggevole sguardo, una rapida leccatina di commiserazione, si scrollava ben bene, starnutiva e mi scoccava il suo sorriso sbilenco. Se trovavo qualcosa d'interessante – un nido di formiche, un bruco su una foglia, un ragno che avvolgeva una mosca in seriche bende – Roger si sedeva e aspettava che avessi finito di esaminarlo. Se gli pareva che ci mettessi troppo tempo, mi si avvicinava con un piccolo guaito lamentoso, poi sospirava profondamente e cominciava ad agitare la coda. Se non era una cosa molto importante proseguivamo, ma se invece si trattava di qualcosa che mi interessava molto e andava osservata attentamente, bastava che guardassi Roger con occhi severi e lui si rendeva conto che sarebbe stata una faccenda lunga. Le sue orecchie si afflosciavano, la sua coda smetteva a poco a poco di agitarsi, e lui se ne andava lemme lemme verso il cespuglio più vicino, stendendosi all'ombra e guardandomi con espressione da martire.

Durante queste escursioni Roger e io facemmo conoscenza con molti abitanti di tutta la campagna dei dintorni. C'era per esempio uno strano ragazzo deficiente con la faccia rotonda e inespressiva che sembrava una vescia. Indossava sempre una camicia lacera, lucidi calzoni di saia azzurra arrotolati sino al ginocchio, e sulla testa quel che restava di una vecchia bombetta senza tesa. Tutte le volte che ci vedeva si avvicinava di corsa tra gli ulivi, sollevava educatamente il suo assurdo cappello e ci augurava il buongiorno con una voce infantile e soave come un flauto. Per una decina di minuti restava là, osservandoci con occhi vacui, annuendo a tutto quello che dicevo. Poi, sollevando educatamente il cappello, si allontanava tra gli alberi. Poi c'era Agathi, la grassissima e sempre allegra Agathi, che viveva in una piccola casupola cadente in cima alla collina. Stava sempre seduta davanti alla sua casa intenta a filare una fusata di lana di pecora, attorcigliandola e tirandola in un filo grossolano. Doveva avere più di settant'anni, ma i suoi capelli erano ancora neri e lustri, accuratamente intrecciati e attorti intorno a due polite corna di mucca, ornamento che alcune delle contadine più vecchie portavano ancora. Mentre stava seduta al sole come un grosso rospo nero, con un'acconciatura scarlatta drappeggiata sulle corna di mucca, il fuso che andava su e giù, girando vorticosamente, e lei, con le dita indaffarate a sbrogliare il filo e a tirarlo, e la bocca vizza con la sua corona di denti rotti e anneriti spalancata, cantava a squarciagola, con voce rauca ma con grande vigore.

Proprio da Agathi imparai alcune delle più belle e ossessive canzoni paesane. Seduto su una vecchia latta sotto il sole, mangiando uva o melagrane del suo giardino, cantavo con lei, e lei ogni tanto si interrompeva per correggere la mia pronuncia. Cantavamo (strofa per strofa) la gaia ed eccitante canzone del fiume, *Vangeliò*, e di come scendeva dalle montagne, rendendo smaglianti i giardini, fertili i campi e carichi di frutti gli alberi. Cantavamo, scambiandoci occhiate assassine con ostentata civetteria, la buffa canzoncina d'amore intitolata *Menzogna.* «Bugie, bugie,» gorgheggiavamo, scuotendo la testa «tutte bugie, ma è colpa mia che ti ho insegnato ad andartene in giro a dire a tutti che ti amo». Poi prendevamo un tono malinconico e cantavamo, magari, la canzone lenta e cadenzata che si intitolava *Perché mi lasci?* Questa ci commoveva profondamente, e noi cantavamo i lunghi versi accorati in tono gemente, con le voci tremule. Quando arrivavamo all'ultima strofa, la più straziante, Agathi congiungeva le mani sul suo grosso seno, gli occhi neri le si facevano tristi e velati di lacrime, e il mento le tremava dalla commozione. Quando le ultime note discordanti del nostro duetto si smorzavano, lei si volgeva verso di me, asciugandosi il naso col lembo della sua acconciatura.

«Come siamo stupidi, eh? Che stupidi, seduti qui al sole a cantare. E d'amore, poi! Io sono troppo vecchia e tu sei troppo giovane per l'amore, eppure sprechiamo il nostro tempo a cantare canzoni d'amore. E va bene! beviamoci un bicchiere di vino, d'accordo?».

A parte Agathi, la persona che mi piaceva più di tutti era il vecchio pastore Yani, un uomo alto e dinoccolato, con un grande naso a uncino come il becco di un'aquila e dei baffoni incredibili. Lo incontrai per la prima volta un pomeriggio afoso in cui Roger e io eravamo esausti dopo aver cercato per un'ora di stanare un grosso ramarro verde dal suo buco in un muro di pietra. Alla fine, battuti, sudati e stanchi, ci eravamo sdraiati sotto cinque cipressetti che disegnavano un nitido quadrato d'ombra sull'erba bruciata dal sole. Là disteso, sentii lo scampanio gentile e sonnacchioso del gregge, e poco dopo le capre ci passarono accanto, fermandosi un istante a guardarci con gli occhi gialli e inespressivi, belando in tono canzonatorio, e poi riprendendo il cammino. Quel dolce suono delle loro campanelle e delle loro bocche intente a strappare e a sfrondare tra il sottobosco, ebbe su di me un effetto soporifico, e quando infine il gregge si stava allontanando e il pastore comparve io ero quasi addormentato. Lui si fermò a guardarmi, appoggiandosi pesantemente sul suo bastone di bruno legno di ulivo, coi piccoli occhi neri che brillavano intensi sotto le sopracciglia ispide, i grossi stivali solidamente piantati nell'erica.

«Buongiorno,» mi salutò con voce aspra «tu sei lo straniero... il piccolo lord inglese?».

Ormai mi ero abituato alla strana idea di quella gente che tutti gli inglesi fossero dei lord, e dissi che ero proprio io. Lui si girò per richiamare con un grido una capra che si era drizzata sulle zampe di dietro e stava sfrondando un giovane ulivo, poi tornò a guardarmi.

«Voglio avvertirti di una cosa, piccolo lord» disse. «Per te è pericoloso startene sdraiato qui sotto questi alberi».

Alzai gli occhi sui cipressi, ma non ci vidi niente di allarmante, e allora gli domandai perché pensava che fossero pericolosi.

«Ah, puoi starci *seduto* sotto, questo sì. Fanno una bella ombra, fresca come l'acqua. Ma danno la tentazione di dormire, e questo è il guaio. E tu non devi mai dormire sotto un cipresso, per nessuna ragione al mondo».

Tacque, si lisciò i baffi, attese che gli domandassi perché, e poi continuò:

«Perché? Perché? Perché se dormi, quando ti svegli sei cambiato. Sì, i cipressi neri sono pericolosi. Mentre dormi, le loro radici ti crescono nel cervello e te lo rubano, e quando ti svegli sei matto, con la testa vuota come uno zufolo».

Gli domandai se erano soltanto i cipressi a far questo, o anche altri alberi.

«No, soltanto il cipresso,» disse il vecchio, alzando gli occhi a fissare fieramente gli alberi che troneggiavano su di me, quasi volesse vedere se stavano in ascolto «soltanto il cipresso è il ladro dell'intelligenza. Perciò sta' in guardia, piccolo lord, e non dormire qui».

Fece un breve cenno col capo, gettò un'altra occhiata selvaggia alle scure guglie dei cipressi, come se li sfidasse a ribattere qualcosa, e poi si inoltrò con passo guardingo tra i mirti per raggiungere le sue capre che pascolavano sparse per la collina, con le grosse mammelle che penzolavano come cornamuse sotto i loro ventri.

Finii col conoscere Yani molto bene, perché lo incontravo sempre durante le mie esplorazioni e ogni tanto andavo a trovarlo nella sua casupola, dove lui mi riempiva di frutta e mi dava consigli e suggerimenti per scampare a ogni pericolo durante le mie passeggiate.

Forse uno dei personaggi più misteriosi e affascinanti che incontrai nelle mie peregrinazioni fu l'Uomo dalle Cetonie. Aveva in sé qualcosa di fiabesco a cui era impossibile resistere, e io aspettavo sempre con impazienza i nostri rari incontri. Lo vidi la prima volta lungo un'alta strada solitaria che portava a uno dei lontani villaggi sulla montagna. Molto prima che riuscissi a vederlo potei sentirlo, perché con uno zufolo da pastore stava sonando una melodia spumeggiante, interrompendosi ogni tanto per cantare qualche parola con una strana voce nasale. Quando comparve alla svolta, Roger e io ci fermammo a guardarlo stupefatti.

Aveva una faccia aguzza, da volpe, con due grandi occhi a mandorla di un marrone così scuro che sembravano neri. Quegli occhi avevano uno sguardo vacuo, misterioso, e una specie di velatura come quella che si vede sulle susine, un appannamento perlaceo quasi come una cataratta. Era un uomo piccolo e snello, e la magrezza del collo e dei polsi dimostrava una prolungata denutrizione. Aveva un vestito fantastico, e sulla testa un cappello informe con una larghissima tesa floscia. Una volta doveva essere stato verde bottiglia, ma adesso era tutto sporco, pieno di polvere e cosparso di macchie di vino e di bruciature di sigaretta. Dal nastro sporgeva una sventolante foresta di penne: penne di gallo, penne di upupa, penne di gufo, l'ala di un martin pescatore, la zampa artigliata di un falco, e una grossa penna d'un bianco sporco che poteva anche essere di cigno. La sua camicia era logora e sfilacciata, grigia di sudore, e intorno al collo gli penzolava un'enorme cravatta di raso d'un azzurro strabiliante. La giacca era scura e informe, con varie toppe di diversi colori; sulla manica, un pezzo di stoffa bianca con un disegno di boccioli di rosa; sulla spalla, una toppa triangolare color rosso vino a puntolini bianchi. Le tasche erano così rigonfie che il contenuto rischiava sempre di cader fuori: pettini, palloncini, santini coloratissimi, serpenti, cammelli, cani e cavalli ricavati dal legno d'olivo, specchietti da pochi soldi, una profusione di fazzoletti, e certi lunghi panini ritorti cosparsi di semi aromatici. I calzoni, rappezzati come la giacca, ricadevano mollemente su un paio di rosse *charouhias,* le scarpe di cuoio con la punta ricurva, adorne di un grosso pompon bianco e nero. Questo personaggio straordinario portava sul dorso alcune gabbie di bambù piene di piccioni e di pulcini, diversi sacchi misteriosi e un gran fascio di porri verdi appena colti. Con una mano si teneva lo zufolo davanti alla bocca, e con l'altra reggeva una quantità di nastri di cotone, a ognuno dei quali era legata una cetonia grossa quanto una mandorla, d'un verde dorato che scintillava al sole, e tutte gli volavano intorno al cappello con un disperato e cupo ronzio, cercando di liberarsi dal filo strettamente legato intorno al loro corpo. Ogni tanto, stanca di quell'inutile vorticare in circolo, una di loro si posava un istante sul suo cappello, per poi rituffarsi di nuovo in quell'interminabile giostra.

Quando ci vide, l'Uomo dalle Cetonie si fermò, trasalì con esagerata sorpresa, si cavò quel ridicolo cappello e ci fece un grande inchino. Roger fu così commosso da quell'imprevisto riguardo che prorupppe in una salva di stupiti latrati. L'uomo ci sorrise, tornò a mettersi il cappello, alzò le mani e mi salutò agitando le lunghe dita ossute. Divertito e un po' spaventato da quell'apparizione, gli augurai educatamente il buongiorno. Lui fece un altro inchino cerimonioso. Gli domandai se era stato a qualche festa. Lui annuì vigorosamente, si portò lo zufolo alle labbra, suonò un motivetto cadenzato, ballonzolò un istante sulla polvere della strada, poi si fermò e, col pollice, mi indicò la strada alle sue spalle per spiegarmi di dove veniva. Sorrise, si batté sulle tasche e poi stropicciò il pollice e l'indice come fanno i greci per indicare i soldi. Tutt'a un tratto mi resi conto che doveva essere muto. Così, là in mezzo alla strada, continuai a chiacchierare con lui, e lui rispondeva con una varia e abilissima pantomima. Gli domandai a che cosa servissero le cetonie, e perché le avesse legate a quei nastri. Lui sporse la mano per rappresentare dei bambini piccoli, prese uno dei nastri di cotone da cui pendeva una cetonia e se lo fece roteare rapidamente intorno al capo. Subito l'insetto si rianimò e riprese a ruotare come un pianeta intorno al suo cappello, e lui mi sorrise beato. Indicando il cielo, allargò le braccia ed emise un profondo ronzio nasale mentre virava e si tuffava da una parte all'altra della strada. Gli aeroplani, quelli ogni sciocco poteva vederli. Poi indicò le cetonie, sporse la mano per rappresentare i bambini, e si fece turbinare intorno al capo la sua manciata di nastri, così che tutte le cetonie si misero a ronzare lamentose.

Esaurito da quella spiegazione, si sedette sul margine della strada e sonò un breve motivo sullo zufolo, interrompendosi per cantare con la sua curiosa voce nasale. Non emetteva dei suoni articolati, ma una serie di strani grugniti e acuti tenorili che sembravano formarsi dietro la sua gola e scaturire dal naso. Ma li faceva con tanto brio e con una mimica facciale così straordinaria da darti la convinzione che quei suoni bizzarri significassero veramente qualcosa. Poco dopo si cacciò lo zufolo nella tasca rigonfia, mi fissò con aria pensierosa e poi si tolse di spalla un piccolo sacco, lo aprì e, con mia grande gioia e meraviglia, rovesciò sulla strada polverosa sei o sette tartarughe. I loro gusci erano stati lustrati con l'olio sino a farli splendere, e in un modo o nell'altro lui era riuscito a decorare le loro zampe anteriori con dei piccoli fiocchi rossi. Con gesto lento e grave esse sporsero la testa e le zampe dai loro gusci luccicanti e si misero a zampettare sulla strada, con aria tetra e senza entusiasmo. Io le fissavo affascinato; quella che mi colpiva più di tutte era piccolissima, con un guscio grande suppergiù come una tazza da tè. Sembrava più vivace delle altre, e il suo guscio era di un colore più pallido – marrone castagna, zucchero bruciato e ambra. I suoi occhi erano vispi e il suo passo agile quanto può esserlo il passo di una tartaruga. Rimasi a contemplarla per un pezzo. Mi persuasi che in casa tutti avrebbero salutato il suo arrivo con irrefrenabile entusiasmo, forse perfino congratulandosi con me perché ero riuscito a trovare un esemplare così elegante. Il fatto di non avere denaro in tasca non mi preoccupava per niente, perché avrei semplicemente detto a quel tale di venire l'indomani alla villa per il pagamento. Non mi sfiorò neppure l'idea che lui potesse non fidarsi di me. Il fatto che io fossi inglese era sufficiente, perché gli isolani provavano per noi inglesi un amore e un rispetto del tutto sproporzionati ai nostri meriti. Potevano non fidarsi l'uno dell'altro, ma degli inglesi si fidavano sempre. Domandai all'Uomo dalle Cetonie quanto costasse la tartarughina. Lui alzò tutt'e due le mani con le dita aperte. Ma io non avevo assistito invano alle transazioni commerciali dei contadini. Scossi la testa con fermezza e alzai due dita, imitando inconsciamente l'uomo. Lui chiuse gli occhi scandalizzato alla sola idea di quella cifra, e alzò nove dita; io ne alzai tre; lui scosse la testa, e dopo averci pensato un poco alzò sei dita; io, a mia volta, scossi la testa e ne alzai cinque. L'Uomo dalle Cetonie scosse la testa e diede un gran sospiro di rammarico, e poi ce ne restammo seduti in silenzio a fissare le tartarughe che zampettavano pesanti e incerte sulla strada, con la strana e goffa pertinacia dei bambini piccoli. Poco dopo l'Uomo dalle Cetonie indicò la tartarughina e alzò di nuovo sei dita. Io scossi la testa e ne alzai cinque. Roger fece un rumoroso sbadiglio; era profondamente annoiato di quel muto mercanteggiare. L'Uomo dalle Cetonie raccolse la bestiolina e mi mostrò a gesti com'era levigato e incantevole il suo guscio, e com'era dritta la sua testa e aguzze le sue unghie. Io rimasi incrollabile. Lui si strinse nelle spalle, mi porse la tartaruga e alzò cinque dita.

Allora gli dissi che non avevo denaro e che sarebbe dovuto venire l'indomani alla villa, e lui annuì come se fosse la cosa più naturale della terra. Ero così contento di avere quella nuova bestiolina che non vedevo l'ora di tornare a casa per mostrarla a tutti, così lo salutai ringraziandolo e mi affrettai lungo la strada. Quando raggiunsi il punto dal quale dovevo tagliare per gli uliveti, mi fermai a esaminare attentamente il mio acquisto. Era senza dubbio la più bella tartaruga che avessi mai visto, e secondo me valeva almeno il doppio di quanto l'avevo pagata. Le diedi qualche pacca sulla testolina scagliosa e me la misi in tasca con grande cura. Prima di precipitarmi giù per il pendio, mi volsi a guardare indietro. L'Uomo dalle Cetonie era ancora là dove l'avevo lasciato, ma adesso stava ballando una specie di danza sfrenata, saltellando e contorcendosi ai gorgheggi del suo zufolo, mentre sulla strada le tartarughe si aggiravano goffe e ottuse intorno ai suoi piedi.

Il nuovo arrivato fu formalmente battezzato Achille, e si rivelò una bestiola intelligentissima, simpatica, e dotata di un particolare senso umoristico. A tutta prima lo tenemmo in giardino legato per una zampa, ma quando cominciò ad addomesticarsi lo lasciammo andare dove gli pareva. Imparò prestissimo il suo nome, e bastava che lo chiamassimo una o due volte e poi avessimo la pazienza di aspettare un poco ed eccolo che arrivava, avanzando in punta di piedi lungo gli stretti sentieri di ciottoli, con la testa e il collo avidamente protesi. Gli piaceva farsi imboccare, e se ne stava regalmente acquattato al sole mentre noi gli porgevamo pezzetti di lattuga, bocche di leone o chicchi d'uva. L'uva gli piaceva quanto piaceva a Roger, quindi tra loro c'era sempre una grande rivalità. Achille stava lì acquattato biascicando l'uva, col succo che gli colava giù per il collo, e Roger gli si sdraiava accanto, fissandolo con occhi straziati e la bocca sbavante. Roger aveva sempre la parte d'uva che gli spettava, eppure aveva l'aria di pensare che offrire quelle leccornie a una tartaruga fosse uno spreco. Finito il festino, se non ci stavo attento, Roger si avvicinava furtivamente ad Achille e gli leccava vigorosamente tutta la faccia per raccogliere con la lingua il succo d'uva che lui si era gocciolato addosso. Achille, offeso da quelle confidenze, tentava di mordere il naso di Roger, e poi, quando le leccate diventavano troppo aggressive e bagnaticce, si ritirava nel suo guscio ansimando sdegnato, e rifiutava di uscirne finché non avevamo allontanato Roger.

Ma i frutti che ad Achille piacevano di più erano le fragole selvatiche. Gli bastava soltanto vederle per diventare assolutamente pazzo: si muoveva di qua e di là, sporgeva la testa per vedere se gliene davate qualcuna e vi fissava implorante con quei suoi occhietti che parevano bottoncini. Le fragole molto piccole riusciva a divorarle in un sol boccone, perché non erano più grandi di un pisello. Ma se gliene davate una grossa, diciamo come una nocciola, si comportava in modo del tutto insolito per una tartaruga. Afferrava il frutto, e tenendolo ben stretto nella bocca arrancava a tutta velocità finché non raggiungeva un punto sicuro e ben nascosto tra le aiole; là lo posava al suolo e se lo mangiava con comodo, per poi tornare a chiederne un altro quando aveva finito quello.

Oltre alla passione per le fragole, in Achille divenne sempre più forte la grande passione per la compagnia umana. Bastava che qualcuno andasse in giardino a prendere il sole, o a leggere, o a fare qualsiasi altra cosa, e subito si sentiva un fruscio tra i dianti e la faccia seria e rugosa di Achille si affacciava tra le foglie. Se stavi seduto in poltrona, si contentava di avvicinarsi quanto più possibile ai tuoi piedi e là cadeva in un sonno tranquillo e profondo, con la testa pendula dal guscio, il naso posato sul terreno. Se però stavi sdraiato su una stuoia a prendere il sole, Achille era convinto che ti fossi disteso semplicemente per farlo divertire. Veniva barcolloni lungo il sentiero e montava sulla stuoia con un'espressione di estatica felicità sulla faccia. Si fermava, ti studiava attentamente, e poi sceglieva un punto della tua anatomia sul quale far pratica di alpinismo. Trovarsi tutt'a un tratto confitte nella coscia le unghie aguzze di una tartaruga testarda che tenta di issarsi per raggiungere il tuo stomaco non è uno svago distensivo. Se te lo scrollavi di dosso e portavi la stuoia altrove, era soltanto una tregua momentanea, perché Achille girava arcigno per tutto il giardino finché non ti aveva ritrovato. Quest'abitudine divenne così seccante che, dopo molte lamentele e minacce di tutta la famiglia, dovetti rinchiuderlo tutte le volte che andavamo a prendere il sole. Poi un giorno che il cancello era rimasto aperto, Achille non si trovava più in nessun posto. Organizzammo immediatamente le ricerche e i miei familiari, che sino allora non avevano fatto altro che minacciare senza mezzi termini di uccidere quel povero rettile, presero a girovagare per gli uliveti gridando: «Achille... le fragole, Achille... Achille... le fragole...». Infine lo trovammo. Andandosene in giro con la sua solita aria noncurante, era caduto in un pozzo in disuso, la cui imboccatura era coperta dalle felci dopo che il muricciolo era crollato da un pezzo. Con nostro grande rammarico, era proprio morto. Non servirono a niente nemmeno i tentativi di respirazione artificiale fatti da Leslie, né il consiglio di Margo di cacciargli in gola delle fragole (per dargli, come spiegò lei, una ragione per vivere). Così, con solenne tristezza, il suo corpo fu seppellito nel giardino sotto una piccola pianta di fragole (suggerimento di mamma). Un breve discorso funebre, scritto e letto con voce tremula da Larry, rese memorabile l'occasione che fu rovinata soltanto da Roger, il quale, nonostante tutte le mie proteste, continuò ad agitare la coda durante tutto l'ufficio funebre.

Poco tempo dopo che avevamo perduto Achille, l'Uomo dalle Cetonie mi diede un'altra bestiolina. Stavolta si trattava di un piccione. Era ancora molto piccolo e bisognava nutrirlo cacciandogli nel becco pane e latte e farinate. Aveva un aspetto addirittura disgustoso, con quelle penne che sporgevano come spuntoni dalla pelle rossa e rugosa in mezzo all'orribile peluria gialla che ricopre i piccioni appena nati e gli dà l'aria d'essersi ossigenati. Per questo suo aspetto obeso e ripugnante, Larry suggerì di chiamarlo Quasimodo, e io, trovando il nome di mio gusto e non rendendomi conto delle sue implicazioni, lo adottai subito. Anche dopo che aveva cominciato a nutrirsi da solo e quando già tutte le sue penne erano cresciute, Quasimodo conservò per un pezzo sulla testa un batuffolo di peluria gialla, che gli dava l'aspetto di un giudice alquanto pomposo con una parrucca troppo piccola per lui.

Essendo stato allevato in modo così poco ortodosso e non avendo accanto i genitori che gli insegnassero i fatti della vita, Quasimodo si persuase di non essere un uccello e si rifiutava di volare. Però camminava a tutto spiano. Se voleva salire su un tavolo o su una sedia, ci si fermava sotto, muovendo la testa su e giù e tubando con voce pastosa di contralto finché qualcuno non ce lo metteva sopra. Aveva sempre la smania di fare tutto quello che facevamo noi, e cercava persino di accompagnarci a passeggio. Ma questo dovemmo proibirglielo, perché o te lo portavi sulla spalla, esponendo i tuoi vestiti a qualche inconveniente, oppure lo lasciavi camminare dietro. Se lo lasciavi camminare, però, eri costretto ad andar piano per adeguare il tuo passo al suo, perché a distanziarlo troppo lo sentivi tubare implorante e frenetico, e girandoti lo vedevi che ti rincorreva come un disperato, dimenando la coda in modo seducente, col petto iridato gonfio di sdegno per la tua crudeltà.

Quasimodo voleva a tutti i costi dormire in casa; nessuna lusinga, nessun rimprovero lo convincevano a starsene nella piccionaia che gli avevo costruita. Gli piaceva dormire in fondo al letto di Margo. Ma alla fine fu esiliato sul divano del salotto, perché se di notte Margo si girava nel letto Quasimodo si svegliava, saltellava sino al capezzale e si appollaiava sul suo viso, tubando amorosamente e a piena gola.

Fu Larry a scoprire che Quasimodo era un piccione dotato di istinto musicale. Non soltanto gli piaceva la musica, ma pareva addirittura che riconoscesse due particolari tipi di ritmo, il valzer e la marcia militare. Quando sentiva la musica normale, andava sculettando il più vicino possibile al grammofono e si accovacciava col petto in fuori, e gli occhi semichiusi, tubando piano piano tra sé. Ma se si trattava di un valzer, cominciava a girare tutt'intorno al grammofono, inchinandosi, contorcendosi e tubando con voce tremula. Quando sentiva una marcia, invece – soprattutto *Sousa* – si raddrizzava in tutta la sua altezza, gonfiava il petto e marciava su e giù per la stanza, tubando con una voce così piena e ingolata che sembrava sul punto di strozzarsi. Nessun altro ritmo lo allettò mai ad esibirsi in questo modo, solo le marce e i valzer. Ogni tanto, però, quand'era un po' di tempo che non sentiva musica, gli capitava (preso dall'entusiasmo nel sentire il grammofono) di scambiare una marcia per un valzer o viceversa, ma sempre, a un certo punto, si interrompeva per correggersi.

Un triste giorno, andando a svegliare Quasimodo, ci accorgemmo che ci aveva ingannati tutti, perché tra i cuscini c'era un bell'uovo bianco e lucente. Lui non si riprese mai da questo colpo. Divenne irritabile, arcigno, e se cercavamo di prenderlo cominciava a beccarci infuriato. Poi depose un altro uovo, e la sua indole cambiò completamente. Divenne sempre più selvatico, o meglio selvatica, trattandoci come se fossimo i suoi peggiori nemici, avvicinandosi furtivamente alla porta della cucina in cerca di cibo, come se temesse per la sua vita. Nemmeno il grammofono la tentava a tornare a casa. L'ultima volta che la vidi stava appollaiata su un olivo, tubando in modo terribilmente teatrale e timidetto, mentre sullo stesso ramo, a poca distanza, un grosso piccione dall'aria molto mascolina si contorceva e tubava ammirandola in estasi.

Per qualche tempo l'Uomo dalle Cetonie si presentò alla villa quasi regolarmente portandomi qualche nuovo esemplare per il mio serraglio: una rana, magari, o un passero con la zampa rotta. Un pomeriggio mamma e io, in un accesso di folle sentimentalismo, comprammo tutta la sua provvista di cetonie e non appena lui se ne fu andato le liberammo nel giardino. Per giorni e giorni la villa fu piena di cetonie che zampettavano sui letti, si rintanavano nel bagno, sbattevano di sera contro le lampade e ci cadevano in grembo come smeraldi.

L'ultima volta che vidi l'Uomo dalle Cetonie fu una sera in cui me ne stavo seduto sulla cima di una collina che dominava la strada. Doveva essere stato a qualche festa e aver bevuto molto vino, perché barcollava da un lato all'altro della strada, suonando sul suo zufolo un motivo malinconico. Gli gridai un saluto e lui sventolò la mano in un gran gesto, senza girarsi. Mentre svoltava alla curva, si stagliò per un momento contro il pallido cielo color lavanda. Vidi il suo malconcio cappello con le piume ondeggianti, le sue tasche rigonfie, le gabbie di bambù piene di piccioni addormentati sul suo dorso, e intorno al suo capo, in quella loro continua giostra sonnolenta, potei vedere i puntolini quasi indistinti che erano le cetonie. Poi lui scomparve dietro la curva, e non rimase che il cielo pallido su cui fluttuava come una piuma d'argento un piccolo arco di luna, e il dolce pigolio del suo zufolo che si spegneva nel crepuscolo.

IV
UNA TONNELLATA DI ERUDIZIONE

Ci eravamo a malapena sistemati nella villa color rosa fragola, quando mia madre decise che stavo diventando selvaggio e che era necessario che mi si impartisse una certa istruzione. Ma dove trovarla, in una remota isola greca? Come al solito quando si presentava un problema, l'intera famiglia si tuffò con entusiasmo nell'impresa di risolverlo. Ognuno aveva la propria idea personale su ciò che sarebbe stato meglio per me, e tutti la esponevano con tale fervore che ogni discussione sul mio futuro si trasformava generalmente in un tumulto.

«Ha un mucchio di tempo per imparare» disse Leslie. «Dopo tutto sa leggere, no? Io posso insegnargli a sparare, e se compriamo una barca posso insegnargli a portarla».

«Ma caro, *francamente* questo non gli servirebbe a molto, in seguito,» disse mamma, soggiungendo in tono vago «a meno che non entri nella Marina Mercantile o qualcosa del genere».

«A me sembra essenziale che impari a ballare,» disse Margo «se no diventerà uno di quegli sbarbatelli gnocconi che non sanno spiccicare due parole».

«Sì, cara, ma queste cose possono *aspettare.* Dovrebbe avere una certa conoscenza di alcune materie, come la matematica e il francese... e la sua ortografia è atroce».

«Quello che gli ci vuole,» disse Larry con convinzione «è la letteratura, una solida preparazione in letteratura. Il resto verrà da sé. Io l'ho spinto a leggere qualche buon libro».

«Ma non ti sembra che Rabelais sia un po' *antiquato* per lui?» domandò mamma dubbiosa.

«Un ottimo e sano divertimento,» disse Larry leggermente «è molto importante che veda il sesso nella prospettiva giusta fin da adesso».

«Ti è venuta la fissazione del sesso» disse Margo con sussiego. «Di qualunque cosa si parli, devi sempre tirarcelo dentro».

«Quello che gli ci vuole è una vita sana e all'aria aperta. Se impara a sparare e a governare una barca...» cominciò Leslie.

«Oh, piantala di parlare come un vescovo... tra un po' farai il panegirico dei bagni freddi».

«Il guaio con te è che quando ti metti a fare il grand'uomo ti senti un genio, e non stai manco a sentire il punto di vista degli altri».

«Con un punto di vista limitato come il tuo, non puoi pretendere che stia a sentire».

«Su, su, è inutile litigare» disse mamma.

«Be', Larry è talmente irragionevole!».

«Questa è bella!» disse Larry sdegnato. «Sono di gran lunga la persona più ragionevole della famiglia».

«Sì, caro, ma litigare non risolve il problema. Quello che occorre è qualcuno che insegni qualcosa a Gerry e lo incoraggi nei suoi interessi».

«A quanto pare,» disse Larry acido «ha un solo interesse, ed è l'atroce mania di cacciare bestie e bestiole dappertutto. Non credo proprio che in *questo* andrebbe incoraggiato. La vita è già anche troppo piena di pericoli... Stamattina stavo per accendermi una sigaretta, e dalla scatola è volato via un calabrone enorme».

«La mia era una cavalletta» disse Leslie arcigno.

«Sì, credo proprio che sarebbe ora che la piantasse» disse Margo. «Io ho trovato un *disgustoso* barattolo brulicante di vermi, e sapete dove? Sulla toilette!».

«Credeva di non fare niente di male, povero piccolo» disse mamma conciliante. «Tutte queste cose lo interessano enormemente».

«Non mi importerebbe di essere aggredito dai calabroni, se *portasse* a qualcosa» precisò Larry. «Ma è soltanto una fase... gli passerà all'avvicinarsi dei quattordici anni».

«È in questa fase da quando aveva due anni,» disse mamma «e non c'è il minimo accenno che gli stia passando».

«Be', se proprio vuoi imbottirlo di nozioni inutili, penso che George sarebbe disposto a dargli lezione».

«Questo sì che è un lampo di genio» disse mamma felice. «Cerca di vederlo al più presto, per piacere! Prima comincia e meglio è».

Seduto nel crepuscolo sotto la finestra aperta, col braccio intorno al collo irsuto di Roger, avevo ascoltato con interesse, e anche con un certo sdegno, i miei familiari discutere del mio destino. Ora che avevano sistemato tutto, mi domandai vagamente chi fosse George, e perché fosse tanto necessario che andassi a scuola. Ma l'oscurità era carica del profumo dei fiori, e gli uliveti erano cupi, misteriosi e affascinanti. Io mi dimenticai dell'imminente pericolo della scuola e con Roger me ne andai a caccia di lucciole tra i pruni acquattati.

Scoprii che George era un vecchio amico di Larry che era venuto a Corfù per scrivere. In questo non c'era niente di molto strano, perché a quei tempi tutti i conoscenti di Larry erano scrittori, poeti o pittori. E per giunta il vero responsabile della nostra presenza a Corfù era proprio George, perché nelle sue lettere aveva parlato dell'isola in termini così entusiastici che Larry si era convinto di non poter vivere in nessun altro posto. Ora George avrebbe pagato quella sua imprudenza. Venne alla villa per parlare con mamma della mia istruzione, e fummo presentati. Ci guardammo con sospetto. George era un uomo molto alto e magrissimo che si muoveva con la strana grazia disarticolata di una marionetta. La sua faccia scarna da teschio era seminascosta da una bruna barbetta a punta e da un paio di grossi occhiali cerchiati di tartaruga. Aveva una voce profonda e malinconica, e un senso umoristico tagliente e caustico. Dopo aver detto una battuta, sorrideva nella barba con una specie di volpino compiacimento che le reazioni altrui non riuscivano a scalfire.

George si accinse con grave impegno al compito di istruirmi. Il fatto che sull'isola non si trovassero libri scolastici non lo scompose; si limitò a saccheggiare la sua biblioteca, e il giorno prestabilito si presentò armato della più eterodossa raccolta di volumi. Con tetra pazienza mi insegnò i rudimenti della geografia sulle carte in fondo a un'antica copia della *Pears Cyclopaedia,* l'inglese su una serie di libri che spaziavano da Wilde a Gibbon, il francese su un librone affascinante intitolato *Le Petit Larousse,* e la matematica a memoria. Dal mio punto di vista, però, la cosa più importante era che dedicavamo un po' del nostro tempo alla storia naturale, e George mi insegnò con meticolosa accuratezza ad osservare e ad annotare le mie osservazioni in un diario. Subito il mio entusiastico ma caotico interesse per la natura venne messo a fuoco, perché mi accorsi che scrivendo le cose riuscivo a impararle e a ricordarle molto meglio. Le uniche mattine in cui fossi puntuale alle lezioni erano quelle dedicate alla storia naturale.

Ogni mattina alle nove George arrivava a lunghi passi attraverso gli uliveti, in calzoncini e sandali e con un enorme cappello di paglia con la tesa sfilacciata, stringendo una pila di libri sotto il braccio e dondolando vigorosamente un bastone da passeggio.

«Buongiorno. Voglio sperare che il discepolo sia in ansiosa attesa del maestro, non è così?» mi salutava con un sorriso tetro.

Nella piccola sala da pranzo della villa le persiane erano chiuse per difenderci dal sole, e nella penombra verde intravedevo George davanti al tavolo, intento a sistemare metodicamente i suoi libri. Le mosche, istupidite dal caldo, zampettavano lente sulle pareti o volavano come ubriache per la stanza, con un ronzio assonnato. Fuori le cicale salutavano il nuovo giorno con stridulo entusiasmo.

«Vediamo un po'» mormorava George facendo scorrere un lungo indice sull'orario che avevamo accuratamente preparato. «Sì, sì, matematica. Se ben ricordo, eravamo impegnati nella fatica erculea di scoprire quanto tempo ci metterebbero sei uomini a costruire un muro se tre uomini ci hanno messo una settimana. Mi sembra di ricordare che su questo problema abbiamo impiegato quasi lo stesso tempo che gli uomini a fare il muro. E va bene, cingiamo la spada e riprendiamo la battaglia. Forse è la *forma* del problema ad angustiarti, eh? Vediamo se si può renderlo più eccitante».

Si chinava pensieroso sul libro degli esercizi, tirandosi la barba. Poi, con la sua scrittura grande e chiara, esponeva il problema in un modo diverso.

«Se due bruchi impiegano una settimana a mangiare otto foglie, quanto tempo impiegheranno quattro bruchi a mangiare la stessa quantità di foglie? Pensaci bene sopra».

Mentre io lottavo col problema evidentemente insolubile dell'appetito dei bruchi, George si occupava in altro modo. Era un esperto schermidore, e in quel periodo aveva cominciato a imparare alcune delle danze folkloristiche locali, che gli piacevano moltissimo. Così, mentre aspettava che finissi i miei calcoli, lui saltava nella penombra della stanza, esercitandosi in varie mosse di scherma o in complicati passi di danza, un'abitudine che trovavo a dire poco sconcertante e alla quale imputerò sempre la mia inettitudine alla matematica. Ancora oggi, sottoponetemi una semplice operazione e subito mi rivedo davanti agli occhi lo scarno corpo di George che sciabola e saltella tutt'intorno nella sala da pranzo in penombra. Nelle sequenze danzanti si accompagnava con un cupo, inarticolato mugolio, come un alveare di api impazzite.

«Ta-ri-ra-ri-ra-ri... du-du-du-ra-ri-ra... gamba sinistra sopra... tre passi a destra... Ta-ri-ra-ri-rari... voltarsi, girare, chinarsi e raddrizzarsi... du-du-du-ra-ri-rarì...» continuava a ronzare, sgambettando e piroettando come una funerea gru. Poi tutt'a un tratto il mugolio cessava, i suoi occhi si facevano duri come l'acciaio e lui assumeva una posizione difensiva, puntando un immaginario fioretto contro un immaginario nemico. Con gli occhi come due fessure, gli occhiali balenanti, respingeva l'avversario attraverso la stanza, schivando abilmente i mobili. Ridotto il nemico con le spalle al muro, George gli saltava intorno contorcendosi con l'agilità di una vespa, facendo finte, affondi e parate. Mi pareva quasi di veder balenare l'acciaio. Poi arrivava il momento conclusivo, il colpo all'insù e all'infuori che agganciava l'arma dell'avversario e la scagliava lontano, il rapido passo indietro e poi il lungo, dritto affondo che immergeva la punta del suo fioretto nel cuore del nemico. Per tutto il tempo io lo fissavo affascinato, immemore del libro di esercizi che avevo davanti. La matematica non era proprio il nostro forte.

In geografia le cose andavano meglio, perché George sapeva dare un carattere più zoologico alla lezione. Disegnavamo carte gigantesche, tutte rugose di montagne, e poi vi inserivamo i vari luoghi interessanti e i disegni della più eccitante fauna locale. Così per me i prodotti principali di Ceylon erano i tapiri e il tè; dell'India le tigri e il riso; dell'Australia i canguri e le pecore, mentre le curve azzurre delle correnti che tracciavamo sugli oceani albergavano balene, albatri, pinguini e trichechi, come pure gli uragani, gli alisei, il bello e il brutto tempo. Le nostre carte erano capolavori artistici. I vulcani principali vomitavano fiamme e scintille tali da far temere che potessero incendiare i continenti di carta; le catene montuose di tutto il mondo erano così azzurre e bianche di ghiaccio e di neve che al solo guardarle ci si sentiva intirizzire. I nostri deserti marroncini e assolatissimi erano tutti bozzuti di gobbe di cammelli e di piramidi, e le nostre foreste tropicali così intricate e lussureggianti che solo con grande difficoltà i goffi giaguari, gli agili serpenti e gli imbronciati gorilla riuscivano ad attraversarle, mentre sui loro bordi alcuni indigeni emaciati abbattevano con aria stanca gli alberi dipinti, formando delle piccole radure al solo scopo di scriverci sopra in vacillanti maiuscole «caffè» oppure «cereali». I nostri fiumi erano larghi, azzurri come non-ti-scordar-di-me, punteggiati di canoe e di coccodrilli. I nostri oceani erano tutt'altro che vuoti, perché dove non spumeggiavano nell'infuriare della burrasca o non si arricciolavano in un enorme cavallone che incombeva pauroso su qualche remota isola irsuta di palme, erano pieni di vita. Balene gentilissime consentivano a sgangherati galeoni, armati di una foresta di fiocine, di inseguirle implacabilmente; piovre dall'aria candida e innocua inghiottivano piccole barche nel loro tenero abbraccio; giunche cinesi dalle ciurme itteriche erano inseguite da banchi di squali dentatissimi, mentre alcuni esquimesi impellicciati davano la caccia a enormi branchi di trichechi sulla banchisa fittamente popolata di orsi polari e di pinguini. Erano carte che vivevano, carte che si potevano studiare, meditare e arricchire; carte, insomma, che *significavano* veramente qualcosa.

I nostri primi passi nella storia non furono particolarmente brillanti finché George non scoprì che condendo una serie di fatti ostici con un pizzico di zoologia e una spruzzatina di particolari assolutamente irrilevanti riusciva a suscitare il mio interesse. Così divenni un vero esperto di certi dati storici di cui, a quanto mi risultava, nessuno aveva mai parlato. Col fiato sospeso, seguivo da una lezione all'altra l'avanzata di Annibale attraverso le Alpi. Perché tentasse una simile impresa e che cosa intendesse fare oltralpe, erano bazzecole che mi interessavano molto poco. No, il mio interesse per quella che consideravo una spedizione progettata malissimo derivava dal fatto che *io conoscevo il nome di ogni elefante.* Sapevo anche che Annibale aveva assegnato a un funzionario speciale l'incarico non soltanto di nutrire e governare gli elefanti, *ma anche di fornirli di bottiglie d'acqua calda quando faceva freddo.* Sembra che agli storici più seri questo fatto interessantissimo sia sfuggito. Un'altra cosa che i libri di storia non riferiscono mai è che quando Colombo mise piede in America le sue prime parole furono: «Giusto cielo, guardate... un giaguaro!». Con un simile esordio, come si farebbe a non interessarsi alla storia successiva del continente? Così George, ostacolato da libri inadeguati e da un allievo recalcitrante, si sforzava di rendere appassionanti i suoi insegnamenti, e quindi le ore di lezione non erano mai barbose.

Roger, naturalmente, pensava che le mie mattinate fossero del tutto sprecate. Però non mi abbandonava, e se ne rimaneva addormentato sotto il tavolo mentre io lottavo con i compiti. Ogni tanto, se dovevo alzarmi per prendere un libro, lui si svegliava, si drizzava, si scuoteva, sbadigliava rumorosamente e agitava la coda. Poi, quando mi vedeva tornare al tavolo, afflosciava le orecchie, se ne andava mogio mogio nel suo cantuccio e si ributtava giù con un sospiro di rassegnazione. A George non importava che Roger stesse con noi, perché si comportava bene e non mi distraeva. Ogni tanto, se era profondamente addormentato e sentiva abbaiare un cane fuori, Roger si svegliava di soprassalto, e prima di riuscire a raccapezzarsi prorompeva in un rauco latrato di rabbia. Poi, agitando nervosamente la coda, gettava uno sguardo imbarazzato alle nostre facce severe e subito stornava gli occhi, tutto confuso.

Anche Quasimodo, per un breve periodo, assistette alle lezioni, e finché gli fu consentito di stare sulle mie ginocchia si comportò bene. Dormicchiava tutta la mattina, tubando piano piano. In realtà fui io a scacciarlo, perché un giorno rovesciò una bottiglia di inchiostro verde proprio nel mezzo di una grande e splendida carta geografica che avevamo appena finita. Naturalmente mi rendevo conto che quel vandalismo era stato del tutto involontario, ma ne fui seccato lo stesso. Per una settimana Quasimodo cercò di tornare nelle mie grazie restandosene fuori della porta e tubando con voce seducente attraverso la fessura, ma ogni volta che stavo per intenerirmi intravedevo le piume della sua coda, d'un verde brillante e orribile, e tornavo inflessibile.

Anche Achille assistette a una lezione, ma il fatto di dover stare dentro casa non lo entusiasmava. Passò la mattinata a girellare per la stanza graffiando gli zoccoli dei muri e la porta. Per giunta continuava a incastrarsi sotto il mobilio e a dimenarsi freneticamente finché noi non alzavamo il mobile in questione per tirarlo fuori. Poiché la stanza era piccola, per muovere un mobile dovevamo praticamente spostarli tutti. Dopo il terzo sollevamento George disse che visto che non aveva mai lavorato per una società di traslochi e non era abituato a simili fatiche, a suo parere Achille sarebbe stato più felice in giardino.

Così rimase soltanto Roger a tenermi compagnia. Certo, era confortante poter posare i piedi sul suo corpo peloso e acciambellato mentre battagliavo con un problema, ma anche così mi era difficile concentrarmi, perché il sole si riversava attraverso le persiane, rigando il tavolo e il pavimento, e rammentandomi tutte le cose che avrei potuto fare.

Tutt'intorno a me c'erano i vasti e vuoti uliveti squillanti di cicale; i muscosi muricciolі di pietra che trasformavano le vigne in terrazze dove correvano le lucertole colorate; i folti di mirti brulicanti di insetti, e il ruvido promontorio dove gli stormi di sgargianti cardellini svolazzavano trillando felici da un fiore di cardo all'altro.

Rendendosi conto di tutto questo, George saggiamente instaurò il nuovo sistema delle lezioni all'aperto. Certe mattine arrivava portando un largo asciugamano di ciniglia, e insieme ci incamminavamo attraverso gli uliveti e lungo la strada che sotto la sua coltre di polvere era come un tappeto di velluto bianco. Poi svoltavamo su per un tratturo che si snodava lungo una cresta di scogliere in miniatura e conduceva a una piccola baia solitaria a forma di mezza luna e frangiata di sabbia candida. Vi cresceva un boschetto di ulivi stenti che davano un'ombra piacevole. Dalla cima del piccolo dirupo l'acqua della baia appariva così calma e trasparente da dare quasi l'impressione che non ci fosse. I pesci sembravano fluttuare al di sopra della sabbia ondulata come se fossero sospesi a mezz'aria; mentre attraverso due metri d'acqua limpida si scorgevano le rocce su cui le attinie sollevavano le loro fragili braccia colorate, e i paguri si spostavano trascinandosi le loro case fatte a punta.

Ci spogliavamo sotto gli ulivi ed entravamo nell'acqua tiepida e luminosa per poi lasciarci portare dalla corrente, a faccia in giù, al di sopra degli scogli e dei ciuffi di alghe, tuffandoci ogni tanto per raccogliere qualcosa che ci aveva colpiti: una conchiglia dai colori più vividi delle altre o un paguro eccezionalmente grosso, con un'attinia sul guscio, come un berretto guarnito da un fiore rosa. Qua e là sul fondo sabbioso crescevano, allungati come costole, banchi di nere alghe nastriformi, e proprio tra questi banchi vivevano le lumache di mare. Battendo l'acqua coi piedi e scrutando sul fondo, potevamo vedere sotto di noi le fronde strette e lucenti delle erbe verdi e nere che crescevano fitte e intricate, sulle quali noi ci libravamo come falchi sospesi nell'aria al di sopra di uno strano terreno boscoso. Nelle radure tra i banchi d'erba stavano le lumache, forse la più brutta specie di fauna marina. Lunghe sì e no un dito, sembravano enormi salsicce fatte di spesso cuoio marrone tutto bozzuto; bestie ottuse e primitive che stanno sempre nello stesso posto, facendosi cullare dal dondolio del mare, succhiando acqua da un'estremità del loro corpo ed espellendola dall'estremità opposta. La microscopica vita animale e vegetale presente nell'acqua viene filtrata in qualche punto all'interno della salsiccia e poi trasferita al semplice meccanismo dello stomaco della lumaca. Non si può certo dire che le lumache di mare abbiano una vita interessante. Fluttuano torpidamente sulla sabbia, e ingurgitano acqua con monotona regolarità. Era difficile credere che quelle obese creature potessero difendersi in qualche modo, o che avessero bisogno di farlo, ma in realtà avevano un sistema un po' insolito di mostrare il proprio disappunto. A tirarle fuori dal mare, schizzavano uno spruzzo d'acqua da tutt'e due le estremità del loro corpo, senza, si sarebbe detto, il minimo sforzo muscolare. Fu proprio questo loro meccanismo da pistola ad acqua a farci inventare un gioco. Armato ciascuno di una lumaca, facevamo schizzare le nostre pistole, badando di ricordarci come e dove lo schizzo era ricaduto in mare. Poi andavamo là a guardare, e chi scopriva più fauna marina nella sua area vinceva un punto. Talvolta, come in tutti i giochi, gli animi si scaldavano, e venivano mosse e respinte sdegnate accuse di truffa. Allora le lumache si rivelavano un'arma efficace per combattere l'avversario. Non appena avevamo finito di servirci di loro, nuotavamo sino ai banchi e le restituivamo alle loro foreste di alghe. Quando tornavamo alla baia la volta successiva, quelle erano ancora lì, probabilmente nell'identica posizione in cui le avevamo lasciate, oscillando lentamente di qua e di là.

Dopo avere esaurito le possibilità delle lumache, andavamo in cerca di nuove conchiglie per la mia collezione, o facevamo lunghe discussioni sull'altra fauna che avevamo trovato; ma tutt'a un tratto George si rendeva conto che tutto questo, benché piacevolissimo, a rigor di termini non era propriamente far scuola, sicché tornavamo verso riva e ci fermavamo dove l'acqua era bassa. Allora facevamo lezione, mentre i banchi di pesciolini ci si radunavano intorno e brucavano gentilmente le nostre gambe.

«Così la flotta francese e quella inglese si stavano lentamente avvicinando l'una all'altra per quella che doveva essere la battaglia navale decisiva della guerra. Quando il nemico fu avvistato, Nelson era sul ponte a osservare gli uccelli col telescopio... un gabbiano suo amico gli aveva già comunicato l'arrivo dei francesi... Come? Sì, credo che fosse un grosso gabbiano col dorso nero... be', le navi manovrarono l'una intorno all'altra... naturalmente a quei tempi non potevano muoversi tanto in fretta, perché facevano tutto con le vele... non avevano motori... no, nemmeno motori fuoribordo... I marinai inglesi erano un po' preoccupati perché i francesi sembravano molto forti, ma quando videro che Nelson si curava così poco di tutta la faccenda da rimanersene seduto sul ponte a classificare la sua collezione d'uova di uccelli, conclusero che non c'era nessun motivo di avere paura...».

Il mare era come un caldo copriletto di seta che cullava dolcemente il mio corpo. Non c'erano onde, soltanto quel gentile movimento sotto la superficie dell'acqua, il polso del mare, che mi dondolava piano

piano. Intorno alle mie gambe i pesci colorati guizzavano e fremevano, e si fermavano a testa in giù mentre mi mordicchiavano con le gengive sdentate. Nel languente folto di ulivi una cicala mormorava tra sé e sé.

«... e così portarono in tutta fretta Nelson sottocoperta, in modo che nessuno dell'equipaggio si accorgesse che era stato colpito... Era ferito a morte, e là sottocoperta, mentre la battaglia ancora infuriava sopra di lui, egli mormorò le sue ultime parole: "Baciami, Hardy", e poi morì... Come? Ah, sì. Be', aveva già detto a Hardy che se a lui fosse successo qualcosa poteva tenersi le sue uova d'uccello... così, anche se l'Inghilterra aveva perso il suo più grande uomo di mare, la battaglia era stata vinta, e questo ebbe in Europa delle conseguenze enormi...».

Lungo l'imboccatura della baia passava una barca scolorita dal sole con a bordo un bruno pescatore in calzoni laceri, che se ne stava in piedi a poppa e immergeva un remo nell'acqua torcendolo come la coda di un pesce. Alzava la mano in un pigro saluto, e attraverso l'acqua immobile e azzurra potevamo sentire lo scricchiolio lamentoso del remo mentre girava nello scalmo, e il dolce tonfo quando si immergeva nel mare.

V

UN TESORO DI RAGNI

Un pomeriggio, in una calura languida in cui sembrava che tutto dormisse all'infuori delle cicale, Roger e io ci incamminammo per vedere fin dove riuscivamo ad arrampicarci sulle colline prima che facesse buio. Attraversammo gli uliveti, striati e chiazzati da un sole abbagliante, dove l'aria era afosa e immobile, e finalmente, usciti dai boschi, ci inerpicammo su un nudo picco roccioso dove ci sedemmo a riposare. L'isola sonnecchiava sotto di noi, scintillante come un acquarello appena dipinto, nella foschia dell'afa: ulivi grigioverdi, cipressi neri, rocce multicolori lungo la costa, e il mare levigato e opalescente d'un azzurro martin pescatore, verde giada, con qualche lieve increspatura sulla sua superficie liscia dove si incurvava intorno a un promontorio roccioso e fitto di ulivi. Proprio sotto di noi c'era una piccola baia lunata col suo bordo di sabbia bianca, una baia così bassa e con un fondo di sabbia così abbagliante che l'acqua era di un azzurro pallido, quasi bianco. Io ero tutto sudato dopo la scalata, e Roger mi stava accanto con la lingua penzoloni e i baffi spruzzati di bava. Decidemmo che in fin dei conti non avevamo voglia di arrampicarci sulle colline, e che invece avremmo fatto un bagno. Così scendemmo di corsa lungo il pendio sino alla piccola baia deserta, silenziosa, addormentata sotto quella vivida pioggia di sole. Ci sedemmo nell'acqua calda e bassa, e io mi misi a scavare nella sabbia intorno a me. Ogni tanto trovavo un ciottolo levigato, o un pezzo di bottiglia così accarezzato e lustrato dal mare che sembrava un meraviglioso gioiello, verde e traslucido. Queste mie scoperte le davo a Roger, che mi stava accanto osservandomi. Lui, non sapendo bene che cosa mi aspettassi di vederlo fare, ma non volendo offendermi, li prendeva delicatamente in bocca. Poi, quando credeva che non lo vedessi, li lasciava ricadere in acqua e sospirava forte.

Più tardi mi stesi su una roccia per asciugarmi, mentre Roger starnutiva e trotterellava dove l'acqua era poco profonda cercando di acchiappare una delle bavose dalle pinne azzurre e la faccia imbronciata e vacua che balzavano da uno scoglio all'altro con la velocità delle rondini. Col respiro affannoso e lo sguardo fisso nell'acqua limpida, Roger le seguiva, con una espressione attenta e vigile sul muso. Non appena fui asciutto, mi misi i calzoni e la camicia e chiamai Roger. Lui tornò riluttante verso di me, volgendosi più volte a guardare le bavose che continuavano a guizzare sul fondo sabbioso e zebrato di sole della baia. E quando mi fu proprio vicino, scosse vigorosamente il suo pelo ricciuto, spruzzandomi d'acqua.

Dopo la nuotata mi sentivo il corpo pesante e rilassato, e la pelle come se fosse coperta da una serica crosta di sale. Con sognante lentezza tornammo sulla strada. Scoprendo che ero affamato, mi domandai quale fosse la casupola più vicina dove mi sarei potuto procurare qualcosa da mangiare. Mentre ci pensavo sopra, scalciavo sulla strada sollevando sbuffi di sottile polvere bianca. Se andavo a trovare Leonora, che senza dubbio era la più vicina, lei mi avrebbe dato fichi e pane, ma avrebbe anche insistito a snocciolarmi l'ultimo bollettino sullo stato di salute della figlia. Sua figlia era una virago con la voce rauca e un occhio storto che mi era cordialmente antipatica, sicché della sua salute non me ne importava proprio niente. Decisi di non andare da Leonora; peccato, perché i suoi fichi erano i più buoni di tutta la zona, ma per quanto mi piacessero i fichi neri, c'era un limite a quello che potevo sopportare. Se andavo a trovare Taki, il pescatore, lui sicuramente stava facendo la siesta e si sarebbe limitato a gridare: « Vattene, pannocchia!» dalle profondità della sua casa tutta serrata. Christaki e la sua famiglia probabilmente li avrei trovati in piedi, ma in cambio della merenda avrebbero preteso che rispondessi a un mucchio di domande noiose: L'Inghilterra era più grande di Corfù? Quante persone ci vivevano? Erano tutti lord? Com'era un treno? In Inghilterra c'erano gli alberi? e così via all'infinito. Fosse stata mattina, avrei potuto attraversare i campi e le vigne, e prima di arrivare a casa avrei fatto una bella merenda offerta da parecchi miei amici lungo la strada: olive, pane, uva, fichi; se poi facevo una piccola deviazione, sarei arrivato nei campi di Filomena, dove avevo la certezza di concludere il mio spuntino con una friabile e rosea fetta di cocomero, fredda come il ghiaccio. Ma era l'ora della siesta, e quasi tutti i contadini dormivano nelle loro case con le porte e le finestre ermeticamente chiuse. Era un problema difficile e, mentre cercavo di risolverlo, il mio languore di stomaco aumentava, e io scalciavo sulla strada polverosa con più forza che mai, finché Roger non fece uno starnuto di protesta guardandomi con aria offesa.

Tutt'a un tratto mi venne un'idea. Proprio sulla collina abitavano Yani, il vecchio pastore, e sua moglie, in una minuscola casupola di un bianco abbagliante. Sapevo che Yani faceva la siesta davanti alla casa, all'ombra delle viti, e se mi avvicinavo in modo abbastanza rumoroso si sarebbe svegliato. Una volta sveglio, non c'era dubbio che si sarebbe mostrato ospitale. Se entravate in una di quelle case contadine, era impossibile che ne usciste senza che vi avessero offerto qualcosa. Rallegrato da questo pensiero mi incamminai lungo il tratturo sassoso e serpeggiante creato dagli zoccoli pesticcianti delle capre di Yani, superai la cima della collina e mi inoltrai nella valle, dove il tetto rosso della casa del pastore baluginava tra i giganteschi tronchi degli ulivi. Quando mi parve di essere abbastanza vicino, mi fermai e buttai un sasso perché Roger andasse a riprenderlo. Era uno dei passatempi preferiti di Roger, ma una volta cominciato il gioco bisognava continuarlo, se no lui vi si piantava davanti e latrava come un forsennato finché non lo accontentavate per pura disperazione. Lui mi riportò il sasso, lo depose ai miei piedi e arretrò speranzoso, con le orecchie dritte, gli occhi scintillanti, i muscoli tesi e pronti a scattare. Io non mi curai né di lui né del sasso. Lui parve un po' stupito; studiò attentamente il sasso, poi tornò a guardarmi. Io fischiettai un motivetto e mi misi a fissare il cielo. Roger accennò un guaito di prova; poi, visto che continuavo a non dargli retta, proruppe in un profluvio di latrati cupi e vibranti che rimbombarono tra gli ulivi. Lo lasciai abbaiare per circa cinque minuti. Ormai ero sicuro che Yani doveva aver capito che stavamo arrivando. Allora scagliai il sasso per Roger, e mentre lui lo rincorreva tutto contento io mi avviai verso la facciata della casa.

Come avevo previsto, il vecchio pastore stava sotto l'ombra sbrindellata della vite che si stiracchiava sul suo traliccio di ferro sopra la mia testa ma, con mio profondo rincrescimento, vidi che non si era svegliato. Era abbandonato su una semplice sedia di legno, puntellata contro il muro in precario equilibrio sulle gambe di dietro. Aveva le braccia penzoloni, le gambe distese, e i suoi rigogliosi baffi, che la nicotina e la vecchiaia avevano resi d'un bianco-arancione, si sollevavano e vibravano seguendo il ritmo del suo respiro ronfante, come una strana erba marina che la gentile carezza dell'acqua fa ondeggiare su e giù. Le grosse dita delle sue mani tozze gli si contraevano nel sonno, e io potevo vedere le unghie gialle e profondamente solcate che sembravano scaglie tagliate da una candela di sego. La sua faccia bruna, rugosa e intagliata come corteccia di pino non aveva alcuna espressione, e gli occhi erano decisamente chiusi. Lo fissai, cercando di costringerlo a svegliarsi, e stavo cercando di decidere se valesse la pena di aspettare che si svegliasse da solo o non mi convenisse piuttosto subire quella seccatrice di Leonora, quando Roger, con le orecchie dritte e la lingua pendula, svoltò da dietro l'angolo della casa per venirmi a cercare. Mi vide, mi salutò agitando brevemente la coda e poi si guardò intorno, con l'aria di un ospite che sa di essere gradito. All'improvviso si irrigidì, coi baffi irti, e si mise ad avanzare lentamente, a zampe tese, tremando. Aveva visto qualcosa che a me era sfuggito: acciambellato sotto la sedia in bilico di Yani c'era un grosso e sparuto gatto grigio che ci stava fissando con verdi occhi insolenti. Prima che riuscissi a tendere la mano e ad afferrarlo, Roger si era avventato. Il gatto, con uno scatto agile che dimostrava una lunga pratica, schizzò via come un sasso scagliato di striscio verso il punto dove la vite nodosa si abbarbicava come un ubriaco intorno al traliccio, e vi si arrampicò in un raschiante turbinio di artigli aguzzi. Accovacciato tra i grappoli, guardò in giù verso Roger e soffiò con garbo. Roger, deluso e infuriato, alzò la testa e latrò minacce e insulti. Yani spalancò gli occhi, sentì traballare la sua sedia e agitò violentemente le braccia nel tentativo di recuperare l'equilibrio. La sedia oscillò per un istante, poi ricadde con un tonfo sulle quattro gambe.

«Santo Spiridione aiutami!» implorò con un grido. «Dio abbi pietà!».

Coi baffi tremanti, si guardò intorno per scoprire la causa di tutto quel trambusto e mi vide seduto contegnosamente sul muretto. Lo salutai con garbata dolcezza, come se non fosse successo niente, e gli domandai se aveva dormito bene. Lui si alzò in piedi, sorridendo, e si grattò forte lo stomaco.

«Ah, sei stato tu a fare tutto quel chiasso che ancora un po' mi si spaccava la testa. Salve, salve. Siediti, piccolo lord» disse, spolverando la sua sedia e mettendomela accanto. «Sono contento di vederti. Vuoi mangiare con me, e bere qualcosa? Fa caldo, oggi, molto caldo... un caldo capace di liquefare una bottiglia».

Si stiracchiò, e sbadigliando rumorosamente mise in mostra delle gengive prive di denti come quelle di un neonato. Poi, girandosi verso la casa, gridò:

«Aphrodite... *Aphrodite*... svegliati, donna... ci sono visite.... qui con me c'è il piccolo lord... porta da mangiare... mi senti?».

«Ho sentito, ho sentito» disse una voce soffocata da dietro le persiane.

Yani borbottò, si lisciò i baffi e andò sino all'ulivo più vicino, nascondendosi discretamente dietro il suo tronco. Ricomparve abbottonandosi i pantaloni e sbadigliando, e venne a sedersi sul muretto accanto a me.

«Oggi avrei dovuto portare le mie capre a Gastouri. Ma faceva troppo caldo, un caldo insopportabile. Su in collina i sassi saranno così caldi che ci puoi accendere la sigaretta. E invece sono andato ad assaggiare il vino nuovo di Taki. Spiridione! che vino... pare sangue di drago ed è liscio come un pesce... Che vino! Quando sono tornato l'aria era piena di sonno, e così eccomi qua».

Sospirò profondamente, ma senz'ombra di pentimento, e annaspò nella tasca alla ricerca della sua ammaccata scatolina di tabacco e delle cartine grigie e sottili per le sigarette. La sua mano bruna e callosa si piegò a conca per ricevere il mucchietto di foglie dorate, e le dita dell'altra le sbriciolarono cincischiandole gentilmente. Arrotolò la cartina con gesto rapido, trinciò via il tabacco che pendeva dalle due estremità e lo rimise nella scatolina, poi si accese la sigaretta con un grosso accendino dal quale sporgeva uno stoppaccio arricciolato come un serpente rabbioso. Tirò qualche boccata con aria pensierosa, si tolse dai baffi un minuzzolo di tabacco, poi tornò a frugarsi in tasca.

«Ecco, tu che ti interessi alle creaturine di Dio; guarda questa che ho presa stamattina acquattata sotto un sasso come il diavolo» disse, tirando fuori dalla tasca una bottiglietta ben tappata e piena d'olio d'oliva color d'oro. «Una bella creaturina, questa, un combattente. Il solo combattente ch'io conosca che sappia far del male col didietro».

La bottiglietta, piena d'olio sino all'orlo, sembrava fatta di ambra pallida, e nel centro, tenuto sospeso dalla densità dell'olio, era rinchiuso un piccolo scorpione color cioccolata, con la coda ricurva sul dorso come una scimitarra. Era proprio morto, soffocato dalla sua tomba vischiosa. Intorno al suo cadavere c'era un lieve alone torbido, come una nebbia nell'olio dorato.

«Vedi quello?» disse Yani. «Quello è il veleno. Ne era pieno zeppo, questo qui».

Gli domandai incuriosito perché fosse necessario mettere lo scorpione nell'olio.

Yani ridacchiò soddisfatto e si lisciò i baffi.

«Non lo sai, eh? Tu non lo sai, piccolo lord, anche se passi tutto il tuo tempo sdraiato a pancia sotto per catturare queste bestioline» disse, molto divertito. «Be', te lo dico io. Non si sa mai, potrebbe tornarti utile. Prima catturi lo scorpione, lo prendi vivo, e con la mano leggera come una piuma che cade. Poi, vivo – bada bene, vivo – lo metti in una bottiglia d'olio. Lascia che diguazzi e che poi muoia nell'olio, e che l'olio dolce assorba il veleno. Allora, se mai ti capitasse di essere punto da uno dei suoi fratelli (e che

Santo Spiridione ti salvi da questo pericolo), devi strofinare la ferita con quest'olio. Ti guarirà così bene che non sentirai più dolore, non più che se ti fossi punto con una spina».

Mentre digerivo questa bizzarra informazione, Aphrodite uscì dalla casa, con la faccia rugosa rossa come un seme di melagrana, portando su un vassoio una bottiglia di vino, una caraffa d'acqua, e un piatto colmo di pane, olive e fichi. Yani e io bevemmo il vino, che con l'acqua era diventato di un tenue color rosa, e mangiammo in silenzio. Nonostante le sue gengive sdentate, Yani strappava grossi pezzi di pane e li masticava voracemente, inghiottendo certi bocconi che gli facevano gonfiare la gola rugosa. Non appena finimmo di mangiare, si abbandonò all'indietro, si pulì accuratamente i baffi e riprese il discorso come se non ci fosse stata nessuna interruzione.

«Una volta conoscevo un tale, pastore anche lui, che era stato a una festa in un villaggio lontano. Mentre tornava a casa, con lo stomaco scaldato dal vino, decise di farsi una dormitina e si trovò un posto adatto sotto alcuni mirti. Ma mentre lui dormiva uno scorpione uscì da sotto le foglie e gli si infilò nell'orecchio, e quando lui si svegliò lo punse».

Yani scelse quel momento psicologico per sputare oltre il muretto e arrotolarsi un'altra sigaretta.

«Sì,» sospirò infine «fu una cosa molto triste... un uomo così giovane. Il piccolo scorpione lo punse nell'orecchio... pst... così. Il poveretto si contorceva dal dolore. Correva gridando tra gli ulivi, strappandosi i capelli... Ah! era spaventoso. Nessuno lo sentiva gridare, non c'era nessuno che potesse aiutarlo. Tormentato da un dolore atroce, si mise a correre verso il suo villaggio, ma non ci arrivò mai. Cadde morto, giù nella valle, non lontano dalla strada. Lo trovammo la mattina dopo mentre andavamo nei campi. Che spettacolo! Che spettacolo! Quel piccolo morso gli aveva fatto gonfiare la testa come se avesse il cervello pregno, e lui era morto, morto stecchito».

Yani diede un profondo, lugubre sospiro, facendosi rigirare tra le dita la bottiglietta d'olio.

«Ecco perché io non dormo mai lassù tra le colline» continuò. «E se per caso dovesse capitarmi di bere un po' di vino con un amico e di dimenticarmi del pericolo, porto sempre con me una bottiglia con uno scorpione».

Poi ci mettemmo a parlare di altri argomenti non meno interessanti, e dopo un'oretta io mi alzai, mi spazzolai le briciole di dosso, ringraziai il vecchio e la moglie della loro ospitalità, accettai un grappolo d'uva come regalo d'addio e mi incamminai verso casa. Roger mi camminava vicinissimo, con gli occhi fissi sulla mia tasca perché aveva visto l'uva. Finalmente, quando trovai un uliveto reso scuro e fresco dalle lunghe ombre della sera, ci sedemmo vicino a un poggio coperto di musco e ci dividemmo l'uva. Roger si mangiò la sua parte, semi e tutto. Io sputai i semi tutt'intorno a me, e mi immaginai con soddisfazione le vigne lussureggianti che sarebbero cresciute in quel punto. Quando finii l'uva mi ruzzolai a pancia sotto e, col mento tra le mani, esaminai il poggio sopra di me.

Una minuscola cavalletta verde dalla lunga faccia malinconica stava lì ferma, contraendo nervosamente le zampe di dietro. Una fragile lumaca se ne stava su una chiazza di musco a meditare, aspettando la rugiada della sera. Un acaro paffuto e color scarlatto, grosso come la capocchia di un fiammifero, si faceva faticosamente strada come un cacciatore corpulento attraverso la foresta di musco. Era un mondo microscopico, pieno di vita affascinante. Mentre osservavo l'acaro che avanzava lentamente notai una cosa strana. Sparsi qua e là sulla superficie verde e vellutata del musco c'erano dei piccoli segni circolari, non più grandi di uno scellino. Erano così lievi che si riusciva a notarli soltanto da certi angoli visuali. Mi ricordavano la luna piena che si vede dietro un fitto strato di nuvole, un pallido cerchio che sembra muoversi e mutare. Mi domandai vagamente che cosa fossero. Erano troppo irregolari, troppo sparpagliati per essere le impronte di una bestia, e quale bestia potrebbe inerpicarsi in modo così caotico su un poggio quasi verticale? E poi non sembravano impronte. Stuzzicai con un filo d'erba l'orlo di uno di quei cerchi. Rimase immobile. Cominciai a pensare che quelle chiazze dipendessero da qualche particolare modo di crescere del musco. Tentai di nuovo, più forte, e all'improvviso una terribile eccitazione mi strinse lo stomaco in una morsa. Era come se il mio filo d'erba avesse trovato una molla nascosta, perché l'intero circolo si sollevò come una botola. E guardando meglio vidi con profondo stupore che era proprio una botola, foderata di seta, con un bordo abilmente smussato che combaciava perfettamente con l'imboccatura del condotto setoso che nascondeva. Il bordo della porta era attaccato all'imbocco della galleria mediante un piccolo lembo di seta che faceva da cardine. Fissai questo capolavoro di abilità e mi domandai quale creatura al mondo avesse potuto farlo. Spiando nella serica galleria non riuscii a vedere niente; vi spinsi dentro il mio filo d'erba, ma non successe nulla. Me ne restai per un pezzo a contemplare quella casa meravigliosa, cercando di stabilire quale specie di bestiolina l'avesse costruita. Pensai che si trattasse di qualche specie di vespa, ma non avevo mai sentito che le vespe munissero di porte segrete i loro nidi. Sentii che dovevo risolvere immediatamente quel problema. Sarei andato da George a chiedergli se sapeva di quale misteriosa bestiolina si trattasse. Chiamando Roger, che stava laboriosamente sforzandosi di svellere un ulivo, mi incamminai di gran galoppo.

Quando arrivai ansante alla villa di George ero così eccitato e impaziente che bussai appena, e senza nemmeno aspettare, mi precipitai dentro. Soltanto allora mi resi conto che lui non era solo. Seduto in poltrona al suo fianco c'era un tizio che, alla prima occhiata, decisi che doveva essere suo fratello, perché aveva anche lui la barba. Ma al contrario di George era impeccabilmente vestito di un completo di flanella grigia col panciotto, un'immacolata camicia bianca, una cravatta di buon gusto ma tetra, e grandi scarpe solide e lustratissime. Mi fermai sulla soglia, imbarazzato, mentre George mi squadrava con aria sardonica.

«Buona sera» mi salutò. «Dalla gioiosa baldanza con cui sei entrato intuisco che non sei venuto per una piccola lezione supplementare».

Mi scusai dell'intrusione, e poi raccontai a George di quegli strani nidi che avevo trovati.

«Fortuna che sei qui, Theodore» disse al suo barbuto compagno. «Così posso affidare questo problema nelle mani di un esperto».

«Esperto proprio no...» mormorò schermendosi l'uomo che si chiamava Theodore.

«Gerry, questo è il dottor Theodore Stephanides» disse George. «È un esperto praticamente in tutto quello che ti verrà in mente di domandargli. E quello che non gli domandi te lo dice lui. È un originale appassionato della natura, come te. Theodore, questo è Gerry Durrell».

Io dissi educatamente molto piacere, ma con mia grande sorpresa l'uomo barbuto si alzò in piedi, attraversò vivacemente la stanza e mi porse una grande mano bianca.

«Lietissimo di conoscerti» disse, rivolgendosi apparentemente alla propria barba, e i suoi brillanti occhi azzurri mi diedero una rapida e timida occhiata.

Strinsi la sua mano e dissi che anch'io ero molto lieto di conoscerlo. Poi ce ne restammo là in un silenzio imbarazzato, mentre George ci osservava sorridendo.

«Be', Theodore» disse infine «secondo te chi li ha fabbricati questi strani passaggi segreti?».

Theodore allacciò le mani dietro la schiena, si sollevò parecchie volte sulla punta dei piedi, tra gli scricchiolii di protesta delle sue scarpe, e fissò gravemente il pavimento.

«Be'... ehm...» disse, parlando con meticolosa lentezza «penso che potrebbero essere le tane del ragno botola... ehm... è una specie molto comune qui a Corfù... ossia, quando dico comune, credo che da quando sono qui ne avrò trovato trenta o... ehm... quaranta esemplari».

«Ah,» disse George «ragni botola, eh?».

«Sì» disse Theodore. «Ritengo più che probabile che si tratti proprio di questi ragni. Ma posso anche sbagliarmi».

Si dondolò sui tacchi, scricchiolando piano, poi mi diede un'occhiata penetrante.

«Forse, se non sono troppo lontani, potremmo andare ad accertarcene» disse per tastare il terreno. «Voglio dire, se non hai niente di meglio da fare, e se non è troppo lontano...».

Nella sua voce trapelò un'intonazione leggermente interrogativa. Io dissi che stavano proprio sulla collina, non troppo lontano.

«Uhm» disse Theodore.

«Non lasciarti trascinare per tutta l'isola, Theodore» disse George. «Non hai nessun bisogno di metterti a galoppare per la campagna».

«No, no, questo proprio no» disse Theodore. «Stavo appunto per andarmene, e non mi costa nulla tornare a casa per quella strada. Per me è molto semplice... ehm... tagliare per gli uliveti e raggiungere Canoni».

Prese un elegante cappello floscio grigio e se lo mise dritto sulla testa. Davanti alla porta, porse la mano e strinse brevemente quella di George.

«Grazie di questo piacevolissimo tè» disse, e con aria grave marciò al mio fianco lungo il sentiero.

Mentre camminavamo, lo esaminai di nascosto. Aveva il naso dritto e ben fatto, una bocca arguta seminascosta dalla barba biondo cenere, sopracciglia dritte e piuttosto folte sotto le quali i suoi occhi, acuti ma un po' ammiccanti e resi ridenti dalle rughette che si irradiavano dagli angoli, esaminavano il mondo. Camminava con passo energico, canticchiando tra sé. Quando arrivammo a un fosso pieno d'acqua stagnante si fermò un momento e si chinò a guardarci dentro, con la barba irta.

«Uhm,» disse in tono disinvolto «*Daphnia magna*».

Si grattò la barba col pollice, poi si rimise in cammino lungo il sentiero.

«Purtroppo,» disse «ero uscito per vedere alcune persone... ehm... certi miei *amici,* sicché non mi sono portato il mio vascolo. Peccato, perché in quel fosso poteva esserci qualcosa d'interessante».

Quando lasciammo il sentiero abbastanza agevole che avevamo percorso sino allora per affrontare il tratturo pietroso e in salita, mi aspettavo qualche protesta, ma Theodore continuò a marciare alle mie spalle con vigore indefesso, sempre canticchiando. Finalmente arrivammo all'oscuro uliveto, e io guidai Theodore sino al poggio e gli indicai la botola misteriosa. Lui si chinò a esaminarla, stringendo gli occhi.

«Ah, ah,» disse «sì... ehm... sì».

Tirò fuori dalla tasca del panciotto un piccolo temperino, lo aprì, infilò delicatamente la punta della lama sotto la porticina e la spalancò.

«Uhm, sì» ripeté. «*Cteniza*».

Spiò nella galleria, ci soffiò dentro, poi lasciò ricadere la porticina al suo posto.

«Sì, sono le tane dei ragni botola,» disse «ma questa sembra che sia disabitata. Generalmente la bestiolina sta aggrappata alla... ehm... *botola...* con le zampe, o meglio, con gli artigli, e ci si aggrappa con tanta tenacia che bisogna stare molto attenti a non danneggiare la porta nel tentativo di forzarla. Uhm... sì... queste sono le tane delle femmine, naturalmente. Il maschio fa delle tane analoghe, ma grandi la metà di queste».

Osservai che era la più strana costruzione che avessi mai vista.

«Ah sì,» disse Theodore «sono veramente molto strane. La cosa che mi lascia sempre perplesso è come faccia la femmina a capire che il maschio si sta avvicinando».

Dovevo avere un'aria molto stupefatta, perché lui si bilanciò sui tacchi, mi diede una rapida occhiata e continuò:

«Naturalmente il ragno aspetta dentro la tana che passi lì davanti qualche insetto – una mosca o una cavalletta o qualcosa del genere. A quanto sembra, capiscono se l'insetto è abbastanza vicino da poterlo catturare. Se lo è, il ragno... ehm... balza fuori dal buco e lo cattura. Ora, quando il ragno maschio va in cerca della femmina, deve camminare sul musco per raggiungere la botola, e più volte mi sono domandato come mai la femmina... ehm... non lo divori per sbaglio. Naturalmente, può darsi che il suo passo abbia un suono diverso. Oppure lui fa qualche... non so... qualche *suono* che la femmina riconosce».

Scendemmo in silenzio dalla collina. Quando arrivammo nel punto dove i sentieri si biforcavano gli dissi che dovevo salutarlo.

«Ah, bene, allora addio» disse lui guardandosi le scarpe. «Mi ha fatto piacere conoscerti».

Rimanemmo zitti per un momento. Theodore era in preda al terribile imbarazzo che sembrava sempre sopraffarlo quando incontrava qualcuno o si accomiatava da lui. Restò ancora un momento con lo sguardo fisso sulle sue scarpe, poi tese la mano e strinse la mia con aria solenne.

«Addio» disse. «Io... ehm... spero che ci rivedremo».

Si volse e prese ad arrancare giù per il pendio, dondolando il suo bastoncino e guardandosi intorno con occhi attenti. Lo guardai finché non scomparve alla vista, poi mi diressi lentamente verso la villa. Theodore mi lasciava sconcertato e stupito. Prima di tutto, poiché ovviamente era uno scienziato di notevole fama (e questo potevo dedurlo dalla sua barba), ai miei occhi era una persona importantissima. In realtà, di tutte le persone che avevo conosciute sino allora, era l'unica che sembrava condividere il mio entusiasmo per la zoologia. In secondo luogo, ero estremamente lusingato che mi trattasse e mi parlasse proprio come se avessi la sua stessa età. Mi piaceva per questo, perché, siccome in famiglia non mi trattavano mai come un bambino, non avevo una grande stima degli estranei che tentavano di farlo. Ma Theodore non soltanto mi parlava come se fossi un adulto, ma addirittura come se fossi culturalmente preparato quanto lui.

Ero ossessionato da tutto quello che mi aveva detto sul ragno botola: dall'idea di quella creaturina che se ne stava accovacciata nella sua galleria di seta, tenendo la porta chiusa con i suoi artigli adunchi, ascoltando i movimenti degli insetti sul musco sopra la tana. Mi domandavo quale suono potessero avere le cose per un ragno botola. Mi immaginavo che una lumaca sarebbe strisciata sopra la porta facendo un rumore come quando pian piano si strappa via un cerotto. Un millepiedi doveva sembrare uno squadrone di cavalleria. Una mosca avrebbe sgambettato a scatti bruschi, con una pausa ogni tanto mentre si lavava le mani – un suono cupo e raspante come un arrotino al lavoro. Decisi che gli scarabei più grossi dovevano sembrare come compressori stradali, mentre i più piccoli, le coccinelle e altri, probabilmente ronfavano sul musco come automobiline elettriche. Affascinato da questo pensiero, tornai a casa attraversando i campi che si velavano d'ombra, per raccontare a tutta la famiglia la mia nuova scoperta e il mio incontro con Theodore. Speravo di rivederlo perché volevo domandargli un mucchio di cose, ma mi pareva improbabile che lui avesse molto tempo da potermi dedicare. Mi sbagliavo, perché due giorni dopo

Leslie, di ritorno da una gita in città, mi porse un pacchetto.

«Ho incontrato quel tizio barbuto,» mi disse laconico «ma sì, lo scienziato. Ha detto che questo era per te».

Incredulo, fissai il pacchetto. Com'era possibile che fosse per me? Doveva esserci un errore, perché un grande scienziato non si sarebbe presa la briga di mandarmi dei pacchi. Lo girai, ed ecco il mio nome, scritto sulla carta con una calligrafia nitida e filiforme. Strappai la carta con impazienza. Dentro c'erano una piccola scatola e una lettera.

«Mio caro Gerry Durrell,

dopo la nostra conversazione dell'altro giorno mi sono domandato se nelle tue ricerche sulla fauna locale non ti sarebbe stato d'aiuto uno strumento d'ingrandimento. Ti mando quindi questo microscopio tascabile, nella speranza che possa esserti utile. Non ingrandisce molto, naturalmente, ma ti servirà abbastanza per il lavoro *all'aperto.*

Ti faccio tanti auguri, il tuo

Theo. Stephanides

P.S. Se giovedì non hai niente di meglio da fare, potresti venire a trovarmi per il tè, così ti farò vedere qualcuno dei miei vetrini al microscopio».

VI

LA DOLCE PRIMAVERA

Durante gli ultimi giorni dell'estate morente, e per tutto il caldo e piovoso inverno successivo, il tè con Theodore si trasformò in una cerimonia settimanale. Tutti i giovedì uscivo di casa, con le tasche rigonfie di scatole di fiammiferi e di provette piene di esemplari, e Spiro mi accompagnava in macchina in città. Era un appuntamento al quale non sarei mancato a nessun costo.

Theodore mi accoglieva nel suo studio, una stanza che approvavo incondizionatamente. Secondo me, era proprio come dev'essere una stanza. Le pareti erano nascoste da alti scaffali pieni di volumi sulla fauna d'acqua dolce, di botanica, d'astronomia, medicina, folklore, e altri analoghi argomenti affascinanti e sensati. Disseminato tra questi c'era il fior fiore dei racconti polizieschi e di fantasmi. Sicché in quella che io consideravo una biblioteca perfettamente equilibrata, Sherlock Holmes stava spalla a spalla con Darwin e Le Fanu con Fabre. Davanti a una finestra della stanza c'era il telescopio di Theodore, col naso al cielo come un cane ululante, e tutti i davanzali erano ingombri di vasetti e di bottiglie in cui era conservata la minuscola fauna d'acqua dolce, che turbinava e si contorceva tra le delicate fronde d'erba verde. Su un lato della stanza c'era un'enorme scrivania su cui si ammucchiavano pile di album, microfotografie, lastre radiografiche, diari e taccuini. Sul lato opposto c'era il tavolo del microscopio, con la sua potente lampada snodata che pendeva come un giglio sulle scatole piatte in cui c'era la raccolta di vetrini di Theodore. E i microscopi, lustri come gazze, baluginavano da sotto una serie di cupole di vetro che sembravano arnie.

«Buon giorno» mi diceva Theodore, come se fossi un perfetto estraneo, e mi stringeva la mano nel suo modo solito – un rapido strappo all'ingiù, come quando si saggia un nodo in una corda. Concluse le formalità, potevamo occuparci di cose più importanti.

«Prima che tu arrivassi, ehm... stavo... stavo... riguardando i miei vetrini, e ne ho trovato uno che può interessarti. È un vetrino della regione orale della pulce del ratto... *Ceratophyllus fasciatus,* si chiama. Ora ti regolo il microscopio... ecco!... Vedi? Stranissimo. Voglio dire, si può quasi pensare che sia una faccia umana, no? E qui avevo... ehm... un altro vetrino... ma dov'è finito? Ah! eccolo. Queste sono le filiere del ragno dei giardini, o ragno crociato... ehm... *Epeira fasciata...*».

Così, assorti e felici, guardavamo intenti nel microscopio. Pieni di entusiasmo, passavamo da un argomento all'altro, e se Theodore personalmente non sapeva rispondere a tutte le mie incessanti domande, aveva dei libri che erano in grado di farlo. Continuavamo a consultare un volume dietro l'altro, e via via che li prendevamo, negli scaffali si allargavano i vuoti, mentre accanto a noi c'era una pila di libri sempre più alta.

«Questo è il ciclope... *Cyclops viridis...* che ho catturato l'altro giorno vicino a Govino. È una femmina con le sacche delle uova... Aspetta che regolo... le uova si vedono benissimo... la metto nella sua scatolina... ehm... uhm... qui a Corfù ci sono diverse specie di ciclopi».

Nel vivido cerchio di luce bianca apparve una misteriosa creatura, un corpo a forma di pera, lunghe antenne che vibravano di sdegno, una coda come rametti d'erica, e su ciascun fianco (pendule come sacchi di cipolle su un asino) le due grosse sacche rigonfie di perle rosee.

«... si chiama ciclope perché, come puoi vedere, ha un occhio solo in mezzo alla fronte. O meglio, in mezzo a quella che sarebbe la sua *fronte,* se il ciclope ne avesse una. Nella mitologia dell'antica Grecia, come sai, i ciclopi erano un gruppo di giganti... ehm... che avevano tutti un occhio solo. Avevano il compito di forgiare il ferro per Efesto».

Fuori, il vento caldo si accaniva contro le persiane, facendole scricchiolare, e le gocce di pioggia si rincorrevano giù per i vetri come girini trasparenti.

«Ah, ah! strano che tu abbia parlato di questo. I contadini di Salonicco hanno una... ehm... superstizione molto simile... No, no, è una semplice superstizione. Ho qui un libro che fa un resoconto *interessantissimo* dei vampiri in... uhm... Bosnia. Sembra che la gente del posto...».

Arrivava il tè, le torte acquattate su cuscini di crema, il pane abbrustolito avvolto in uno scialle di burro fuso, le tazze scintillanti, e un filo di vapore che usciva dal beccuccio della teiera.

«... ma, d'altro canto, è impossibile affermare che su Marte non esista *nessuna* forma di vita. Secondo me, non è affatto escluso che qualche forma di vita si riuscirà... ehm... a *scoprirla,* se mai *arriveremo* lassù. Ma non c'è motivo di supporre che le forme di vita trovate lassù debbano essere identiche...».

Là seduto, ordinato e lindo nel suo vestito di tweed, Theodore masticava con metodica lentezza il suo pane abbrustolito, con la barba irta, gli occhi accesi d'entusiasmo ogni volta che un argomento nuovo scivolava nella nostra conversazione. La sua cultura mi sembrava inesauribile. Egli era una ricca miniera di informazioni, nella quale io scavavo senza sosta. Di qualunque argomento parlassimo, Theodore era in grado di fornire il suo interessante contributo. Infine sentivo Spiro che suonava il clacson giù nella strada, e con grande riluttanza mi alzavo per congedarmi.

« Addio » diceva Theodore, dando uno strattone alla mia mano. « La tua visita mi ha fatto molto piacere... ehm... no, no, non c'è di che. Ci vediamo giovedì prossimo. Quando il tempo sarà più bello... ehm... meno piovoso... in *primavera*, insomma... forse potremo fare qualche passeggiata insieme... vedere se riusciamo a trovare qualcosa. Ci sono dei fossati molto interessanti nella Val de Ropa... uhm, sì... Be', addio... Non c'è di che ».

Tornando indietro in macchina lungo le strade buie lavate dalla pioggia, mentre Spiro, appollaiato dietro il volante, mugolava con voce piena un motivo, io sognavo l'arrivo della primavera, e tutte le meravigliose creature che Theodore e io avremmo catturate.

Finalmente sembrò che il vento caldo e la pioggia invernale avessero lustrato il cielo che, quando arrivò gennaio, splendeva di un limpido, tenero azzurro... lo stesso azzurro delle fiammelle sottili che divoravano i ciocchi di ulivo nelle carbonaie. Le notti erano tranquille e fresche, con una luna così fragile che a malapena picchiettava il mare di puntolini d'argento. Le albe erano pallide e traslucide finché non sorgeva il sole, avvolto in un velo di foschia come il bozzolo di un gigantesco baco da seta, che spruzzava su tutta l'isola una delicata lanugine di polvere d'oro.

Con marzo venne la primavera, e l'isola fu tutta in fiore, profumata e palpitante di foglie nuove. I cipressi, che si erano dibattuti sibilando sotto i venti dell'inverno, ora si stagliavano dritti e levigati contro il cielo, avvolti in un manto nebbioso di pigne biancoverdastre. Spuntarono a ciuffi i crochi d'un giallo di cera, pullulando tra le radici degli alberi e precipitandosi a cascata giù dagli argini. Sotto i mirti, i boccioli dei giacinti sembravano gocce di zucchero color magenta, e l'oscurità dei folti di querce era schiarita dall'azzurro fumoso di migliaia di iris diurni. Gli anemoni, così delicati che il vento li gualciva, sollevavano fiori d'avorio i cui petali sembrava fossero stati intinti nel vino. Astragali, calendule, asfodeli, e centinaia d'altri fiori inondavano i campi e i boschi. Anche gli antichi ulivi, curvati e scavati da mille primavere, si adornavano di grappoli di piccoli fiorellini color crema, modesti e tuttavia decorativi, come si conveniva alla loro età veneranda. Non era una primavera restia, quella: ne vibrava tutta l'isola, come se fosse squillato un grande accordo sonoro. Tutto e tutti l'avevano sentito e gli rispondevano. La si vedeva nella luminosità dei petali, nel bagliore delle ali degli uccelli e nello scintillio dei liquidi occhi scuri delle contadine. Nei fossi colmi d'acqua le rane che sembravano smaltate di fresco gracidavano cori estatici in mezzo all'erba rigogliosa. Nelle bettole del villaggio il vino sembrava più rosso e, chi sa come, più forte. Dita tozze e callose pizzicavano le corde delle chitarre con insolita delicatezza, e voci piene modulavano canzoni ritmate e ossessive.

La primavera ebbe effetti molto diversi sui vari membri della famiglia. Larry si comprò una chitarra e un grande barilotto di vino rosso e forte. Ogni tanto interrompeva il lavoro e si metteva a strimpellare e a cantare con blanda voce tenorile canzoni d'amore elisabettiane, con frequenti pause per rinfrescarsi l'ugola. Tutto questo finiva in breve col farlo piombare in uno stato d'animo malinconico, le canzoni d'amore si facevano più tristi, mentre negli intervalli tra l'una e l'altra Larry informava chiunque della famiglia fosse presente che la primavera, per lui, non significava l'inizio di un nuovo anno ma la morte di quello vecchio. La tomba, proclamava facendo rumoreggiare minacciosamente la chitarra, allargava il suo sbadiglio a ogni stagione.

Un sera uscimmo tutti, lasciando mamma e Larry soli in casa. Larry aveva passato la serata a cantare in tono sempre più lugubre, e alla fine era riuscito a far cadere anche mamma in uno stato di profonda depressione. Avevano tentato di alleviarla con l'aiuto del vino, ma non essendo abituati ai forti vini greci avevano ottenuto l'effetto opposto. Al nostro ritorno fummo un po' stupiti che mamma ci aspettasse ferma sulla porta di casa con una lanterna in mano. Con precisione e dignità da gran dama ci informò che voleva essere sepolta sotto i rosai. La novità consisteva nel fatto che per la sistemazione delle sue spoglie mortali avesse scelto un posto così accessibile. Mamma passava gran parte del suo tempo libero a scegliersi i posti dove voleva essere sepolta, ma di solito erano posti lontanissimi, e uno aveva la chiara visione dei partecipanti al corteo funebre che crollavano esausti sul margine della strada molto prima di avere raggiunto la sua tomba.

Quando Larry la lasciava in pace, però, per mamma la primavera significava una varietà infinita di ortaggi freschi coi quali darsi agli esperimenti e una profusione di fiori nuovi con cui deliziarsi in giardino. Dalla cucina arrivava una valanga di nuovi piatti, minestre, stufati, erbe aromatiche e salse piccanti, l'uno più sostanzioso, più fragrante e più esotico dell'altro. Larry cominciò a soffrire di dispepsia. Disdegnando il semplice rimedio di mangiare meno, si procurò un'enorme scatola di bicarbonato di sodio e dopo ogni pasto ne prendeva solennemente una dose.

«Perché mangi *tanto* se ti fa star male, caro?» gli domandò mamma.

«Mangiare meno sarebbe un insulto alla tua abilità culinaria» rispose Larry mellifluo.

«Stai diventando grassissimo» disse Margo. «E non ti dona affatto».

«Non dire sciocchezze!» proruppe Larry preoccupato. «Non sto ingrassando affatto, vero, mamma?».

«Be', un pochino ti sei appesantito» riconobbe mamma esaminandolo con occhio critico.

«È colpa tua» disse irragionevolmente Larry. «Continui a tentarmi con queste ghiottonerie aromatiche. Mi stai condannando all'ulcera. Dovrò mettermi a dieta. Qual è una buona dieta, Margo?».

«Be',» disse Margo, tuffandosi con entusiasmo nel suo argomento preferito «potresti tentare quella dell'insalata e del succo d'arancia; è ottima. Poi c'è quella del latte e delle verdure crude... è buona anche questa, ma ci vuole più tempo. Oppure c'è quella del pesce lesso e del pane integrale. Non so come sia, questa non l'ho ancora provata».

«Dio mio!» esclamò Larry sinceramente scosso «sarebbero queste le diete?».

«Sì, e sono tutte ottime» disse Margo in tono convinto. «Ho provato quella del succo d'arancia e ha fatto miracoli per la mia acne».

«No» disse Larry con fermezza. «Non la faccio proprio, se devo ridurmi a manducare quintali di frutta e di verdura cruda come un ungulato. Dovrete tutti rassegnarvi al fatto che una degenerazione cardiaca adiposa mi strapperà a voi prematuramente».

Su Margo la primavera aveva sempre un effetto deleterio. In quella stagione il suo interesse per il proprio aspetto estetico, sempre molto accentuato, diventava quasi ossessivo. Pile di vestiti appena lavati e stirati ingombravano la sua stanza, mentre la corda del bucato si piegava sotto il peso di quelli stesi ad asciugare. Si aggirava per la casa cantando con voce tutt'altro che armoniosa, anzi stridula, con mucchi di biancheria diafana sulle braccia o bottiglie di profumo in mano. Coglieva tutte le occasioni per precipitarsi nella stanza da bagno in un turbine di candidi asciugamani, e una volta dentro era riluttante a uscirne quanto una patella a lasciare il suo scoglio. Tutti noi a turno bussavamo alla porta protestando a gran voce, ottenendo soltanto la vaga assicurazione che aveva quasi finito, assicurazione alla quale un'amara esperienza ci aveva insegnato a non credere. Finalmente, luminosa e immacolata, usciva dal bagno e se ne andava canticchiando a prendere il sole negli uliveti, o giù al mare a fare una nuotata. E proprio durante una di queste escursioni al mare conobbe un giovane turco eccezionalmente bello. Con insolita modestia non parlò a nessuno dei suoi frequenti incontri balneari con questo impareggiabile cavaliere, convinta, come ci disse più tardi, che la cosa non ci avrebbe interessati. Naturalmente fu Spiro a scoprire tutto. Vegliava sulla felicità di Margo con la zelante premura di un San Bernardo, e lei poteva fare ben poco senza che Spiro lo sapesse. Una mattina lui bloccò mamma in cucina, si guardò furtivamente intorno per accertarsi che nessuno ascoltasse, sospirò profondamente e le diede la notizia.

«Sono molto dispiaciuto dover dire questo, signora Durrell,» borbottò «ma penso che lei devi sapere».

Mamma ormai si era abituata all'aria cospirativa di Spiro quando veniva a darle qualche informazione sulla sua figliolanza, e non se ne preoccupava più.

«Che cosa c'è stavolta, Spiro?» domandò.

«È la signorina Margo» disse Spiro afflitto.

«Che cos'ha fatto?».

Spiro si guardò intorno a disagio.

«Sai che lei incontra un *uomo*?» domandò in un vibrante sussurro.

«Un uomo? Oh... ehm... sì, lo sapevo» disse mamma mentendo arditamente.

Spiro si tirò i pantaloni sulla pancia e si protese verso di lei.

«Ma lei sapevi che è un *turco*?» domandò con accento di agghiacciante ferocia.

«Un turco?» disse mamma in tono vago. «No, non sapevo che era un turco. Che c'è di male?».

Spiro prese un'aria scandalizzata.

«Che c'è di male? Ma signora Durrell! È *turco*. Io

non mi fiderei di un figliodiputtana turco con nessune ragazze. Le taglia la gola, ecco che fa. Dico davvero, signora Durrell, non è sicuro che la signorina Margo nuota con lui».

«D'accordo Spiro,» disse dolcemente mamma «ne parlerò con Margo».

«Io solo penso che lei devi saperlo, ecco tutto. Ma non si preoccupa... se lui fa qualche cosa a signorina Margo io sistemo il bastardo» le assicurò Spiro con grande serietà.

In base a quell'informazione, mamma parlò a Margo della faccenda, in modo un tantino meno agghiacciante di Spiro, e le propose di invitare il giovane turco a prendere il tè da noi. Tutta contenta, Margo andò a cercarlo, mentre mamma si affrettava a preparare una torta e un po' di pasticcini e avvertiva noi ragazzi di comportarci come si deve. Quando arrivò il turco, constatammo che era un giovanotto alto, coi capelli meticolosamente ondulati e un sorriso smagliante che riusciva a esprimere il minimo di umorismo col massimo della condiscendenza. Aveva tutta la melliflua e presuntuosa padronanza di sé di un gatto nella stagione degli amori. Si premette la mano di mamma contro le labbra come se le stesse facendo un grande onore, e a noialtri elargì il munifico dono del suo sorriso. Mamma, sentendo che la famiglia stava arruffando il pelo, partì disperatamente alla riscossa.

«Che piacere averla qui... è da tanto che volevamo... non si ha mai il tempo... i giorni *volano*... Margo ci ha parlato tanto di lei... prenda un pasticcino...» disse con voce rotta, sorridendo maliosamente e porgendogli radiosa una fetta di torta.

«Molto gentile» mormorò il turco, lasciandoci un po' in dubbio se stesse parlando di lei o di se stesso. Ci fu un silenzio.

«È qui in vacanza» annunciò tutt'a un tratto Margo, come se si trattasse di una cosa eccezionale.

«Ma davvero?» disse Larry in tono bisbetico. «In vacanza? Sorprendente!».

«Una volta ho fatto una vacanza» farfugliò Leslie con la bocca piena di torta. «Me ne ricordo benissimo».

Mamma fece tintinnare con dita nervose le varie chicchere, e li fissò con occhi di fuoco.

«Zucchero?» domandò con disinvolta amabilità. «Prende il tè con lo zucchero?».

«Sì, grazie».

Ci fu un altro breve silenzio, durante il quale tutti noi restammo a guardare mamma che versava il tè e si lambiccava il cervello alla disperata ricerca di un argomento di conversazione. Infine il turco si rivolse a Larry.

«Lei scrive, se non sbaglio?» disse con la più totale mancanza di interesse.

Gli occhi di Larry balenarono. Mamma, vedendo i segni del pericolo, intervenne subito prima che lui potesse rispondere.

«Sì, sì,» disse sorridendo «scrive in continuazione, tutti i giorni. È sempre incollato alla macchina da scrivere».

«Io ho la netta impressione che saprei scrivere in modo stupendo, se mi ci provassi» osservò il turco.

«Davvero?» disse mamma. «Be', sì, è un dono, immagino, come tante altre cose».

«Lui nuota molto bene,» disse Margo «e si spinge terribilmente al largo».

«Non ho paura» disse modestamente il turco. «Sono un nuotatore formidabile, perciò non ho paura. Quando vado a cavallo non ho paura perché cavalco in modo formidabile. So governare magnificamente la barca in pieno uragano senza avere paura».

Sorseggiò delicatamente il tè, osservando con approvazione le nostre facce reverenti.

«Vedete,» continuò, caso mai ci fosse sfuggito il punto «non sono un uomo pauroso».

Il risultato di quel tè fu che l'indomani il turco scrisse un biglietto a Margo invitandola ad andare al cinema con lui quella sera.

«Pensi che dovrei andarci?» domandò lei a mamma.

«Se ti fa piacere, cara,» rispose mamma, soggiungendo con fermezza «ma digli che vengo anch'io».

«Oh, mamma, non puoi farlo» protestò Margo. «Gli sembrerà talmente strano!».

«Sciocchezze, cara» disse mamma in tono vago. «I turchi sono abituati agli chaperons e cose del genere... guarda i loro harem».

Così quella sera mamma e Margo, tutte agghindate, uscirono di casa per andare all'appuntamento col turco. L'unico cinema era un cinema all'aperto giù in città, e noi calcolammo che lo spettacolo sarebbe finito al più tardi alle dieci. Larry, Leslie e io aspettavamo impazienti il loro ritorno. All'una e mezzo del mattino Margo e mamma, distrutte dalla stanchezza, si trascinarono in casa e caddero di schianto sulle sedie.

«Ah, siete tornate, finalmente!» disse Larry. «Credevamo che foste fuggite con lui. Già vi vedevamo galoppare per Costantinopoli in groppa ai cammelli, coi vostri veli graziosamente svolazzanti nella brezza».

«Abbiamo passato una serata atroce,» disse mamma liberandosi delle scarpe «veramente atroce».

«Cos'è successo?» domandò Leslie.

«Be', tanto per cominciare, si era messo un profumo che puzzava in modo orribile,» disse Margo «e questo mi ha demoralizzata immediatamente».

«Siamo andati nei posti più economici, così vicino allo schermo che mi è venuto il mal di testa,» disse mamma «e stavamo pigiati come sardine. Una tale oppressione che non riuscivo a respirare. E poi, per colmo di sventura, mi sono presa una pulce. C'è poco da ridere, Larry; non sapevo proprio come fare. Mi si è infilata nel busto, benedetta creatura, e la sentivo zampettare su e giù. Non potevo certo grattarmi, sarebbe sembrato un po' strano. Ho dovuto restarmene impalata contro la sedia. Ma mi sa che lui deve esserseне accorto... continuava a darmi delle strane occhiate con la coda dell'occhio. Poi nell'intervallo è uscito ed è tornato con quegli orribili dolci turchi disgustosi, e dopo un po' eravamo tutte inondate di zucchero e a me è venuta una sete tremenda. Nel secondo intervallo è uscito ed è tornato coi fiori. Ditemi voi che idea, fiori in un cinema gremito! Quello sul tavolo è il bouquet di Margo».

Mamma indicò un voluminoso mazzo di fiori primaverili, tenuto insieme da un groviglio di nastri colorati. Poi frugò nella borsetta e tirò fuori un mazzolino di violette che aveva tutta l'aria di essere stato calpestato da un cavallo eccezionalmente gagliardo.

«Questo» disse «era per me».

«Ma il peggio è stato il ritorno a casa» disse Margo.

«Un viaggio spaventoso» convenne mamma. «Quando siamo usciti dal cinema credevo che avremmo preso un tassì, e invece lui ci ha spinte in una carrozza, che per giunta puzzava in modo tremendo. Francamente, dev'essere un po' matto a voler fare tutta quella strada in carrozza. Comunque, ci abbiamo messo ore e *ore,* perché quel povero cavallo era stanco, e io stavo seduta là sforzandomi di essere gentile, morendo dalla voglia di grattarmi e con una sete divorante. E quell'idiota non ha saputo far altro che continuare a sorridere a Margo e a cantare canzoni d'amore turche. L'avrei picchiato con grande gioia. Mi pareva che non saremmo mai arrivate a casa. Non siamo riuscite a liberarci di lui nemmeno ai piedi della collina. Ha voluto a tutti i costi accompagnarci fin quassù, armato di un enorme bastone, perché ha detto che di questa stagione i boschi sono pieni di serpenti. Non vi dico che sollievo quando l'ho visto andar via. Temo proprio che in futuro dovrai scegliere i tuoi ragazzi con più cautela, Margo. Non ce la farei a passare un'altra serata come questa. Avevo il terrore che venisse sino alla porta e fossimo costrette a invitarlo a entrare. Pensavo che non ce ne saremmo liberate più».

«È chiaro che non sei riuscita a mettergli abbastanza paura» disse Larry.

Per Leslie l'arrivo della primavera significava il dolce frullo delle ali quando arrivavano le tortore e i colombacci, e la precipitosa e saettante corsa di una lepre tra i mirti. Sicché un giorno, dopo aver visitato molte armerie e dopo molte discussioni tecniche, tornò tutto orgoglioso alla villa armato di un fucile a doppia canna. E immediatamente se lo portò in camera, lo smontò e lo pulì tutto, mentre io stavo ad osservarlo affascinato dal calcio e dalle canne scintillanti, fiutando estatico l'odore forte e pungente dell'olio lubrificante.

«Non è una meraviglia?» continuava a ripetere, più a se stesso che a me, con gli occhi azzurri che gli brillavano. «Non è un incanto?».

Accarezzò con mani tenere la forma lucente dell'arma. Poi se l'appoggiò di scatto sulla spalla e seguì un immaginario stormo di uccelli lungo il soffitto della stanza.

«Pam!... pam!» gridava, facendo sobbalzare il fucile contro la spalla. «Una bella doppietta, e quelli piombano giù!».

Gli diede un'ultima lustrata col cencio unto e poi lo appoggiò con grande cura nell'angolo accanto al suo letto.

«Domani proviamo a sparare a qualche tortora, eh?» continuò, aprendo un pacchetto e rovesciando le cartucce rosse sul letto. «Cominciano a passare verso le sei. Quella collinetta dall'altra parte della valle è un posto buono».

Così all'alba attraversammo di buon passo gli uliveti gobbuti e brumosi e la valle dove i mirti scricchiolavano tutti bagnati di rugiada, e raggiungemmo la cima della collinetta. Stavamo in mezzo alle viti che ci arrivavano sino alla cintola, in attesa che la luce si facesse più viva e gli uccelli cominciassero a volare. Tutt'a un tratto il cielo pallido del mattino si variegò di puntolini neri che si muovevano rapidi come frecce, e sentimmo il sibilo delle ali. Leslie aspettava, piantato lì a gambe divaricate, col fucile contro la coscia, seguendo gli uccelli con occhi attenti e scintillanti. Volavano sempre più vicino, e a un tratto parve che stessero per oltrepassarci e disperdersi tra le cime argentee e tremule degli ulivi dietro di noi. Proprio all'ultimo istante il fucile balzò sulla sua spalla, le canne lustre come scarabei levarono le loro bocche verso il cielo, l'arma diede un sobbalzo mentre lo sparo schioccava secco, come lo schianto di un grosso ramo in una foresta silenziosa. La tortora, un attimo prima così veloce e intenta al suo volo, cadde al suolo senza più forze, seguita da un turbinio di morbide piume color cannella. Quando ebbe appese alla cintura cinque tortore, molli, insanguinate, con gli occhi pudicamente chiusi, Leslie si accese una sigaretta, si tirò sugli occhi la tesa del cappello e si mise il fucile sotto il braccio.

«Andiamo,» disse «ne abbiamo prese abbastanza. Lasciamole in pace, poverette».

Riattraversammo gli uliveti chiazzati di sole dove i fringuelli baluginavano tra le foglie come tante monetine di rame. Yani, il pastore, stava portando le capre al pascolo. Un sorriso gli raggrinzì la faccia bruna col suo grosso cespuglio di baffi ingialliti; dalle pesanti pieghe del suo mantello di pelle caprina venne fuori una mano che si alzò a salutarci.

«*Chairete,*» gridò con la sua voce profonda il bel saluto greco «*chairete, kyrioi...* siate felici».

Le capre si sparpagliarono tra gli ulivi, chiamandosi tra loro con grida balbettanti, mentre la campanella della capo-gregge tintinnava ritmicamente. I fringuelli cinguettavano eccitati. Un pettirosso fece sporgere il petto come un mandarino tra i mirti e dalla sua gola sgorgò un rivolo di canto. L'isola era madida di rugiada, radiosa di sole mattutino, brulicante di vita. Siate felici. Come si poteva non esserlo, in una stagione simile?

Ci eravamo appena sistemati e cominciavamo a goderci l'isola quando Larry, con la sua tipica generosità, scrisse a tutti i suoi amici invitandoli a stare un po' con noi. A quanto sembra, il particolare che in casa ci fosse spazio sufficiente solo per noi non gli era nemmeno passato per la testa.

«Ho detto a qualche amico di venire qui per una settimana o due» annunciò casualmente a mamma una bella mattina.

«Sarà divertente, caro» disse mamma senza riflettere.

«Ho pensato che avere intorno una compagnia intelligente e stimolante non può farci che bene. Non dobbiamo fossilizzarci».

«Spero che non siano *troppo* intellettuali, caro» disse mamma.

«Santo Dio, mamma, non lo sono *affatto;* sono soltanto persone normalissime e incantevoli. Non so perché ti sia venuta questa fobia per gli intellettuali».

«Non mi piacciono gli intellettuali» disse mamma in tono querulo. «Io non sono un'intellettuale, e non so parlare di poesia, e di cose del genere. Ma siccome sono tua madre, si immaginano sempre che dovrei essere in grado di discutere all'infinito di letteratura. E vengono sempre a farmi un sacco di domande stupide proprio mentre sto cucinando».

«Io non pretendo che tu discuta di arte con loro,» disse Larry stizzito «ma penso che potresti anche sforzarti di nascondere i tuoi abominevoli gusti letterari. Riempio la casa di buoni libri e scopro che il tuo comodino geme sotto il peso dei libri di cucina e di giardinaggio e dei più foschi romanzi gialli. Non riesco a immaginare dove sei andata a pescarli».

«Sono degli ottimi romanzi polizieschi» disse mamma sulla difensiva. «Me li ha prestati Theodore».

Larry diede un lieve sospiro di esasperazione e riprese in mano il suo libro.

«Sarà bene far sapere alla Pension Suisse quando devono arrivare» osservò mamma.

«Perché?» domandò Larry stupito.

«Così prenotano le camere» disse mamma altrettanto stupita.

«Ma io li ho invitati a casa nostra» precisò Larry.

«Larry! Non è possibile! Francamente sei proprio *sventato.* Come diamine possono star qui?».

«Non capisco proprio perché diavolo ti agiti tanto» disse Larry freddamente.

«Ma dove *dormiranno*?» disse mamma stravolta. «A momenti non c'è spazio abbastanza nemmeno per noi».

«Sciocchezze, mamma, spazio ce n'è quanto ne vuoi, se ci si organizza bene. Se Margo e Les dormono fuori nella loggia ottieni due stanze; tu e Gerry potreste trasferirvi in salotto, e ci sarebbero altre due stanze libere».

«Non essere sciocco, caro. Non possiamo accamparci per tutta la casa come zingari. Del resto, di notte fa ancora fresco, e non mi sembra proprio il caso che Margo e Les dormano all'aperto. Insomma, in questa villa non c'è spazio per avere degli ospiti. Dovrai scrivere a quelle persone per annullare l'invito».

«Non posso annullare l'invito,» disse Larry «sono già in viaggio».

«Ma insomma, Larry, sei veramente impossibile. Perché diavolo non me l'hai detto prima? Me lo dici soltanto adesso che sono quasi arrivati».

«Non immaginavo che avresti reagito all'arrivo di qualche amico come se si trattasse di una immane catastrofe» spiegò Larry.

«Ma caro, è stupido invitare gente quando sai che in casa non c'è spazio».

«Vorrei che la smettessi di agitarti» disse Larry irritato. «Per questo problema c'è una soluzione semplicissima».

«Quale?» domandò mamma sospettosa.

«Be', se questa villa non è abbastanza grande, trasferiamoci in un'altra che lo sia».

«Non essere ridicolo. Quando mai si è sentito che si cambia casa perché si invitano degli ospiti!».

«Che c'è di strano? A me sembra una soluzione assolutamente ragionevole; dopo tutto, se dici che qui non c'è spazio, la cosa logica è cambiar casa».

«La cosa logica è non invitare gente» disse mamma in tono severo.

«Non credo che vivere come eremiti ci faccia bene» disse Larry. «In realtà li ho invitati per te. Sono gente simpatica. Credevo che saresti stata contenta. Per animarti un po' la vita».

«Sono abbastanza animata, grazie» disse mamma dignitosamente.

«Be', non so che cos'altro potremmo fare».

«Ma non capisco perché non possano stare alla Pension Suisse, caro».

«Non puoi invitare la gente a casa tua e poi mandarla in un albergo di terz'ordine».

«Quante persone hai invitato?» domandò mamma.

«Oh, solo qualcuno... due o tre... Non verranno tutti insieme. Prevedo che arriveranno a gruppi».

«Ma almeno dovresti potermi dire quanti ne hai invitati» disse mamma.

«Be', ora non me ne ricordo. Certi non hanno risposto, ma non significa niente... probabilmente sono in viaggio e hanno pensato che era inutile avvertirci. Comunque, se calcoli sette o otto persone direi che non sbagli».

«Vuoi dire compresi noi?».

«No, no, voglio dire sette o otto persone oltre noi».

«Ma è assurdo, Larry! Non possiamo sistemare tredici persone in questa villa, nemmeno con la migliore buona volontà!».

«Be', *traslochiamo,* allora. Ti ho proposto una soluzione perfettamente ragionevole. Non capisco perché discuti».

«Ma non essere ridicolo, caro. Anche se traslocassimo in una villa abbastanza grande per ospitare tredici persone, cosa ce ne facciamo di tutto lo spazio in più quando i tuoi amici se ne vanno?».

«Invitiamo qualcun altro» disse Larry, stupito che mamma non avesse trovato da sola quella risposta così semplice.

Mamma lo fissò, con gli occhiali di traverso.

«Francamente, Larry, mi stai proprio irritando» disse infine.

«Mi sembra un po' ingiusto che tu te la prenda con me perché l'arrivo di qualche ospite basta a far crollare la tua organizzazione» disse Larry in tono austero.

«Qualche ospite!» strillò mamma. «Mi compiaccio che per te otto persone siano qualche ospite».

«A me sembra che stai prendendo un atteggiamento molto irragionevole».

«E trovi che non sia irragionevole invitare la gente senza avvertirmi?».

Larry la guardò con aria offesa e riprese il suo libro.

«Be', io ho fatto quello che potevo,» disse «di più non posso fare».

Ci fu un lungo silenzio, mentre Larry continuava placidamente a leggere e mamma cacciava mazzi di rose nei vasi e li metteva qua e là a casaccio, borbottando tra sé.

«Insomma, non startene lì con le mani in mano» disse infine. «Dopo tutto sono amici tuoi. Tocca a te di fare qualcosa».

Larry, con aria di grande sopportazione, posò il libro.

«Francamente non so che cosa ti aspetti che faccia» disse. «Hai respinto tutti i miei suggerimenti».

«Se tu dessi dei suggerimenti ragionevoli non li respingerei».

«In tutto quello che ti ho suggerito non vedo proprio niente di ridicolo».

«Ma caro Larry, ragiona un momento. Non possiamo precipitarci in una nuova villa perché arrivano degli ospiti. E ho i miei dubbi che ne troveremmo una in tempo. E poi ci sono le lezioni di Gerry».

«Tutto questo si potrebbe risolvere facilmente se tu ci pensassi sopra».

«Noi *non* traslocheremo in un'altra villa,» disse mamma con fermezza «questo è deciso».

Si raddrizzò gli occhiali, gettò a Larry uno sguardo di sfida e marciò verso la cucina, spirando risolutezza da tutti i pori.

PARTE SECONDA

Non siate negligenti nell'ospitare
i forestieri: perché alcuni senza
saperlo hanno ospitato gli angeli.

Ebrei, XIII, 2

VII

LA VILLA COLOR GIALLO NARCISO

La nuova villa era enorme, un palazzo veneziano alto e quadrato, coi muri d'uno sbiadito color giallo narciso, le persiane verdi e il tetto rossiccio. Stava su una collina che dominava il mare, circondata da uliveti incolti e da silenti frutteti di limoni e di aranci. Da tutto il luogo spirava un'atmosfera di malinconia antica: la casa coi suoi muri scrostati e pieni di crepe, le sue enormi stanze echeggianti, le sue logge coi cumuli di foglie dell'anno prima e così sovraccariche di rampicanti e di viticci che le stanze al pian terreno erano sempre immerse in un verde crepuscolo; nel piccolo giardino, posto più in basso e cintato, che si stendeva lungo un lato della casa coi suoi cancelli di ferro battuto incrostati di ruggine, c'erano rose, anemoni e gerani che invadevano i sentieri chiazzati d'erba, e i mandarini arruffati e incolti erano così carichi di fiori che il profumo era quasi opprimente; nei frutteti al di là del giardino regnavano la pace e il silenzio, rotto soltanto dal ronzio delle api e da un frullo d'ali tra le foglie. La casa e la terra erano in uno stato di nobile e triste decadenza, dimenticate su quel declivio che dominava il mare luccicante e le cupe colline corrose dell'Albania. Era come se la villa e il paesaggio fossero assopiti e giacessero drogati sotto il sole di primavera, lasciandosi sopraffare dal musco, dalle felci e da una folla di piccoli funghi velenosi.

Inutile dire che era stato Spiro a trovare la villa e ad organizzare il nostro trasloco col minimo di trambusto e il massimo di efficienza. Dopo tre giorni che avevamo visto la villa per la prima volta, i lunghi carri di legno già si trascinavano in una polverosa processione lungo le strade, carichi della nostra roba; e il quarto giorno ci installammo in casa.

Sul confine della tenuta c'era una casetta dove abitavano il giardiniere e sua moglie, due vecchi quasi decrepiti che sembravano andati in sfacelo con la proprietà. Il giardiniere aveva l'incarico di riempire le cisterne, cogliere la frutta, torchiare le olive e farsi furiosamente pungere una volta all'anno quando estraeva il miele dalle diciassette arnie che brulicavano sotto i limoni. In un momento di aberrante entusiasmo mia madre prese la moglie del giardiniere come domestica. Si chiamava Lugaretzia ed era una creatura sparuta e lugubre, coi capelli che sfuggivano continuamente dalle impalcature di forcine e di pettini con cui se li teneva attaccati al cranio. Era, come mamma scoprì ben presto, di una suscettibilità morbosa, e alla minima critica, per quanto garbatamente le fosse rivolta, gli occhi bruni le si colmavano di lacrime in un imbarazzante sfoggio di dolore. Era uno spettacolo così straziante che ben presto mamma si astenne da qualunque osservazione.

Una sola cosa al mondo riusciva a portare un sorriso sulla malinconica faccia di Lugaretzia, uno sfavillio nei suoi occhi da spaniel: parlare dei suoi malanni. Mentre per la maggior parte delle persone l'ipocondria è un hobby, Lugaretzia ne aveva fatto la sua precipua occupazione. Quando ci trasferimmo nella villa, era tormentata dal mal di stomaco. Cominciava a diramare bollettini sullo stato del suo stomaco fin dalle sette del mattino quando ci portava il tè. Passava da una camera all'altra coi vassoi, dando a ognuno di noi un resoconto particolareggiato delle battaglie notturne sostenute col suo apparato digerente. Era maestra nell'arte di descrivere; gemendo, ansimando, piegandosi in due per il dolore, battendo i piedi, ci dava un quadro così realistico delle sue sofferenze che per simpatia finivamo con l'aver mal di stomaco anche noi.

«Non puoi *fare* qualcosa per quella donna?» domandò Larry a mamma una mattina, dopo che lo stomaco di Lugaretzia aveva passato una notte particolarmente brutta.

«Che cosa vuoi che faccia?» disse mamma. «Le ho dato un po' del tuo bicarbonato di sodio».

«Probabilmente è stato quello a farla star male».

«Sono sicura che non mangia in modo razionale» disse Margo. «Probabilmente ha solo bisogno di una buona dieta».

«Per il suo stomaco non c'è nessun rimedio all'infuori di una baionetta,» disse Larry caustico «e lo so ben io... in quest'ultima settimana sono entrato in angosciosa intimità con ogni minima circonvoluzione del suo intestino crasso».

«Lo so che è un po' pesante,» disse mamma «ma in fondo quella poveretta soffre sul serio».

«Macché,» disse Leslie «per lei è un vero godimento. Come per Larry quando è malato».

«Be', in ogni caso dobbiamo sopportarla,» si affrettò a dire mamma «qui intorno non c'è nessun'altra che possa venire da noi. Dirò a Theodore di darle un'occhiata la prossima volta che viene».

«Se tutto quello che mi ha raccontato lei stamattina era vero,» disse Larry «dovrai armarlo di un piccone e di una lampada da minatore».

«Larry, non essere disgustoso» disse mamma severamente.

Poco tempo dopo, con nostro grande sollievo, lo

stomaco di Lugaretzia cominciò a star meglio, ma quasi immediatamente entrarono in crisi i suoi piedi, e lei si aggirava zoppicando in modo pietoso e gemendo forte e spesso. Larry disse che mamma non aveva assunto una domestica ma uno spirito maligno e suggerì di comprarle una palla di ferro e una catena. Sottolineò che così, se non altro, avremmo saputo quando si stava avvicinando e saremmo riusciti a scappare in tempo, perché Lugaretzia aveva preso l'abitudine di accostarsi di soppiatto alle spalle della gente e di dare all'improvviso in un forte gemito. Larry cominciò a fare colazione in camera dopo una certa mattina in cui Lugaretzia, nella sala da pranzo, si tolse le scarpe per farci vedere esattamente quali dita le facevano male.

Ma a parte i malanni di Lugaretzia, in casa c'erano altre magagne. Il mobilio (che avevamo preso in affitto con la villa) era un'incredibile collezione di reliquie vittoriane che stavano chiuse in quelle stanze da vent'anni. Quei mobili erano acquattati dappertutto, brutti, goffi, scomodi, scricchiolando orribilmente tra loro, e perdendosi qualche pezzetto – con certi schianti che parevano spari e grandi nuvole di polvere – tutte le volte che uno gli passava vicino pestando un po' troppo i piedi. La prima sera si staccò la gamba del tavolo della sala da pranzo, e tutta la nostra cena precipitò sul pavimento. Qualche giorno dopo Larry si sedette su un'enorme sedia dall'aria molto solida, e tutt'a un tratto lo schienale scomparve in una nube di polvere acre. Quando mamma andò ad aprire un armadio grande come una casa e l'intero sportello le rimase in mano, stabilì che bisognava prendere dei provvedimenti.

«È semplicemente impossibile avere degli ospiti in una casa dove tutto va in pezzi soltanto a guardarlo» disse. «Non c'è alternativa, dobbiamo comprare dei mobili nuovi. Questi ospiti si stanno rivelando i più costosi che abbiamo mai avuti».

La mattina dopo Spiro accompagnò mamma, Margo e me giù in città per comprare dei mobili. Notammo che la città era più affollata e più chiassosa del solito, ma non avemmo alcun sospetto che stesse accadendo qualcosa di speciale finché non finimmo di contrattare col negoziante e, usciti dalla sua bottega, non ci inoltrammo nelle stradine anguste e serpeggianti. Mentre ci sforzavamo di tornare nel luogo dove avevamo lasciato la macchina, ci trovammo in mezzo a una folla che diventava sempre più fitta e ci spingeva da tutti i lati, e quella massa di gente era così serrata che fummo trascinati avanti contro la nostra volontà.

«Mi sa che sta succedendo qualcosa» disse Margo con profondo spirito di osservazione. «Forse una festa o chi sa che altro di interessante».

«Non me ne importa proprio niente, purché torniamo alla macchina» disse mamma.

Ma fummo trascinati avanti nella direzione opposta, e infine sospinti in mezzo a una vasta folla radunata nella piazza principale della città. Domandai a una vecchia contadina che mi stava accanto che cosa stesse succedendo, e lei mi guardò tutta raggiante d'orgoglio.

«È Santo Spiridione, *kyria*» mi spiegò. «Oggi possiamo entrare in chiesa a baciargli i piedi».

Santo Spiridione era il patrono dell'isola. Il suo corpo mummificato era chiuso in una bara d'argento nella chiesa, e una volta all'anno veniva portato in processione per tutta la città. Era un santo molto potente e in grado di esaudire le preghiere, di curare le malattie e di fare per la gente un mucchio di altre cose prodigiose, se uno aveva la fortuna di trovarlo nello stato d'animo giusto quando gliele chiedeva. Gli isolani lo veneravano, e metà degli abitanti maschi dell'isola si chiamavano Spiro in suo onore. Quel giorno era un giorno speciale; evidentemente avrebbero aperto la bara e consentito ai fedeli di baciare i piedi della mummia, chiusi nelle loro babbucce, e di chiedere al santo tutto quello che volevano. La varietà della folla dimostrava quanto i Corfioti amassero il loro santo: c'erano vecchie contadine coi vestiti neri della festa, e i loro mariti, curvi come ulivi, coi loro enormi baffi bianchi; c'erano pescatori, abbronzati e muscolosi, con le camicie macchiate dall'inchiostro delle seppie; c'erano anche i malati, i deficienti, i tubercolotici, gli storpi, vecchi che a malapena riuscivano a camminare, e neonati fasciati stretti come bozzoli, con le piccole facce d'un pallore cereo tutte raggrinzite mentre continuavano a tossire. C'erano anche alcuni alti e selvaggi pastori albanesi, baffuti e con la testa rasa, che indossavano grandi mantelli di pelle di pecora. Questo cupo e multicolore cuneo di umanità si muoveva lentamente verso la porta oscura della chiesa, e noi fummo sospinti avanti, travolti come ciottoli in una colata di lava. Ormai Margo era stata trascinata molto più avanti di me, mentre mamma era ugualmente lontana alle mie spalle. Io ero imprigionato tra cinque grasse contadine, che mi si premevano addosso come cuscini e traspiravano sudore e aglio, mentre mamma era stretta senza speranza tra due degli enormi pastori albanesi. Fermamente, inesorabilmente, fummo trascinati su per gli scalini e dentro la chiesa.

L'interno era buio come un pozzo, illuminato soltanto da una serie di candele che baluginavano come crochi gialli lungo una parete. Un prete barbuto, con l'alto cappello e le vesti nere, aleggiava come un corvo nella penombra, facendo disporre la folla in una sola fila che attraversava la chiesa, passava davanti alla grande bara d'argento e usciva in strada da un'altra porta. La bara, messa verticalmente, sembrava una crisalide argentea, e dall'estremità inferiore era stato tolto un pannello in modo da far spuntare i piedi del santo, chiusi nelle babbucce sontuosamente ricamate. Non appena raggiungeva la bara ognuno si chinava, baciava i piedi e mormorava una preghiera, mentre in cima al sarcofago la faccia nera e disseccata del santo spiava attraverso un pannello di vetro con un'espressione di profondo disgusto. Era sempre più chiaro che, lo volessimo o no, avremmo baciato i piedi di Santo Spiridione. Mi girai e vidi mamma che faceva sforzi frenetici per raggiungermi, ma le sue guardie del corpo albanesi non cedevano di un centimetro, e lei lottava invano. Ben presto colse il mio sguardo e cominciò a fare smorfie, indicando la bara e scuotendo vigorosamente la testa. La cosa mi lasciò molto perplesso, e lasciò perplessi anche gli albanesi, che la stavano osservando con evidente sospetto. Credo che arrivarono alla conclusione che mamma stesse per avere un attacco isterico, e non avevano tutti i torti, perché aveva la faccia paonazza e le sue smorfie si facevano sempre più frenetiche. Alla fine, disperata, mandò a farsi benedire la prudenza e al di sopra di quella marea di teste mi sibilò:

«Di' a Margo... che *non* baci... baciate l'aria... baciate *l'aria*».

Mi girai per riferire a Margo il messaggio di mamma, ma era troppo tardi; lei stava già là, china sui piedi calzati di babbucce, intenta a baciarli con un entusiasmo che incantò e sorprese molto la folla. Quando arrivò il mio turno io obbedii alle istruzioni di mamma, baciando forte e con grande ostentazione di reverenza un punto a qualche millimetro dal piede sinistro della mummia. Poi fui spinto avanti e vomitato dalla porta della chiesa fuori in strada, dove la folla si stava frantumando in piccoli gruppi di persone che ridevano e chiacchieravano. Margo aspettava sui gradini con un'aria profondamente soddisfatta. Un momento dopo apparve mamma, sparata attraverso la porta dalle spalle vigorose dei pastori. Scese barcollando gli scalini e ci raggiunse.

«Quei *pastori*» esclamò con voce rotta. «Così rozzi... l'odore mi ha quasi soffocata... incenso e aglio mescolati... Come fanno a puzzare in quel modo?».

«Poco male» disse Margo allegramente. «Ne sarà valsa la pena se Santo Spiridione esaudisce la mia preghiera».

«Un uso terribilmente *antigienico,*» disse mamma «più adatto a diffondere le malattie che a guarirle. Rabbrividisco all'idea dei mali che potevamo buscarci se avessimo *veramente* baciato i suoi piedi».

«Ma io li ho baciati» disse Margo stupita.

«Margo! Non dirmelo!».

«Be', li baciavano tutti».

«E dopo che ti avevo detto espressamente di *non* farlo».

«Tu non mi hai detto mica di non...».

La interruppi per spiegare che non avevo fatto in tempo ad avvertirla.

«Ma che idea, baciare quelle babbucce dopo che tutta quella gente ci aveva sbavato sopra!».

«Ho fatto quello che facevano gli altri».

«Non so proprio come diavolo ti sia venuto in mente di fare una cosa simile».

«Be', ho pensato che forse mi guariva dall'acne».

«L'acne!» disse mamma in tono derisorio. «Sarai fortunata se non ti buschi qualcos'altro che faccia il paio con l'acne».

L'indomani Margo si mise a letto con un violento attacco d'influenza e per mamma il prestigio di Santo Spiridione scese a zero. Mandammo Spiro in città per chiamare un dottore e lui tornò con un ometto tarchiato dai capelli che parevano lustrati con la vernice nera, un ciuffetto di baffi e gli occhi come bottoncini neri dietro i grandi occhiali cerchiati di corno.

«Po-po-po» disse entrando impettito nella camera e guardando Margo con aria sprezzante «po-po-*po*! Si è dimostrata proprio furba, eh? Baciare i piedi del santo! Po-po-po-po-po! Ha rischiato di prendersi chi sa che brutto bacillo. È fortunata: questa è influenza. Ora farà quello che le dico io, altrimenti me ne lavo le mani. E la prego di non aumentare il mio lavoro con queste stupidaggini. Se in futuro bacia i piedi di un altro santo io non vengo a curarla... Po-po-po... se son cose da farsi!».

Così, durante le tre settimane che Margo languì nel suo letto, con Androuchelli che continuava a po-poarle intorno ogni due o tre giorni, noialtri ci sistemammo nella villa. Larry prese possesso di un'enorme soffitta e incaricò due falegnami di fare le librerie; Leslie trasformò il vasto porticato dietro la casa in un poligono di tiro, e tutte le volte che si esercitava appendeva un'enorme bandiera rossa all'esterno; mamma si aggirava con aria assente nella vasta cucina lastricata e nello scantinato, preparando litri di brodo concentrato e cercando contemporaneamente di ascoltare i monologhi di Lugaretzia e di occuparsi di Margo. Quanto a Roger e a me, c'erano naturalmente quindici acri di giardino da esplorare, un vasto nuovo paradiso che scendeva sino al mare tiepido e poco profondo. Poiché momentaneamente ero senza maestro (perché George aveva lasciato l'isola), potevo passare l'intera giornata all'aperto, limitandomi a tornare alla villa per mangiare in fretta qualcosa.

In quel territorio così vario e a portata di mano trovai molte bestioline che ormai consideravo dei vecchi amici: le cetonie, l'ape legnaiola azzurra, le coccinelle e i ragni botola. Ma scoprii anche molte bestiole nuove di cui occuparmi. Nei muri sgretolati del giardino vivevano dozzine di piccoli scorpioni neri, scintillanti e lustri come se fossero fatti di bachelite; nei fichi e nei limoni proprio sotto al giardino c'erano frotte di raganelle color verde smeraldo che sembravano deliziose caramelle lucenti tra le foglie; più su lungo il pendio vivevano serpenti di varie specie, e lucide lucertole e tartarughe. Nei frutteti c'erano molte specie di uccelli: cardellini, verdoni, codirossi, cutrettole, rigogoli e ogni tanto alcune upupe color rosa salmone, nero e bianco, che scandagliavano il terreno morbido coi lunghi becchi ricurvi, alzavano stupite le creste quando mi vedevano, e volavano via.

Sotto le gronde della villa si erano stabilite le rondini. Erano arrivate poco prima di noi, e le loro bitorzolute case di fango erano appena finite, ancora umide e color marrone scuro come un plum-cake ben ripieno di uvetta. Ora che asciugandosi stavano prendendo un color biscotto più chiaro, i genitori uccelli erano indaffarati a foderarli, facendo scorrerie nel giardino in cerca di piccole radici, lana di pecora o piume. Due dei nidi erano più in basso degli altri, e su questi concentrai la mia attenzione. Per giorni e giorni tenni appoggiata una lunga scala contro il muro, proprio tra i due nidi, e ogni giorno, pian pianino, mi arrampicavo un po' più in alto, finché non arrivavo a sedermi sull'ultimo piolo e a guardare nei nidi, che ora riuscivo a vedere a poco più di un metro di distanza. I genitori uccelli non sembravano affatto disturbati dalla mia presenza e continuarono il loro duro lavoro di metter su casa, mentre io me ne stavo accovacciato in cima alla scala e Roger giaceva ai suoi piedi.

Arrivai a conoscere molto bene queste famiglie di rondini, e osservavo con grande interesse il loro lavoro quotidiano. Quelle che ritenevo le due femmine si comportavano in modo molto simile, zelanti, un po' preoccupate, apprensive al massimo e affaccendatissime. I maschi, invece, erano molto diversi di carattere. Mentre erano occupati a rifinire l'interno del nido, uno dei due portava del materiale ottimo, ma si rifiutava di considerare tutta quella faccenda un vero lavoro. Tornava a casa a precipizio, portando nel becco un ciuffo di lana di pecora, ma poi perdeva parecchi minuti a sfiorare a volo radente i fiori del giardino, tracciando dei grandi otto, o a serpeggiare dentro e fuori tra i pilastri che sorreggevano le viti. Sua moglie si teneva aggrappata al nido e continuava a stridere esasperata, ma lui non voleva saperne di prendere la vita sul serio. Anche l'altra femmina aveva qualche difficoltà col suo compagno, ma erano difficoltà di tutt'altra specie. Quest'altro, semmai, era fin troppo entusiasta. Sembrava deciso a non lesinare sforzi per dare ai suoi piccoli il nido meglio foderato della colonia. Ma purtroppo non era un matematico, e per quanto si sforzasse, non riusciva a ricordare le dimensioni del suo nido. Tornava di volata, pigolando in tono sommesso ma eccitato, reggendo nel becco una penna di gallina o di tacchino grossa quanto lui, e con un calamo così duro che era impossibile piegarla. Di solito sua moglie impiegava parecchi minuti a convincerlo che, per quanti sforzi e acrobazie facessero, la penna non sarebbe mai entrata nel nido. Alla fine, profondamente deluso, lui si decideva a lasciar cadere la penna, che fluttuava in aria per andare ad accrescere il mucchio sempre più alto sul terreno sottostante; poi volava via in cerca di qualcosa di più adatto. Dopo un po' tornava, vacillando sotto il peso di un carico di lana di pecora così appallottolato e indurito di terra e di sterco che lui faticava a portarlo fin sulle gronde, figuriamoci poi dentro il nido.

E poi, quando finalmente i nidi furono completati, le uova picchiettate deposte, e nacquero i piccoli, l'indole dei due mariti parve cambiare. Quello che si procurava sempre tutto quel materiale inutile ora volteggiava, si tuffava con aria spensierata lungo i declivi e tornava senza premura portando con disinvolta noncuranza una boccata di insetti della misura giusta e teneri abbastanza da invogliare la sua tremante e morbida covata. L'altro maschio invece diventò molto inquieto, e si sarebbe detto ossessionato dall'atroce timore che i suoi piccoli morissero di fame. Sicché si logorava nell'affannosa ricerca di cibo e tornava portando sempre le cose più inadatte, per esempio grossi scarabei acuminati, tutti zampe ed elitre, ed enormi libellule, secche e assolutamente indigeste. Si aggrappava al bordo del nido, si prodigava in mille valorosi ma inutili tentativi di cacciare questi giganteschi bocconi nelle gole sempre spalancate dei suoi piccoli. Mi atterriva il pensiero di quello che sarebbe accaduto se fosse riuscito a spingere nelle loro gole quelle prede aguzze. Ma fortunatamente non ci riusciva, e alla fine, più affannato che mai, lasciava cadere al suolo l'insetto e volava via in tutta fretta per cercare qualcos'altro. Ero molto grato a questa rondine, perché mi fornì tre specie di farfalle, sei libellule e due formicaleoni che mancavano nella mia collezione.

Le femmine, una volta nati i piccoli, si comportavano suppergiù come sempre: volavano un po' più in fretta, avevano un'aria di vispa efficienza, ma niente di più. Mi affascinava vedere per la prima volta i servizi igienici di un nido d'uccello. Spesso, quando allevavo un uccellino, mi ero domandato perché quando voleva evacuare sollevasse il didietro dimenando la coda a tutto spiano. Ora ne scoprii il motivo. Gli escrementi delle rondini neonate venivano espulsi in palline ricoperte di muco che formava intorno ad esse come una specie di involucro gelatinoso. I piccoli si drizzavano sulla testa, dimenavano il didietro in una breve ma frenetica rumba e depositavano le loro piccole offerte sul bordo del nido. Al loro ritorno, le femmine stipavano nelle gole spalancate il cibo che avevano raccolto, poi prendevano delicatamente col becco gli escrementi e andavano a depositarli negli uliveti. Era un'organizzazione meravigliosa, e io seguivo affascinato tutta la procedura, dal dimenamento dei didietri – che mi faceva sempre ridacchiare – al volo finale della madre sulla cima di un albero, di dove lasciava cadere verso terra la piccola bomba bianca e nera.

Data l'abitudine di quel maschio di fare incetta di insetti strani e inadatti per nutrire i suoi piccoli, due volte al giorno io andavo sempre a esaminare il terreno sotto il nido nella speranza di trovare qualche nuovo esemplare per la mia collezione. E fu là che una mattina vidi zampettare lo scarabeo più straordinario che avessi mai visto. Pensai che nemmeno quella rondine deficiente avrebbe potuto portare un insetto così grosso, e che comunque non sarebbe riuscita a catturarlo, ma sta di fatto che era là, sotto la colonia. Era uno scarabeo grosso, goffo, d'un nero azzurro, con una grossa testa rotonda, lunghe antenne articolate e il corpo a forma di bulbo. Il particolare stravagante in lui erano le elitre; era come se le avesse mandate in lavanderia e si fossero ritirate, perché erano piccolissime e sembravano fatte per uno scarabeo grande la metà di lui. Mi divertii a pensare che forse quella mattina non aveva un paio di elitre pulite da mettersi e se n'era fatte prestare un paio dal fratello più piccolo, ma infine decisi che quell'idea, per quanto incantevole, non poteva essere definita scientifica. Dopo averlo preso in mano, mi accorsi che le mie dita avevano un odore leggermente acre e oleoso, benché, apparentemente, l'insetto non avesse emesso alcun liquido. Lo feci annusare a Roger, per vedere se era d'accordo con me, e lui starnutì forte e si ritrasse, perciò conclusi che a odorare così doveva essere lo scarabeo, e non la mia mano. Lo conservai con grande cura perché Theodore potesse identificarlo quando veniva.

Adesso che erano arrivate le giornate calde della primavera, Theodore veniva alla villa tutti i giovedì all'ora del tè; arrivava dalla città in carrozzella, e il suo vestito impeccabile, il colletto duro e il cappello floscio facevano uno strano contrasto con i retini, le borse e le scatole piene di provette che lo circondavano. Prima del tè esaminavamo e identificavamo tutti i nuovi esemplari che mi ero procurati. Dopo il tè ci aggiravamo per la tenuta in cerca di insetti, oppure facevamo quella che Theodore chiamava un'escursione a qualche stagno o fossato delle vicinanze per cercare nuove specie di vita microscopica per la sua collezione. Non faticò molto a identificare il mio strano scarabeo dalle elitre così incongrue, e subito dopo mi raccontò sull'insetto alcune cose straordinarie.

«Ah, ah! Sì,» disse, esaminandolo con grande attenzione «è un meloe proscarabeo... *Meloe proscaraboeus*... Sì... senza dubbio sono scarabei molto strani. Come? Ah, sì, le elitre... Be', come vedi non possono volare. Ci sono varie specie di coleotteri che hanno perso la capacità di volare, per un motivo o per l'altro. La cosa veramente strana di questo scarabeo è la storia della sua vita. Questa è una femmina, naturalmente. Il maschio è molto più piccolo – all'incirca la metà, direi. A quanto pare la femmina depone una certa quantità di piccole uova gialle, e quando queste si trasformano in larve, si arrampicano sui fiori vicini e aspettano dentro le corolle. Devono aspettare un certo tipo di ape solitaria, e quando questa entra nel fiore, le larve... fanno l'autostop... ehm... si afferrano forte con le zampe alla pelliccia dell'ape. Se sono fortunate, l'ape è una femmina che sta raccogliendo il miele da mettere nelle celle con le sue uova. Allora, non appena l'ape ha finito di riempire la sua cella e depone le uova, la larva salta sulle uova, e l'ape chiude la cella. Poi la larva mangia le uova e si sviluppa dentro la cella. La cosa che mi colpisce sempre è che esiste *una sola* specie di ape che le larve depredano. C'è da supporre che moltissime di queste larve si aggrappino all'ape sbagliata e finiscano col *morire*. E naturalmente, anche se è la specie *giusta* di ape, non c'è nessuna... ehm... garanzia che sia una femmina sul punto di deporre le uova».

S'interruppe un istante, si bilanciò sui piedi parecchie volte, e contemplò assorto il pavimento. Poi mi guardò con gli occhi ammiccanti.

«Voglio dire» continuò «che è un po' come scommettere su un cavallo in una corsa... ehm.... avendo tutti i pronostici contrari».

Scosse leggermente la scatola col coperchio di vetro, e lo scarabeo scivolò da una parete all'altra, agitando le antenne stupito. Poi la rimise con cura sullo scaffale tra gli altri miei esemplari.

«A proposito di cavalli,» disse Theodore allegramente, mettendosi le mani sui fianchi e dondolandosi «ti ho mai raccontato di quella volta che guidai l'ingresso trionfale a Smirne, cavalcando un bianco destriero? Be', è stato durante la prima guerra mondiale, e il comandante del mio battaglione aveva stabilito che dovevamo entrare a Smirne trionfalmente... ehm... tutti in colonna, con alla testa, possibilmente, un uomo su un cavallo bianco. Purtroppo mi concessero il dubbio privilegio di guidare le truppe. Avevo imparato a cavalcare, naturalmente, ma non mi considererei davvero... ehm... un cavaliere provetto. Be', tutto andò benissimo, e il cavallo si stava comportando con grande decoro, finché non arrivammo alla periferia della città. In certe parti della Grecia, come sai, c'è l'abitudine di buttare profumo, essenze, acqua di rose e roba del genere sui... ehm... sugli eroici conquistatori. Mentre stavo cavalcando alla testa della colonna, una vecchia balzò fuori da una strada laterale e si mise a spruzzare acqua di colonia tutt'intorno. Il cavallo non fece caso a *questo,* ma disgraziatamente qualche goccia di profumo dovette schizzargli nell'*occhio.* Be', era abituato alle parate e alle cose del genere, e alle folle plaudenti eccetera, ma non era abituato agli spruzzi d'acqua di colonia negli occhi. Ne rimase... ehm... profondamente sconvolto, e cominciò a comportarsi più come un cavallo da circo che come un destriero. Riuscii a restare in sella solo perché mi si erano impigliati i piedi nelle staffe. La colonna dovette rompere i ranghi per cercare di calmarlo, ma lui era così imbizzarrito che alla fine il comandante decise che sarebbe stato imprudente farlo partecipare al corteo dell'ingresso trionfale. Così, mentre la colonna percorreva le strade principali tra le bande che sonavano e la gente che applaudiva eccetera, io fui costretto a svignarmela per vie traverse sul mio cavallo bianco, e per colmo di sventura, tutt'e due odoravamo terribilmente d'acqua di colonia. Ehm... da quella volta non mi è mai piaciuto veramente andare a cavallo».

VIII
LE COLLINE DELLE TARTARUGHE

Dietro la villa c'era una serie di collinette che ergevano le loro creste incolte sugli uliveti circostanti. Erano colline disseminate di vaste chiazze di mirti verdi, alte eriche e qualche spruzzatina di cipressi. Era probabilmente l'area più affascinante di tutto il giardino, perché brulicava di vita. Nei sentieri sabbiosi le larve del formicaleone scavavano i loro piccoli pozzi a forma di cono, e lì aspettavano ogni incauta formica che si avventurasse lungo il bordo per farla segno a un bombardamento di sabbia che la faceva ruzzolare giù in fondo alla trappola, dove finiva tra le terribili mascelle a pinza della larva. Nei rossi banchi di sabbia le vespe cacciatrici scavavano i loro tunnel e catturavano i ragni a volo radente; li trafiggevano coi loro pungiglioni, paralizzandoli, poi se li portavano via per nutrirne le loro larve. In mezzo ai fiori dell'erica i grandi bruchi grassi e pelosi delle saturnie si nutrivano lentamente, simili a colletti di pelliccia animati. Tra i mirti, nel caldo crepuscolo profumato delle loro foglie, le mantidi andavano in cerca di preda, volgendo le teste di qua e di là per avvistarla. Tra i rami dei cipressi c'erano i lindissimi nidi dei fringuelli, pieni di famelici neonati dagli occhi sporgenti; e sui rami più bassi i regoli crestati intrecciavano le loro minuscole e fragili coppe di musco e di peli, o cercavano insetti, appesi a testa in giù alle estremità dei rami, dando in pigolii di gioia quasi impercettibili se scoprivano un ragnetto o un culice, con le creste d'oro che scintillavano come piccole bustine militari mentre loro si muovevano con grazia nell'oscurità dell'albero.

Non eravamo arrivati da molto tempo alla villa quando scoprii che in realtà quelle colline appartenevano alle tartarughe. In un pomeriggio afoso Roger e io stavamo nascosti dietro un cespuglio, aspettando pazientemente che una farfalla coda-di-rondine tornasse a prendere il sole nel suo luogo preferito, così avremmo potuto catturarla. Era la prima giornata veramente calda che avevamo quell'anno, e sembrava che tutte le cose fossero immerse in un sonno ipnotico, imbevendosi di sole. La coda-di-rondine non aveva fretta; se ne stava tutta sola presso gli uliveti intenta a fare una sua danza, volteggiando, tuffandosi, piroettando sotto il sole. Mentre la osservavo, vidi con la coda dell'occhio un lieve movimento da un lato del cespuglio dietro il quale eravamo nascosti. Diedi una rapida occhiata per vedere che cosa fosse, ma la terra bruna era intrisa di sole e deserta di vita. Stavo per voltarmi di nuovo verso la farfalla quando vidi qualcosa che mi lasciò allibito: il pezzo di terra che stavo guardando si sollevò tutt'a un tratto, come se una mano lo spingesse dal di sotto; il suolo si crepò, e una minuscola pianticella, dopo un frenetico scossone, fu divelta dalle radici e cadde da una parte.

Mi domandai che cosa avesse potuto provocare quell'improvvisa eruzione. Un terremoto? Impossibile, così piccolo e limitato. Una talpa? Non certo in quel terreno così asciutto e privo d'acqua. Mentre mi facevo queste domande, la terra tornò a sollevarsi, sgretolandosi in zolle che ruzzolarono, e io mi trovai a fissare un guscio giallo e marrone. La terra continuava a ruzzolar via man mano che il guscio emergeva, e poi, con cauta lentezza, dal buco si sporse una testa raggrinzita e scagliosa, seguita da un lungo collo scarno. Gli occhi cisposi batterono una o due volte mentre la tartaruga mi esaminava; poi, decidendo che dovevo essere innocuo, si tirò fuori dalla sua prigione di terra, a fatica e con immensa cautela, fece due o tre passi e si acquattò al sole, abbandonandosi a una dolce sonnolenza. Dopo il lungo inverno sotto la terra umida e fredda, per il rettile quel primo bagno di sole doveva essere come un bicchiere di vino. Teneva le zampe allargate fuori dal guscio, il collo proteso il più possibile, la testa posata al suolo; a vederla lì con gli occhi chiusi, si sarebbe detto che la bestia assorbisse il sole con ogni molecola del suo corpo e del suo guscio. Rimase sdraiata là per una decina di minuti, poi si alzò, con movimenti lenti e guardinghi, e zampettò lungo il sentiero fino a un folto di trifoglio e di denti di leone che si stendeva all'ombra di un cipresso. Qui sembrò annaspare con le zampe e crollò sul fondo del guscio con un tonfo. Tornò a sporgere la testa, la chinò lentamente verso la massa folta e verde del trifoglio, spalancò la bocca e, dopo un attimo di incertezza, la richiuse intorno alle foglie succulente, diede uno strattone per strapparle, e poi se ne restò beata a masticare, con la bocca imbrattata dal primo cibo dell'anno.

Quella doveva essere la prima tartaruga di primavera, e come se la sua sortita dal dormitorio sotterraneo fosse un segnale, all'improvviso le colline brulicarono di tartarughe. Non ne avevo mai viste tante radunate insieme in un'area così ristretta: grosse come una scodella e piccole come una tazzina, bisnonne color cioccolata e giovanissime color corno pallido, tutte intente ad arrancare lungo i sentieri sabbiosi, dentro e fuori tra l'erica e i mirti, con qualche puntata sino agli uliveti dove la vegetazione era più succulenta. Se te ne stavi fermo nello stesso posto per un'oretta potevi vederne passare almeno dieci, e un pomeriggio, tanto per fare un esperimento, raccolsi in due ore trentacinque esemplari senza dover far altro che camminare lungo il pendio e raccoglierle mentre loro girellavano con aria preoccupata e decisa, battendo il suolo coi piedi deformi.

Non appena gli scudati padroni delle colline uscirono dai loro quartieri invernali e consumarono il loro primo pasto, subito i maschi furono presi da inclinazioni romantiche. In punta di piedi, con incespicante rapidità, i colli protesi al massimo, si aggiravano in cerca di una compagna, fermandosi ogni tanto per gettare uno strano grido uggiolante, l'appassionato canto d'amore della tartaruga maschio. Le femmine, trascinandosi goffe in mezzo all'erica e fermandosi di tanto in tanto per fare uno spuntino, rispondevano con sbrigativa disinvoltura. Due o tre maschi, spiccando quello che per una tartaruga era un vero galoppo, convergevano di solito sulla stessa femmina. Arrivavano col fiato mozzo, accesi di passione, e si fissavano l'un l'altro con un moto convulso nelle gole. Poi si preparavano a dar battaglia.

Queste battaglie erano eccitanti e interessantissime, più simili alla lotta libera che alla boxe, perché i combattenti non avevano né la rapidità né la grazia fisica per abbandonarsi a un elegante gioco di piedi. Grosso modo le cose si svolgevano così: lo sfidante aggrediva il rivale il più rapidamente possibile, e prima dell'urto ritirava la testa nel guscio. Il colpo migliore era ritenuto la fiancata, perché premendo contro il guscio dell'avversario e spingendo forte si aveva la possibilità di farlo capovolgere, lasciandolo poi a zampettare impotente rovesciato sul dorso. Se non si riusciva a vincere con la fiancata, qualsiasi altra parte dell'anatomia del rivale andava bene lo stesso. Aggredendosi l'un l'altro tra un grande cozzar di gusci, sforzandosi e spingendo, dandosi a vicenda dei morsi al rallentatore sul collo o ritraendosi con un sibilo nei loro gusci, i maschi facevano la loro battaglia. Nel frattempo l'oggetto della loro frenesia continuava lentamente la sua passeggiata, fermandosi ogni tanto a piluccare qualcosa, del tutto indifferente al grattare e al cozzar di gusci alle sue spalle. Talvolta queste battaglie diventavano così tumultuose che in un accesso di aberrante entusiasmo un maschio, per sbaglio, dava una fiancata alla dama dei suoi sogni. Con uno sbuffo di sdegno lei si ritirava nel suo guscio e aspettava pazientemente che la battaglia passasse oltre. A me questi combattimenti sembravano estremamente inutili e male organizzati, perché non sempre era la tartaruga più forte a conquistare la palma; se il terreno era favorevole, un esemplare piccolo poteva facilmente capovolgere un avversario due volte più grosso. E non è detto che a conquistare la dama fosse per forza uno dei contendenti, perché diverse volte vidi una femmina che dopo essersi allontanata da due maschi impegnati in battaglia si lasciava avvicinare da un perfetto estraneo (che per lei non si era nemmeno scalfito il guscio) e se ne andava tutta felice con lui.

Roger e io ce ne stavamo accovacciati per ore in mezzo all'erica a guardare i cavalieri tartarughe che nelle loro armature così inadeguate giostravano per le dame, e quei tornei ci divertivano sempre. Certe volte scommettevamo tra noi quale dei due contendenti avrebbe vinto, e alla fine dell'estate Roger aveva preso tante di quelle cantonate che mi doveva una considerevole somma. Alle volte, quando la battaglia era molto violenta, Roger si lasciava trascinare dall'entusiasmo e voleva intervenire, e io dovevo trattenerlo.

Quando finalmente la dama aveva fatto la sua scelta, seguivamo la coppia felice durante la luna di miele tra i mirti, e assistevamo anche (discretamente nascosti dietro i cespugli) agli ultimi atti di quel dramma romantico. La notte – o meglio il giorno nuziale di una tartaruga non è esattamente inebriante. Tanto per cominciare, la femmina si comporta con scandalosa riservatezza, e si sottrae alle attenzioni dello sposo con frenetica scontrosità. Lo irrita a tal punto che lui è costretto ad adottare la tattica dell'uomo delle caverne e a domare quelle bizze pudibonde con qualche breve e brusca fiancata. L'atto sessuale vero e proprio era la cosa più goffa e maldestra che avessi mai vista. Il modo incredibilmente impacciato e inesperto con cui il maschio tentava di issarsi sul guscio della femmina, scivolando e sdrucciolando, aggrappandosi disperatamente allo scudo lustro in cerca di un appiglio, perdendo l'equilibrio e rischiando di capovolgersi, era uno spettacolo penosissimo; l'impulso di andare ad aiutare quel poveretto era quasi irresistibile, e solo a fatica io riuscivo a trattenermi. Una volta un maschio, infinitamente più malaccorto di tutti gli altri, cadde tre volte durante la scalata, e nell'insieme si comportava in modo così idiota che cominciai a domandarmi se non ci avrebbbe messo tutta l'estate... Finalmente, più per fortuna che per merito suo, riuscì a issarsi, e io stavo per dare un sospiro di sollievo quando la femmina, evidentemente seccata dell'inefficienza del maschio, fece qualche passo verso una foglia di soffione. Il marito si aggrappò selvaggiamente al suo guscio in movimento, ma non riuscì a tenere la presa; scivolò giù, vacillò un attimo e poi si rovesciò ignominiosamente sul dorso. Questo colpo finale sembrò annientarlo del tutto, perché invece di cercare di raddrizzarsi si ritirò nel suo guscio e rimase là tutto afflitto. La femmina, intanto, si pappava la sua foglia di soffione. Infine, visto che la passione del maschio sembrava estinta, lo rimisi dritto, e dopo un momentino lui si allontanò, guardandosi intorno con aria stordita e ignorando la sposa di poc'anzi, che lo fissava indifferente, con la bocca piena di cibo. Per punirla del suo crudele comportamento la portai nel punto più nudo e arido del pendio e la lasciai là, così avrebbe dovuto fare una bella camminata per raggiungere il folto di trifoglio più vicino.

Arrivai a conoscere di vista molte di quelle tartarughe, tanto era l'entusiasmo con cui osservavo e seguivo la loro vita quotidiana. Alcune le riconoscevo alla forma e al colore, altre da qualche difetto fisico – una scheggiatura sul bordo del guscio, un'unghia mancante, eccetera. C'era una grossa femmina color miele-e-catrame che era inconfondibile, perché aveva un occhio solo. Ero con lei in rapporti così confidenziali che la battezzai Madama Ciclope. Lei mi riconosceva benissimo, e rendendosi conto che non volevo farle del male, quando mi vedeva avvicinare non si ritirava nel guscio, ma allungava il collo per vedere se le avevo portato qualche leccornia, che consisteva in una foglia di lattuga o in una lumachina di cui era smodatamente ghiotta. Andava per le sue faccende tutta felice mentre Roger e io la seguivamo e ogni tanto, per offrirle qualcosa di specialissimo, la portavamo fino agli uliveti per una merenda di trifoglio. Con mio infinito rammarico non fui presente alle sue nozze, ma ebbi la fortuna di assistere alle conseguenze della luna di miele.

Un giorno la trovai tutta indaffarata a scavare un buco nel terreno morbido alla base di un poggio. Quando arrivai aveva già scavato una buca abbastanza profonda, e parve contenta di farsi un riposino e di ristorarsi un po' piluccando qualche fiore di trifoglio. Poi si rimise al lavoro, grattando via la terra con le zampe davanti e ammassandola da una parte col guscio. Non sapendo bene dove volesse andare a parare non feci nulla per aiutarla, e mi limitai a stendermi a pancia sotto nell'erica per stare a vedere. Dopo un po' di tempo, quando aveva tirato fuori un bel mucchio di terra, esaminò attentamente la buca da tutti i lati e parve soddisfatta. Allora si voltò, abbassò l'estremità posteriore sulla buca e rimase così, con un'espressione estatica sulla faccia, mentre con aria distratta deponeva nove uova bianche. Rimasi molto stupito e ammirato e mi congratulai vivamente con lei per quell'impresa, mentre lei mi guardava meditabonda muovendo la gola su e giù. Poi spinse di nuovo tutta la terra sulle uova e la batté ben bene ricorrendo al semplice sistema di mettercisi sopra e di rassodarla a colpi di ventre. Fatto questo, si riposò un momento e accettò gli avanzi dei fiori di trifoglio.

Mi trovavo in una situazione difficile, perché volevo a tutti i costi un uovo da aggiungere alla mia collezione; ma non mi andava di prenderlo mentre c'era lei, nel timore che la cosa potesse offenderla e magari spingerla a tirar fuori le altre uova e a mangiarsele, o a fare qualcosa di altrettanto orribile. Così dovetti aspettare pazientemente che lei finisse il suo spuntino, si facesse una dormitina e finalmente si decidesse ad andarsene lemme lemme tra i cespugli. La seguii per un tratto di strada per assicurarmi che non tornasse indietro, poi corsi al nido e con grande cautela dissotterrai un uovo. Era grande suppergiù come un uovo di piccione, di forma ovale e con un guscio ruvido e gessoso. Battei ben bene la terra sul nido perché lei non si accorgesse che era stato manomesso, e tornai trionfante a casa col mio trofeo. Con grande cura ne soffiai via il tuorlo viscoso e riposi il guscio tra i miei cimeli di storia naturale, tutto solo in una scatolina dal coperchio di vetro. L'etichetta, in cui si mescolavano in giuste dosi la scienza e il sentimento, diceva: *Uovo di Tartaruga Greca (Testudo graeca). Deposto da Madama Ciclope.*

Per tutta la primavera e il principio dell'estate, mentre io studiavo il corteggiamento delle tartarughe, si riversò nella villa una fiumana apparentemente inesauribile di amici di Larry. Non facevamo in tempo a veder partire un gruppo e a sospirare di sollievo che arrivava un altro piroscafo, e la fila di tassì e di carrozze rombava e sferragliava lungo il viale, e la casa tornava ad affollarsi. Alle volte la nuova ondata di ospiti arrivava prima che ci fossimo liberati del gruppo precedente, e il caos era indescrivibile; la casa e il giardino pullulavano di poeti, scrittori, artisti e commediografi che discutevano, dipingevano, bevevano, battevano a macchina e componevano. Ben lontani dall'essere quelle persone semplici e affascinanti che Larry ci aveva descritte, si rivelarono dal primo all'ultimo delle teste matte incredibili, e intellettuali a tal punto che stentavano a capirsi tra loro.

Uno dei primi ad arrivare fu Zatopec, un poeta armeno, un individuo piccolo e tarchiato con un gran naso grifagno, una criniera argentea che gli arrivava alle spalle e le mani deformate e contorte dall'artrite. Arrivò, con indosso un immenso e vorticante mantello nero e un cappello nero a tesa larga, in una carrozza stracarica di vino. La sua voce scrollò la casa come un uragano quando lui vi fece il suo ingresso maestoso, col mantello ondeggiante e le braccia piene di bottiglie. Per tutto il tempo che stette da noi si può dire che non smise mai di parlare. Parlava dalla mattina alla sera, bevendo come una spugna, schiacciando un sonnellino dovunque si trovasse e andando a letto molto di rado. Nonostante l'età avanzata, non aveva minimamente perduto il suo entusiasmo per il sesso debole, e mentre a mamma e a Margo riservava una sorta di rugginosa e antiquata cortesia, entro il raggio di molte miglia non c'era contadina che si salvasse dalle sue effusioni. Le inseguiva zoppicando per gli uliveti, ridendo fragorosamente, gridando paroline tenere, col mantello che gli ondeggiava alle spalle e una bottiglia di vino che gli gonfiava la tasca. Non si salvò nemmeno Lugaretzia: mentre spazzava sotto il divano si buscò un pizzico sul didietro. In un certo senso, quel pizzico si dimostrò una benedizione, perché per qualche giorno le fece dimenticare i suoi malanni, e lei arrossiva e ridacchiava tutta smorfiosa ogni volta che compariva Zatopec. Finalmente Zatopec partì com'era arrivato, regalmente semiriverso in una carrozza, tutto avvolto nel mantello, gridandoci i suoi saluti mentre il cavallo zoccolava lungo il viale e promettendoci di tornare presto dalla Bosnia e di portarci dell'altro vino.

L'invasione successiva ci portò tre artisti, Jonquil, Durant e Michael. Jonquil sembrava, a vederla e a sentirla, un gufo londinese con la frangetta; Durant era allampanato e malinconico, e così nervoso che saltava sino al soffitto se gli si rivolgeva la parola all'improvviso; Michael, tutto al contrario, era un ometto basso, grasso, eternamente in stato sonnambolico, molto simile a un gambero ben lessato con una zazzera scura e ricciolutà. Queste tre persone avevano in comune una cosa soltanto: il desiderio di rendersi utili. Jonquil, non appena entrò in casa con passo marziale, chiarì subito la faccenda a mamma, che rimase trasecolata.

«Badi che non sono venuta per sbafare una vacanza,» disse in tono severo «sono venuta per rendermi utile, sicché non mi interessano i picnic e quella roba là, capito?».

«Oh... ehm... no, no naturalmente» disse mamma con aria colpevole, come se avesse progettato sontuosi banchetti tra i mirti per sollazzare Jonquil.

«Tanto perché lo sappia» disse Jonquil. «Non avevo nessuna intenzione di mettere scompiglio, capito? Voglio soltanto rendermi utile».

Sicché si rifugiò subito in giardino in costume da bagno, e durante tutta la sua permanenza dormì placidamente sotto il sole.

Anche Durant voleva lavorare, ci disse, ma prima doveva riprendersi dall'esaurimento nervoso. Era a pezzi, ci disse, letteralmente a pezzi dopo l'esperienza che aveva fatta. Mentre era in Italia, a quanto pare, era stato improvvisamente preso dal desiderio di dipingere un capolavoro. Dopo intensa meditazione aveva deciso che un bosco di mandorli in fiore avrebbe offerto un certo libero sfogo al suo pennello. Aveva perso molto tempo e parecchio denaro per perlustrare la campagna in cerca del boschetto giusto. Finalmente, dopo un bel pezzo, ne aveva trovato uno perfetto, la posizione era magnifica e gli alberi erano tutti pieni di fiori. Si era messo febbrilmente al lavoro, e alla fine del primo giorno aveva già tracciato sulla tela il primo abbozzo. Stanco ma soddisfatto, aveva impacchettato la sua roba ed era tornato al villaggio. Dopo una bella dormita, si era svegliato riposato e rinvigorito, ed era corso al suo boschetto per terminare il quadro. Ma all'arrivo era rimasto ammutolito per l'orrore e la sorpresa, perché tutti gli alberi erano spogli e desolati, mentre il terreno era coperto da un folto tappeto di petali rosa e bianchi. Evidentemente, durante la notte, un temporale primaverile aveva giocosamente distrutto i fiori di tutti i frutteti dei dintorni, incluso quello scoperto da Durant.

«Ero a terra» ci disse con la voce tremante e gli occhi pieni di lacrime. «Avevo giurato che non avrei più preso il pennello in mano... mai più! Ma a poco a poco mi sto riprendendo... mi sento meno a pezzi... Un giorno o l'altro ricomincerò a dipingere».

Dopo qualche indagine, venne fuori che questa disgraziata esperienza era avvenuta due anni prima, e Durant non si era ancora ripreso.

Michael partì male sin dal principio. Era affascinato dai colori dell'isola e ci disse con entusiasmo che avrebbe cominciato a lavorare su una tela enorme sulla quale avrebbe colto la vera essenza di Corfù. Non vedeva l'ora di mettersi al lavoro. Fu una vera disgrazia che andasse soggetto agli attacchi d'asma. E fu una vera disgrazia che Lugaretzia avesse messo su una sedia nella sua camera una coperta che io usavo per cavalcare, dato che non c'erano selle disponibili. Nel cuore della notte fummo svegliati da un rumore che sembrava prodotto da un branco di segugi che venissero lentamente strangolati. Quando, tutti insonnoliti, accorremmo in massa nella stanza di Michael, lo trovammo che rantolava e ansimava, col viso inondato di sudore. Mentre Margo si precipitava a preparare del tè, Larry a prendere un po' di brandy e Leslie ad aprire le finestre, mamma fece tornare Michael a letto, e dato che era fradicio di sudore, lo coprì teneramente con la coperta del cavallo. Con nostra grande sorpresa, nonostante tutti i rimedi lui continuò a peggiorare. Mentre era ancora in grado di parlare, lo interrogammo premurosi sul suo disturbo e sulla causa che l'aveva provocato.

«È una cosa psicologica, puramente psicologica» disse Larry. «Che cosa ti ricorda il rantolo?».

Michael scosse la testa senza parlare.

«Io credo che dovrebbe fiutare qualcosa... qualcosa come l'ammoniaca o roba del genere» disse Margo. «È prodigiosa se stai per svenire».

«Be', lui non sta per svenire,» disse Leslie in tono conciso «ma probabilmente sverrebbe se fiutasse l'ammoniaca».

«Sì, cara, è un po' forte» disse mamma. «Mi domando che cosa possa aver provocato quest'attacco... È allergico a qualcosa, Michael?».

Tra un ansito e l'altro Michael ci informò che era allergico soltanto a tre cose: il polline dei fiori di lillà, i gatti e i cavalli. Tutti scrutammo fuori dalla finestra, ma non si vedeva un lillà per chilometri. Frugammo la stanza, ma non c'erano gatti nascosti. Negai sdegnato quando Larry mi accusò di aver introdotto furtivamente un cavallo in casa. Solo quando Michael pareva ormai in punto di morte notammo la coperta del cavallo, che mamma gli aveva rimboccato accuratamente sotto il mento. Quest'episodio ridusse quel poveretto in uno stato tale che durante la sua permanenza non riuscì a prendere un pennello in mano; lui e Durant se ne rimasero sdraiati fianco a fianco sulle poltrone, riprendendosi insieme dall'esaurimento nervoso.

Mentre eravamo ancora alle prese con questi tre, arrivò un altro ospite nella persona di Melanie, contessa de Torro. Era alta, magra, con una faccia da vecchio cavallo, sopracciglia nere come l'ala del corvo e un'enorme criniera di capelli rossi. Era in casa da non più di cinque minuti quando cominciò a lamentarsi del caldo, e con grande costernazione di mamma e mio immenso diletto afferrò la sua chioma rossa e se la tolse, scoprendo una testa calva come un uovo. Vedendo lo sguardo sgomento di mamma, la contessa spiegò con la sua voce rauca e gracchiante: «Sono appena guarita dall'erisipela, ho perso tutti i capelli... a Milano non sono riuscita a trovare sopracciglia e parrucca dello stesso colore... forse troverò qualcosa ad Atene».

Purtroppo, a causa di un leggero impedimento dovuto alla dentiera malferma, la contessa biascicava un po' nel parlare, sicché mamma rimase con la convinzione che la malattia dalla quale era appena guarita fosse di quel genere quanto mai indegno di una signora. Non appena le fu possibile, prese Larry da parte.

«Disgustoso!» disse in un sussurro vibrante. «Hai *sentito* che cosa ha avuto? E tu la chiami un'amica!».

«Amica?» disse Larry stupito. «Ma se la conosco appena... non la posso soffrire. Ma è un tipo interessante e volevo studiarla da vicino».

«Questa è bella!» disse mamma sdegnata. «Sicché inviti quell'*essere,* e mentre tu prendi appunti tutti noi ci buschiamo qualche malattia abietta. No, Larry, mi dispiace ma deve andarsene».

«Non fare la stupida, mamma» disse Larry seccato. «Non c'è nessun pericolo... se non hai intenzione di andarci a letto, per lo meno».

«Non essere disgustoso!» disse mamma mandando fiamme dagli occhi. «Non tollererò che quella persona oscena resti in questa casa».

Discussero a bisbigli per il resto della giornata, ma mamma fu irremovibile. Alla fine Larry propose di invitare Theodore e di sentire la sua opinione in merito, e mamma acconsentì. Così gli mandarono un biglietto invitandolo a passare la giornata con noi. Il suo consenso ci arrivò in una carrozza nella quale era semiriversa l'ammantata figura di Zatopec, il quale, come risultò poi, aveva salutato Corfù con un brindisi colossale, aveva preso la nave sbagliata ed era finito ad Atene. Visto che il suo appuntamento in Bosnia era andato in fumo, si era filosoficamente imbarcato sul primo piroscafo che tornava a Corfù, portandosi dietro parecchie ceste di vino. Theodore comparve il giorno dopo, e come concessione all'estate aveva in testa un panama invece del solito cappello floscio. Prima che mamma avesse la possibilità di informarlo sulla nostra ospite calva, Larry li aveva già presentati.

«Un medico?» disse Melanie, contessa de Torro, con gli occhi che le luccicavano. «Questo è interessante. Forse lei può darmi un consiglio... ho appena avuto l'erisipela».

«Ah! Davvero?» disse Theodore, scrutandola attentamente. «Quali... ehm... cure ha fatte?».

Si imbarcarono con entusiasmo in una lunga discussione tecnica, e soltanto i risoluti sforzi di mamma riuscirono ad allontanarli da quello che lei considerava ancora un argomento indelicato.

«Francamente, Theodore fa il paio con quella donna» disse a Larry. «Io *cerco* di essere di larghe vedute, ma c'è un limite, e non credo proprio che si debba discutere di certe cose prendendo il tè».

Più tardi mamma parlò con Theodore a quattr'occhi, e il problema della malattia della contessa fu chiarito. Allora mamma fu presa da una crisi di coscienza perché l'aveva giudicata male e per tutta la giornata fu affabilissima con lei, arrivando persino a dirle di togliersi la parrucca se aveva caldo.

Il pranzo quella sera fu pittoresco e straordinario, e io ero così affascinato da quell'insieme di personaggi e dalle loro varie conversazioni che non sapevo a chi dedicare tutta la mia attenzione. Le lampade fumavano leggermente e gettavano una calda luce color miele sul tavolo, facendo scintillare le porcellane e i cristalli, e incendiando il vino rosso mentre lo si versava nei bicchieri.

«Ma ragazzo mio, tu hai completamente frainteso... sì sì sì, hai proprio frainteso!» tuonava Zatopec, col naso curvo sul bicchiere. «Non puoi discutere di poesia come se si trattasse di dare una mano di vernice alle pareti...».

«... e allora gli dico "io 'sti accidenti di disegni non li faccio per meno di un deca l'uno", chiaro e tondo...».

«... e la mattina dopo sono rimasto secco... stravolto che non ti immagini... migliaia di fiori strappati e distrutti... non dipingerò più, te lo dico io... ho i nervi a pezzi... tutto il frutteto andato in rovina, così, in un soffio... e io là...».

«... e dopo, naturalmente, ho fatto i bagni di zolfo».

«Ah sì... uhm... per quanto, badi, io credo che la cura dei bagni sia... ehm... un po'... ehm... come dire... un po' *sopravvalutata*. Sono convinto che il novanta per cento dei malati...».

I piatti di portata, stracolmi come vulcani, che esalavano un sottile filo di fumo; i frutti primaticci in un mucchio lucente nel piatto in mezzo al tavolo; Lugaretzia che zoppicava torno torno, gemendo piano tra sé; la barba di Theodore che mandava bagliori alla luce della lampada; Leslie che con grande applicazione fabbricava pallottoline di pane da scagliare contro una falena che svolazzava intorno ai lumi; mamma che serviva i commensali, sorrideva vagamente a tutti e teneva d'occhio Lugaretzia; sotto il tavolo, il naso freddo di Roger premeva in un muto appello contro il mio ginocchio.

Margo e l'ancor rantolante Michael parlavano d'arte: «... ma allora secondo me Lawrence quelle cose le fa molto *meglio.* Ha un certa succosa freschezza, per così dire... non trova anche lei? Voglio dire, prenda Lady Chatterley...».

«Oh, sì, è vero. E poi ha fatto delle cose meravigliose nel deserto, no?... e ha scritto quel libro meraviglioso... il... uhm... *Le sette collane della saggezza,* o come si chiamava...».

Larry e la contessa parlavano di arte: «... ma bisognava avere la semplicità più schietta, la limpidezza degli occhi di un bambino... Prenda il più bel verso *fondamentale*... prenda le filastrocche infantili... Ecco, questa sì che è poesia... la semplicità e la libertà dai clichés e dalle formule antiquate...».

«... ma allora è inutile parlare tanto di avvicinamento semplice alla poesia se poi si continua a scrivere filastrocche che sono schiette e semplici come lo stomaco di un cammello...».

Mamma e Durant: «... e può immaginarsi come mi sono sentito... ero a pezzi».

«Sì, capisco benissimo. Che peccato, dopo tutta quella fatica. Vuole ancora un po' di riso?».

Jonquil e Theodore: «... e i contadini lettoni... be', non ho mai visto niente di simile...».

«Sì, qui a Corfù e... ehm... credo... in certe parti dell'Albania, i contadini hanno usanze molto... ehm... simili...».

Fuori, la faccia della luna spiava attraverso una filigrana di foglie di vite, e i gufi emettevano le loro strane grida rintoccanti. Il caffè e il vino furono serviti sulla loggia, tra i pilastri festonati di viti. Larry suonò la chitarra e cantò una marcia elisabettiana. Questo fece tornare in mente a Theodore uno dei suoi incredibili ma autentici aneddoti di Corfù, che lui ci raccontò con maliziosa allegria.

«Come sapete, qui a Corfù non si fa mai niente nel modo giusto. Tutti cominciano con le... ehm... *migliori intenzioni*, ma a quanto pare c'è sempre qualcosa che va storto. Quando alcuni anni fa il re di Grecia venne a visitare l'isola... ehm... l'acme del suo soggiorno doveva essere un... ehm... una rappresentazione teatrale... uno spettacolo. L'acme del dramma era la battaglia delle Termopoli e, quando calava la tela, l'esercito greco doveva trionfalmente respingere l'esercito persiano dietro le... come si chiamano? Ah, sì, le *quinte*. Be', a quanto pare quelli che dovevano impersonare i persiani erano un po' seccati all'idea di doversi ritirare davanti al re, anche il fatto di dover fare la parte dei persiani li... come dire... esacerbava. Bastava un niente per dar fuoco alla miccia. Disgraziatamente, durante la scena della battaglia, il comandante dell'esercito greco... uhm... valutò male la distanza, e con la sua spada di legno diede una gran botta al comandante dell'esercito persiano. Era stata una disgrazia, naturalmente. Voglio dire, quel poveretto non l'aveva fatto *apposta*. Ma bastò ad accendere gli animi dei persiani a tal punto che invece di... ehm... ritirarsi, *avanzarono*. Il centro del palcoscenico si trasformò in un campo di battaglia dove una turbolenta massa di soldati in elmo se le davano di santa ragione. Due di loro furono scaraventati nella fossa dell'orchestra prima che qualcuno avesse il buonsenso di calare il sipario. Il re più tardi osservò che era rimasto molto colpito dal... ehm... *realismo* con cui si era svolta la scena della battaglia».

Le nostre fragorose risate fecero scappare su per i muri i pallidi gechi spaventati.

«Theodore!» sghignazzò Larry «questa te la sei inventata, ci giurerei!».

«No, no!» protestava Theodore «è proprio vero... l'ho visto coi miei occhi».

«Sembra molto inverosimile».

«Qui a Corfù,» disse Theodore, con gli occhi che gli brillavano di orgoglio «tutto può succedere».

Il mare striato dal chiaro di luna scintillava attraverso gli ulivi. Giù accanto al pozzo le raganelle gracidavano tra loro tutte eccitate. Due gufi stavano litigando nell'albero sotto la loggia. Nella vite sopra di noi i gechi zampettavano lungo i rami contorti, osservando avidamente gli sciami di insetti che erano attirati, come una marea, dalla luce della lampada.

IX
IL MONDO DENTRO UN MURO

Il muro tutto crepe che circondava il giardino lungo la casa era per me un ricco terreno di caccia. Era un vecchio muro di mattoni che un tempo era stato intonacato, ma ormai questa pelle superficiale era verde di musco, tutta piena di bolle e di grinze per l'umidità di molti inverni. L'intera superficie era un'intricata mappa di crepe, alcune larghe parecchi millimetri, altre sottili come capelli. Qua e là l'intonaco si era staccato a grosse falde, lasciando scoperte le file di mattoni rosa che sembravano costole. A guardarlo con sufficiente attenzione, su quel muro c'era un vero e proprio paesaggio; nei punti più umidi, i tetti di cento minuscoli funghi, rossi, gialli e marrone, stavano raggruppati l'uno accanto all'altro come villaggi; montagne di musco color verde bottiglia crescevano in ciuffetti simmetrici come se qualcuno li avesse piantati e potati; nei punti ombrosi, foreste di piccole felci zampillavano dalle crepe ricadendo languidamente come fontanelle verdi. La cima del muro era una landa deserta, troppo arida perché potesse viverci qualcosa tranne un po' di musco rugginoso, troppo calda per tutto tranne che per i bagni di sole delle libellule. Alla base del muro cresceva una profusione di piante, ciclamini, crochi, asfodeli, che spingevano di forza le loro foglie tra i mucchi di tegole rotte e scheggiate che ingombravano il posto. Tutta questa striscia era protetta da un labirinto di rovi che, quand'era la stagione, si riempivano di frutti turgidi e succosi, neri come l'ebano.

Gli abitanti del muro erano una massa eterogenea, e si dividevano in lavoratori diurni e lavoratori notturni, in cacciatori e in prede. Di notte i cacciatori erano i rospi che vivevano tra i pruni, e i gechi, pallidi, traslucidi e con gli occhi sporgenti, che vivevano nelle crepe più alte. La loro preda era la popolazione di stupide e distratte tipule che ronzavano e zigzagavano tra le foglie; le falene di tutte le forme e dimensioni, falene striate, intarsiate, quadrettate, maculate e chiazzate, che svolazzavano in soffici nuvole lungo l'intonaco rugoso; gli scarabei, rotondetti e sobriamente vestiti come uomini d'affari, che con dignitosa efficienza andavano a sbrigare le loro faccende notturne. Quando l'ultima lucciola aveva trascinato a letto sulle montagne di musco la sua lanterna di smeraldo smerigliato, e il sole sorgeva, il muro veniva invaso dall'altro gruppo di abitanti. Qui era più difficile distinguere le prede e i predatori, perché tutti sembravano indiscriminatamente mangiarsi tra loro. Sicché le vespe cacciatrici andavano in cerca di bruchi e di ragni; i ragni andavano a caccia di mosche; le libellule, grosse, fragili e rossastre, si cibavano di ragni e di mosche; e le rapide, agili, multicolori lucertole si nutrivano di tutto.

Ma tra la comunità del muro, i più pericolosi di tutti erano gli esseri più timidi e riservati; a meno di cercarlo, a malapena ne vedevate uno, eppure nelle crepe del muro dovevano essercene centinaia e centinaia. Bastava infilare pian piano una lama di coltello sotto un pezzo di intonaco staccato e sollevarlo leggermente dai mattoni, e appiattito là sotto ecco un piccolo scorpione nero lungo pochi centimetri, che sembrava fatto di cioccolata lucida. Erano creature dall'aspetto strano, con quel loro corpo ovale e piatto, le zampe storte nettamente disegnate, le enormi chele come quelle dei granchi, bulbose e articolate come un'armatura, e la coda come un filo di perline scure che terminava in un pungiglione che pareva una spina di rosa. Lo scorpione se ne stava perfettamente immobile se lo studiavate, limitandosi ad alzare la coda con un gesto difensivo di avvertimento se lo infastidiva il vostro respiro troppo forte. Se lo tenevate troppo a lungo al sole, vi girava le spalle e si allontanava, per poi infilarsi lentamente ma risolutamente sotto un altro pezzo d'intonaco.

Finii con l'affezionarmi moltissimo a questi scorpioni. Li trovavo graziosissimi, senza pretese e, tutto sommato, con delle abitudini affascinanti. Se non facevate niente di stupido o di goffo (per esempio, prenderli in mano) gli scorpioni vi trattavano con rispetto, perché il loro unico desiderio era quello di andarsi a nascondere il più presto possibile. Per loro devo essere stato una vera croce, perché ero sempre là a squamare pezzi di intonaco per osservarli, o li catturavo e li facevo camminare nei barattoli di vetro per vedere come si muovevano i loro piedi. Grazie a questi miei subitanei e inaspettati assalti al muro scoprii un sacco di cose sugli scorpioni. Constatai che mangiavano i tafani (sebbene come facessero a catturarli fosse un mistero che non risolsi mai), le cavallette, le falene, e le crisope. Più volte constatai che si mangiavano l'un l'altro, abitudine che trovai molto sconcertante in creature per altri versi così impeccabili.

Di notte, standomene accoccolato sotto il muro con una torcia, riuscii ad avere qualche fugace visione delle meravigliose danze di corteggiamento degli scorpioni. Li vidi eretti, con le chele congiunte, i corpi alzati verso il cielo, le code amorosamente intrecciate; li vidi fare lenti giri di valzer tra i ciuffi di musco, chela nella chela. Ma riuscivo a scorgere quello spettacolo per pochi attimi, perché non appena accendevo la torcia quasi subito i ballerini si interrompevano, restavano fermi per un istante, e poi, vedendo che non avevo nessuna intenzione di spengere la luce, si giravano e se ne andavano con passo fermo, l'uno accanto all'altro e sempre con le chele avvinte. Decisamente erano bestioline ben risolute a starsene per conto loro. Se avessi potuto tenerne una colonia in cattività probabilmente sarei riuscito a vedere tutto il corteggiamento, ma nonostante tutti i miei discorsi apologetici la famiglia mi aveva proibito di portare scorpioni in casa.

Poi un giorno trovai nel muro un grasso scorpione femmina, con indosso quello che a prima vista sembrava un mantello di pelliccia color fulvo pallido. A un esame più attento mi accorsi che quello strano manto era formato da una massa di minuscoli piccoli aggrappati al dorso della madre. Estasiato da questa famiglia, decisi di portarmeli tutti a casa di nascosto e di tenerli in camera mia per vederli crescere. Con cura infinita riuscii a introdurre madre e figliolanza in una scatola di fiammiferi, e poi corsi a casa. Disgraziatamente, proprio mentre varcavo la soglia, fu portato il pranzo in tavola; sicché posai con grande cura la scatolina sulla mensola del camino nel salotto, in modo che gli scorpioni avessero tutta l'aria che volevano, e me ne andai in sala da pranzo a raggiungere gli altri. Giocherellando con la roba che avevo nel piatto, allungando di nascosto bocconcini a Roger sotto il tavolo e ascoltando i discorsi degli altri, mi dimenticai completamente dei miei nuovi ed eccitanti prigionieri. Infine Larry, finito di mangiare, andò in salotto a prendere le sigarette, e abbandonandosi rilassato sulla poltrona se ne mise una tra le labbra e si accinse ad aprire la scatola di fiammiferi che aveva presa di là. Immemore del funesto destino che mi sovrastava, io lo guardavo tutto interessato mentre lui, continuando a parlare in tono disinvolto, apriva la scatola.

Sostengo ancora oggi che lo scorpione femmina non aveva cattive intenzioni. Era agitata e un po' seccata di stare rinchiusa da tanto tempo in una scatola di fiammiferi, e così colse la prima occasione per darsi alla fuga. Scavalcò rapidamente il bordo della scatola, coi suoi piccoli aggrappati forte su di lei, e sgambettò sul dorso della mano di Larry. Qui, non molto sicura della prossima mossa, si fermò, col pungiglione ricurvo all'insù in posizione di allerta. Larry, sentendo il movimento delle sue chele, abbassò gli occhi, e da quel momento le cose precipitarono in un gran bailamme.

Lui ruggì di terrore, al che Lugaretzia si lasciò scappare un piatto dalle mani e Roger uscì di sotto il tavolo abbaiando come un forsennato. Con uno scatto della mano, Larry fece volare lo sventurato scorpione sul tavolo, e quello cadde a mezza strada tra Leslie e Margo, disseminando bambini come coriandoli mentre atterrava sulla tovaglia. Addirittura furiosa per questo trattamento, la bestiola si diresse veloce verso Leslie, col pungiglione tremante di sdegno. Leslie balzò in piedi, rovesciando la sedia, e sventolò disperatamente il tovagliolo, facendo rotolare lo scorpione lungo la tovaglia verso Margo, che immediatamente gettò un urlo che qualunque locomotiva sarebbe stata orgogliosa di saper imitare. Mamma, completamente sconcertata da questo improvviso e rapido passaggio dalla pace al caos, si mise gli occhiali e scrutò il tavolo per vedere che cosa avesse suscitato quel pandemonio, e in quel momento Margo, in un vano tentativo di fermare l'avanzata dello scorpione, gli scagliò addosso un bicchiere d'acqua. La doccia fallì l'obiettivo, ma prese in pieno mamma, che non potendo soffrire l'acqua fredda perse subito il fiato e se ne rimase ansimante in fondo al tavolo, incapace persino di protestare. A colpi di piatto, Leslie aveva scaraventato lo scorpione sul pavimento, mentre i piccoli sciamavano freneticamente sulla tovaglia. Roger, disorientato dal panico ma deciso a parteciparvi, correva torno torno alla stanza, abbaiando come un matto.

«È sempre quella peste di ragazzo..» ruggiva Larry.

«Attenti! Attenti! Vengono qua!» strillava Margo.

«Ci vuole un libro» urlava Leslie. «Non spaventarti, colpiscili con un libro».

«Ma si può sapere che diavolo vi prende a tutti quanti?» continuava a implorare mamma, asciugandosi gli occhiali.

«È quella peste di ragazzo... ci ammazzerà tutti... Guarda il tavolo... formicola di scorpioni...».

«... Presto... presto... fa' qualcosa. Attento! Attento!».

«Santo cielo, smettila di strillare e prendi un libro... Sei peggio del cane... *Zitto,* Roger...».

«È un miracolo che non mi abbia punto...».

«Attento... ce n'è un altro... presto... presto».

«Oh, piantala di gridare e dammi un libro o qualche cosa».

«Ma *come* hanno fatto gli scorpioni ad arrivare sul tavolo, caro?».

«Quella peste di ragazzo... In questa casa ogni scatola di fiammiferi è un'insidia mortale...».

«Attento, sta venendo verso di me... presto, presto, fa' qualcosa».

«Colpiscilo col coltello... *col coltello...* forza, colpiscilo...».

Poiché nessuno si era preso la briga di spiegargli la situazione, Roger era erroneamente convinto che la famiglia fosse stata aggredita e che lui aveva il dovere di difenderla. Visto che nella stanza l'unica persona estranea era Lugaretzia, lui arrivò alla logica conclusione che la responsabile doveva essere lei, e le morse una caviglia. Questo non migliorò molto le cose.

Intanto si era ristabilito un certo ordine, tutti i piccoli scorpioni si erano nascosti sotto i vari piatti e stoviglie. Finalmente, dopo le mie suppliche veementi, sostenute da mamma, la proposta di Leslie che bisognava massacrarli tutti fu bocciata. Mentre tutti quanti, ancora frementi di sdegno e di paura, si ritiravano in salotto, io passai mezz'ora a radunare i piccoli, a raccoglierli con un cucchiaino da tè e a rimetterli sul dorso della madre. Poi li portai fuori in un piattino e con immensa riluttanza li lasciai liberi sul muro del giardino. Roger e io andammo a passare il pomeriggio sulla collina, perché mi parve prudente lasciare che la famiglia si riposasse un po' prima di rivedermi.

Le conseguenze di quest'episodio furono parecchie. Larry fu preso dalla fobia per le scatole di fiammiferi e le apriva con la massima cautela, con la mano avvolta in un fazzoletto. Lugaretzia, dopo settimane che il morso era guarito, continuava a zoppicare per la casa con la caviglia avviluppata in metri di bende, e tutte le mattine, quando ci portava il tè, ci faceva vedere i progressi delle sue croste. Ma, dal mio punto di vista, la peggiore ripercussione di tutta la faccenda fu che mamma stabilì che stavo tornando allo stato selvaggio e che era tempo di rimettermi sui libri. Mentre si cercava di risolvere il problema di trovare un insegnante a tempo pieno, lei decise che se non altro dovevo tenere in esercizio il mio francese. Così furono presi gli accordi, e tutte le mattine Spiro mi portava in città per la mia lezione di francese col console belga.

La casa del console si trovava nel labirinto di vicoletti puzzolenti che costituivano il quartiere ebraico della città. Era una zona affascinante, con quelle strade dal selciato di ciottoli gremite di bancarelle su cui erano affastellate balle di stoffa dai colori vivaci, montagne di frutti canditi tutti lustri, monili d'argento battuto, frutta e ortaggi. Le strade erano così anguste che bisognava addossarsi contro il muro per lasciar passare i muli che barcollavano sotto i loro carichi di merce. Era un rione vivo e pittoresco della città, pieno di chiasso e di trambusto, le grida delle donne che contrattavano, il chiocciare delle galline, l'abbaiare dei cani, e il richiamo lamentoso degli uomini che portavano sulla testa grandi vassoi di pagnotte ancora calde. Proprio nel mezzo, all'ultimo piano di un alto edificio antico che pareva sul punto di crollare e dava su una piccola piazza, abitava il console belga.

Lui era un ometto molto amabile, il cui tratto più saliente era una magnifica barba a tre punte e dei baffi accuratamente incerati. Prendeva le sue mansioni piuttosto sul serio ed era sempre vestito come se fosse sul punto di correre a qualche importante cerimonia ufficiale, in giacca nera a code, calzoni a righine, ghette color fulvo sulle scarpe lustre come uno specchio, un'immensa cravatta che pareva una cascata serica, trattenuta da un semplice spillone d'oro, e un'alta e lucente tuba che completava l'insieme. Lo si vedeva a tutte le ore del giorno, sempre vestito a quel modo, percorrere i vicoletti sudici, camminando con passo aggraziato tra le pozzanghere, ritraendosi contro il muro con un gesto di splendida cortesia per far passare un asino, e dandogli timidamente un colpetto sulla groppa col suo bastone di malacca. La gente della città trovava tutt'altro che insolito il suo modo di vestire. Credevano che fosse inglese, e visto che gli inglesi erano tutti lord era non soltanto giusto ma necessario che indossassero la montura adatta.

La prima mattina che andai da lui mi accolse in un soggiorno le cui pareti erano tappezzate da una massa di fotografie dalle cornici massicce che lo ritraevano in varie pose napoleoniche. Sul broccato rosso che ricopriva le sedie vittoriane spiccava la pennellata degli appoggiacapo; il tavolo sul quale lavoravamo era coperto da un drappo di velluto rosso vino, bordato tutt'intorno da una frangia di nappine d'un vivido color verde. Era una stanza di una bruttezza affascinante. Per accertare fino a che punto arrivasse la mia conoscenza del francese, il console mi fece sedere al tavolo, tirò fuori una voluminosa e logora edizione del *Petit Larousse* e me la mise davanti, aperta a pagina uno.

«Tu per piacere leggi questo» disse, coi denti d'oro che gli luccicavano cordialmente tra la barba.

Si attorcigliò le punte dei baffi, strinse le labbra, allacciò le mani dietro la schiena e si diresse lentamente verso la finestra, mentre io attaccavo il mio elenco di parole che cominciavano con la A. Avevo a malapena storpiato le prime tre quando il console s'irrigidì ed emise un'esclamazione soffocata. A tutta prima pensai che fosse scandalizzato dal mio accento, ma poi capii che non ce l'aveva con me. Borbottando tra sé, attraversò di corsa la stanza, spalancò un armadio e ne tirò fuori un formidabile fucile ad aria compressa, mentre io lo guardavo con crescente e sconcertato interesse, non del tutto scevro da una certa preoccupazione per la mia salvezza. Caricò l'arma, disseminando pallottole su tutto il tappeto nella sua frenetica fretta. Poi si piegò e tornò quatto quatto alla finestra, dove, seminascosto dalla tenda, scrutò attentamente fuori. Poi alzò il fucile, prese la mira con cura e sparò. Quando si girò, crollando tristemente il capo, e mise da parte il fucile, vidi con stupore che aveva gli occhi colmi di lacrime. Tirò fuori dal taschino un fazzoletto di seta a lungo metraggio e si soffiò forte il naso.

«Ah, ah, ah» salmodiò, crollando il capo con aria dolente «quella poverra crreaturrina. Ma noi dobbiamo lavorrarre... prrego, continua la letturra, *mon ami*».

Per tutta la mattina mi trastullai con l'idea eccitante che il console avesse commesso un omicidio sotto i miei occhi, o che se non altro stesse combattendo una cruenta faida contro qualche vicino di casa. Ma dopo quattro giorni, quando vidi che il console continuava periodicamente a sparare dalla finestra, conclusi che la mia spiegazione non doveva essere quella giusta, a meno che la famiglia contro cui si batteva non fosse eccezionalmente numerosa, e una famiglia, per giunta, evidentemente incapace di rispondere al fuoco. Mi ci volle una settimana per scoprire il motivo delle incessanti sparatorie del console, e quel motivo erano i gatti. Nel quartiere ebraico, come in altre parti della città, la gente lasciava che i gatti si riproducessero a loro beneplacito. Ce n'erano letteralmente delle centinaia. Non appartenevano a nessuno ed erano abbandonati, sicché erano quasi tutti in uno stato spaventoso, coperti di piaghe, col corpo disseminato di grandi chiazze spelacchiate, le zampe rachitiche, e tutti così magri che sembrava un miracolo che fossero ancora vivi. Il console adorava i gatti, e i suoi tre grossi e ben pasciuti persiani lo dimostravano. Ma la vista di tutti quei felini famelici e piagati che si aggiravano sui tetti davanti alla sua finestra metteva a dura prova la sua natura sensibile.

«Non posso nutrrirrli tutti,» mi spiegò «così prreferrisco farre la lorro felicità sparrandoli. Lorro stanno meglio così, ma questo mi fa sentirre così trriste».

In realtà, si era addossato un compito quanto mai necessario e umano, come avrebbe riconosciuto chiunque avesse visto quei gatti. Sicché le mie lezioni di francese subivano delle continue interruzioni mentre il console balzava alla finestra per spedire un altro gatto in un pascolo più felice. Dopo lo sparo c'era un minuto di silenzio, per rendere omaggio al defunto, poi il console si soffiava forte il naso, sospirava tragicamente e tornavamo entrambi a tuffarci nell'intricato labirinto dei verbi francesi.

Per qualche ragione inesplicabile il console era convinto che mamma sapesse il francese, e non si lasciava mai scappare l'occasione di parlare con lei. Se mentre era in città per commissioni la sorte voleva che lei avvistasse in mezzo alla folla la sua tuba che le ballonzolava incontro, subito mamma si precipitava nel negozio più vicino e comprava un mucchio di cose che non le servivano affatto in attesa che suonasse il cessato allarme. Ogni tanto però il console compariva all'improvviso da un vicoletto e la coglieva di sorpresa. Le andava incontro con un largo sorriso, facendo roteare il bastone, si toglieva il cappello e le faceva un inchino quasi ad angolo retto, afferrando la sua mano che si protendeva ritrosa e premendosela appassionatamente contro la barba. Poi se ne restavano là in mezzo alla strada, costretti ogni tanto a separarsi per far passare un asino, mentre il console sommergeva mamma sotto un diluvio di francese, gestendo elegantemente con la tuba e il bastone, chiaramente ignaro dell'espressione vacua sul viso di mamma. Ogni tanto intercalava nel discorso un interrogativo «*n'est-ce pas, madame?*» e questo per mamma era l'imbeccata. Raccogliendo tutto il suo coraggio, manifestava allora la sua completa padronanza della lingua francese.

«*Oui, oui!*» esclamava sorridendo nervosamente, e poi, nella malaugurata ipotesi che il suo tono non fosse stato abbastanza caloroso, aggiungeva «OUI, OUI».

Il console trovava molto soddisfacente questo stato di cose, e sono sicuro che non si rese mai conto che quella era l'unica parola francese che mamma conosceva. Ma per lei quelle conversazioni erano una prova logorante, e bastava che noi le sussurrassimo: «Guarda, mamma, sta arrivando il console», per farla precipitare lungo la strada a una signorile andatura che era pericolosamente prossima a un galoppo.

In un certo senso quelle lezioni di francese per me furono un bene; non imparai il francese, questo è vero, ma alla fine della mattina ero così annoiato che intraprendevo le mie scorribande pomeridiane nella campagna circostante col doppio dell'entusiasmo solito. E naturalmente c'era sempre l'attesa gioiosa del giovedì. Theodore si presentava alla villa dopo il desinare, il più presto possibile quanto la buona creanza lo permetteva, e si fermava con noi finché la luna non era alta sui monti albanesi. Il giovedì era una giornata scelta bene, dal suo punto di vista, perché quel giorno arrivava l'idrovolante proveniente da Atene e ammarava nella baia non lontano da casa nostra. Veder ammarare gli idrovolanti era la passione di Theodore. Purtroppo l'unica parte della casa da cui si poteva veder bene la baia era la soffitta, e anche di là bisognava sporgersi pericolosamente dalla finestra e allungare il collo. L'idrovolante arrivava immancabilmente nel bel mezzo della cerimonia del tè; si sentiva un fievole, sonnolento ronzio, così lieve che non si poteva essere sicuri che non fosse un'ape. Theodore, a metà di un aneddoto o di una spiegazione, smetteva all'improvviso di parlare, con un luccichio fanatico negli occhi, la barba irta, e piegava la testa da un lato.

«Non è... ehm... dico... non è il rombo di un *aeroplano*?» domandava.

Tutti smettevamo di parlare e tendevamo l'orecchio; a poco a poco il suono si faceva più forte, sempre più forte. Theodore posava con cura sul suo piatto il pasticcino mangiato a metà.

«Ah, ah!» diceva, pulendosi accuratamente le dita. «Sì, sembra proprio un aeroplano... ehm... uhm... sì».

Il rombo si faceva sempre più forte, mentre Theodore si agitava nervosamente sulla sedia. Alla fine mamma lo liberava da quel tormento.

«Le farebbe piacere andar su per vederlo ammarare?» gli domandava.

«Be'... ehm... se non le è...» balbettava Theodore alzandosi alacremente dalla sedia. «Io... ehm... lo trovo uno spettacolo affascinante... se non le è di troppo disturbo».

Adesso il rombo del motore era proprio sopra di noi; non c'era un momento da perdere.

«Ne sono sempre stato... ehm... come dire... attratto...».

«Presto, Theo, se no non fa in tempo» lo incitavamo in coro.

Allora tutta la famiglia abbandonava il tavolo e, riacchiappando Theodore *en route*, salivamo di corsa le quattro rampe di scale, preceduti da Roger che abbaiava tutto contento. Irrompevamo nella soffitta, senza fiato, ridendo, i nostri passi rimbombavano come fucilate sul pavimento nudo, spalancavamo le finestre e ci sporgevamo dai davanzali, scrutando al di sopra della cima degli ulivi il punto dove la baia si apriva come un rotondo occhio azzurro tra gli alberi, la sua superficie liscia come il miele. L'idrovolante, come un'oca corpulenta e mastodontica, sorvolava gli uliveti continuando ad abbassarsi. All'improvviso era al di sopra dell'acqua, inseguito dalla sua immagine riflessa sulla superficie azzurra. L'idrovolante si abbassava lentamente. Theodore, con gli occhi socchiusi e la barba irta, lo fissava trattenendo il respiro. Giù, sempre più giù, e tutt'a un tratto sfiorava l'acqua, vi faceva schiudere un petalo di spuma, proseguiva il suo volo, e infine si posava sulla superficie e filava attraverso la baia, lasciandosi dietro un largo ventaglio di spuma bianca. Quando lentamente arrivava a fermarsi, Theodore si grattava col pollice il lato della barba e si ritraeva dalla finestra.

«Uhm... sì,» diceva, spolverandosi le mani «è proprio un... una vista molto... ehm... *gradevole*».

Lo spettacolo era finito. Per il prossimo idrovolante doveva aspettare un'altra settimana. Chiudevamo le finestre della soffitta e tutti in gruppo scendevamo rumorosamente le scale per andare a riprendere il nostro tè interrotto. E la settimana dopo succedeva esattamente la stessa cosa.

Era il giovedì che Theodore e io uscivamo insieme, talvolta limitandoci a restare in giardino, talvolta avventurandoci più lontano. Carichi di vascoli e di retini, ci incamminavamo tra gli ulivi, preceduti da Roger che galoppava col muso a terra. Tutto quello che trovavamo lungo la strada per noi andava bene: fiori, insetti, sassi o uccelli. Theodore era una miniera apparentemente inesauribile di cognizioni su qualsiasi argomento, ma comunicava queste cognizioni con una specie di meticolosa timidezza che vi faceva sentire che non vi stava propriamente insegnando qualcosa di nuovo, ma vi stava piuttosto ricordando qualcosa che voi già sapevate, ma che per una ragione o per l'altra vi era uscita di mente. La sua conversazione era spruzzata di aneddoti divertenti, di giochi di parole addirittura atroci e di facezie anche peggiori, che lui diceva con immenso gusto, gli occhi ammiccanti, il naso arricciato mentre rideva silenziosamente tra la barba, di se stesso non meno che delle sue spiritosaggini.

Ogni fosso, ogni stagno colmo d'acqua era per noi una giungla brulicante e inesplorata, coi suoi minuscoli ciclopi e le pulci d'acqua, verdi e rosa corallo, sospesi come uccelli tra i rami sommersi, mentre sul fondo fangoso si aggiravano in cerca di preda le tigri dello stagno: le larve delle sanguisughe e delle libellule. Ogni albero cavo andava esaminato con la massima attenzione per accertare se ci fosse una piccola pozza d'acqua dove vivevano le larve delle zanzare, bisognava rivoltare ogni sasso coperto di musco per scoprire che cosa ci fosse sotto, e sezionare ogni ceppo marcito. Standosene diritto e impeccabile sul bordo di uno stagno, Theodore dragava l'acqua col suo retino, lo tirava su e scrutava attentamente dentro la bottiglietta di vetro che penzolava all'estremità e nella quale era stata filtrata tutta la minuscola vita acquatica.

«Ah, ah!» diceva forse allora, con la voce vibrante di eccitazione, la barba irta «credo proprio che sia una *Ceriodaphnia laticaudata*».

Dalla tasca del panciotto estraeva una lente e si metteva a guardare con molta attenzione.

«Ah, uhm... sì... molto strano... è una *laticaudata.* Ti spiace... ehm... darmi una provetta pulita... ehm... grazie...».

Con una pompetta da stilografica aspirava la creaturina dalla bottiglia, la rinchiudeva accuratamente nella provetta, poi esaminava il resto del bottino.

«Mi sembra che non ci sia nient'altro di molto interessante... Ah, sì, non l'avevo vista... c'è una larva di friganea abbastanza curiosa... lì, la vedi?... uhm... a quanto pare si è fatto il suo fodero con le conchiglie di certi molluschi... È proprio carina».

In fondo alla bottiglietta c'era un cilindro allungato, lungo un centimetro circa, che sembrava fatto di seta ed era tutto incrostato di piccolissimi gusci piatti che parevano bottoni. Da un'estremità di questa deliziosa casetta faceva capolino il proprietario, una brutta bestiolina simile a un verme, con la testa come quella di una formica. Strisciava lentamente sul vetro, trascinandosi dietro la sua bella casa.

«Una volta ho fatto un esperimento interessante» disse Theodore. «Ho catturato una quantità di queste... ehm... larve e le ho tolte dai loro gusci. Naturalmente non gli fa *male*. Poi le ho messe in alcuni vasetti in cui c'era dell'acqua assolutamente limpida e niente che potesse servire come... ehm... materiale per costruirsi dei nuovi foderi. Poi ho dato a ogni gruppo di larve dei materiali di colore diverso: a un gruppo ho dato delle microscopiche perline azzurre e verdi, a un altro ho dato schegge di mattone, sabbia bianca, persino qualche... ehm... frammento di vetro colorato. Tutte si sono costruite dei nuovi foderi con questi vari oggetti, e devo dire che il risultato era molto strano e... variopinto. Sono senza dubbio degli abilissimi *architetti*».

Tornò a versare il contenuto della bottiglietta nello stagno, si mise il retino sulla spalla e riprendemmo il cammino.

«A proposito di *costruire,*» continuò Theodore, con gli occhi luccicanti «ti ho mai raccontato quello che è successo a... un... ehm... mio amico? Uhm, sì. Be', aveva una piccola casa in campagna, e visto che la sua famiglia... ehm... cresceva, decise che quella casa non era abbastanza grande. Così decise di aggiungervi un altro piano. Credo che fosse un po' *troppo sicuro* della sua... ehm... abilità architettonica, e volle a tutti i costi disegnare lui stesso il nuovo piano. Uhm, ah, proprio così. Be', tutto andò bene e in un batter d'occhio il nuovo piano era pronto, con tutte le sue brave camere da letto, i suoi bagni e via dicendo. Il mio amico diede un ricevimento per festeggiare la fine dei lavori, tutti brindammo al... ehm... alla nuova costruzione, e con un grande cerimoniale l'impalcatura fu tirata giù...

ehm... fu tolta. Nessuno si accorse che qualcosa... ehm... qualcosa *mancava*, finché un tale che era arrivato in ritardo non volle dare un'occhiata alle nuove stanze. Allora scoprimmo che non c'erano le scale. A quanto pare il mio amico aveva dimenticato di mettere le scale nei suoi progetti, e durante la... ehm... la costruzione lui e gli operai si erano talmente abituati ad arrampicarsi al piano di sopra per mezzo dell'impalcatura che nessuno evidentemente si era accorto della... ehm... della *lacuna*».

Così continuavamo a camminare nel pomeriggio afoso, fermandoci accanto agli stagni e ai fossi e ai corsi d'acqua, inoltrandoci tra i folti di mirti profumatissimi, lungo i pendii tutti irti di erica, su per strade bianche e polverose dove ogni tanto incontravamo un asino che si trascinava mesto portando sul dorso un contadino addormentato.

Verso sera, con tutti i nostri barattoli, bottiglie e provette piene di strane ed eccitanti forme di vita, riprendevamo il cammino di casa. Il cielo era soffuso di un pallido colore dorato mentre noi attraversavamo gli uliveti, già incupiti dall'ombra, e l'aria si faceva più fresca e più profumata. Roger trotterellava davanti a noi, con la lingua penzoloni, e ogni tanto girava la testa per accertarsi che lo stessimo seguendo. Theodore e io, accaldati, impolverati ed esausti, con le sacche rigonfie che ci facevano dolere piacevolmente le spalle, camminavamo di buon passo cantando una canzone che mi aveva insegnata lui. Era un motivo stimolante che dava nuovo impulso ai piedi stanchi, e la voce baritonale di Theodore e il mio acuto soprano squillavano allegramente tra gli alberi oscuri:

> C'era un vecchio a Gerusalemme,
> Glora Alleluia, Hi-ero-Hiero-lemme
> Portava un cilindro veramente solenne,
> Gloria Alleluia, Hi-ero-Hiero-lemme
> Piripicchio bailamme lemme lemme
> Gloria Alleluia, Hiero-Hiero-lemme.

X
IL CAROSELLO DELLE LUCCIOLE

La primavera si immerse lentamente nei lunghi, caldi, assolati giorni d'estate tutti canori di cicale, stridule ed eccitate, che facevano vibrare l'isola con i loro gridi. Nei campi il granturco cominciava a gonfiarsi, mentre le seriche barbe, da castane si facevano di un biondo color burro; quando strappavi via l'involucro di foglie e piantavi i denti nei chicchi perlacei il succo ti sprizzava in bocca come fosse latte. Sulle viti l'uva pendeva in piccoli grappoli macchiettati e caldi. Gli ulivi sembravano piegarsi sotto il peso dei loro frutti, gocce levigate di giada verde tra le quali friniva il coro delle cicale. Negli aranceti, tra le foglie scure e lucenti, i frutti cominciavano a colorirsi, come se una vampata di rossore si spandesse sulle loro verdi pelli butterate.

Sulle colline, tra gli scuri cipressi e l'erica, sciami di farfalle volavano e volteggiavano come coriandoli sospinti dal vento, fermandosi ogni tanto su una foglia per deporre una salva di uova. Le cavallette e le locuste zirlavano come sonerie di orologi sotto i miei piedi; e volavano ubriache in mezzo all'erica, con le ali che scintillavano al sole. Tra i mirti si aggiravano caute le mantidi, con leggerezza, oscillando lievemente, la quintessenza del male. Erano magre e verdi, con le facce senza mento e mostruosi occhi a forma di globo, color d'oro traslucido, colmi di un'espressione di intensa e predatoria pazzia. Le braccia ricurve, con le loro frange di denti aguzzi, erano sollevate in un gesto di finta supplica al mondo degli insetti, con tanta umiltà, con tanto fervore, tremando appena appena quando una farfalla volava troppo vicino.

Verso sera, quando cominciava a fare più fresco, le cicale smettevano di cantare; le sostituivano in quel compito le verdi raganelle, appiccicate sulle foglie dei limoni accanto al pozzo. Con gli occhi sporgenti e fissi come se fossero in stato ipnotico, i dorsi lustri come le foglie tra le quali erano accovacciate, gonfiavano i loro sacchetti vocali e gracidavano rauche e con tanto impeto da far temere che i loro corpi umidicci fossero sul punto di scoppiare per lo sforzo. Quando il sole calava c'era un breve crepuscolo verde mela che sbiadiva e diventava color malva, e l'aria si faceva più fresca e si impregnava dei profumi della sera. Comparivano i rospi, color mastice, con la pelle cosparsa di macchie verde bottiglia come una carta geografica. Saltavano furtivamente tra i ciuffi di erba alta negli uliveti, dove il volo irregolare delle tipule formava sul terreno una vagante cortina di mussola. Si fermavano là battendo le palpebre, poi tutt'a un tratto ghermivano al volo una tipula di passaggio; tornando ad accovacciarsi, con l'aria un tantino imbarazzata, si ficcavano nelle loro grandi bocche le frange di zampe e di ali aiutandosi con le dita. Sopra di loro, sui muri screpolati del giardino, i piccoli scorpioni neri camminavano solenni, chele nelle chele, tra i soffici monticelli di musco verde e i boschetti di funghi microscopici.

Il mare era liscio, caldo, e scuro come velluto nero, senza una sola increspatura sulla superficie. La costa lontana dell'Albania era confusamente delineata da un lieve barlume rossastro nel cielo. Gradualmente, di minuto in minuto, quel barlume si faceva più intenso e più vivido, diffondendosi su tutto il cielo. Poi all'improvviso la luna, enorme, color rosso vino, spuntava al di sopra dei bastioni frastagliati delle montagne, e gettava un dritto sentiero rosso sangue sul mare cupo. Allora comparivano i gufi, che vagavano da un albero all'altro silenziosi come scaglie di fuliggine, fischiando stupefatti via via che la luna si alzava nel cielo, prima rosa, poi d'oro, e infine veleggiando tra una nidiata di stelle come una bolla argentea.

Con l'estate venne a farmi scuola Peter, un bel giovanotto alto, appena uscito da Oxford, che sui metodi pedagogici aveva delle idee ben precise che io, tanto per cominciare, trovavo piuttosto indigeste. Ma a poco a poco, insidiosamente, l'atmosfera dell'isola si insinuò sotto la sua pelle, e lui si lasciò andare un tantino e divenne abbastanza umano. In principio le lezioni erano un vero supplizio: una lotta interminabile con le frazioni e le percentuali, gli strati geologici e le correnti calde, nomi verbi e avverbi. Ma via via che lo splendore del sole faceva su Peter il suo incantesimo, le frazioni e le percentuali non gli parvero più un elemento preponderante della vita e a poco a poco furono sospinte in secondo piano; lui scoprì che le complicazioni degli strati geologici e gli effetti delle correnti calde si potevano spiegare molto più facilmente nuotando lungo la costa, mentre il modo più semplice di insegnarmi l'inglese era di farmi scrivere ogni giorno qualcosa che poi lui correggeva. Mi aveva consigliato di tenere un diario, ma io non fui d'accordo, e gli spiegai che già ne tenevo uno scientifico nel quale annotavo tutte le cose interessanti che succedevano ogni giorno. Se dovevo tenere un altro diario, cosa diavolo ci avrei scritto? Peter non seppe che cosa rispondere a questo valido argomento. Allora io suggerii che potevo tentare qualcosa di più ambizioso e interessante di un diario. Con una certa esitazione, dissi che avrei scritto un libro, e Peter, alquanto stupito, ma nell'impossibilità di trovare una qualsiasi ragione per cui *non* dovessi scrivere un libro, fu d'accordo. Così tutte le mattine passavo un'oretta di beatitudine aggiungendo un altro capitolo alla mia epopea, un racconto appassionante che comprendeva un viaggio intorno al mondo con tutta la mia famiglia, durante il quale catturavamo con le trappole più inverosimili tutte le specie possibili e immaginabili di fauna. Imitai lo stile del *Boy's Own Paper,* sicché ogni capitolo finiva nel momento più emozionante, con mamma aggredita da un giaguaro o Larry che si dibatteva tra le spire di un enorme pitone. Certe volte questi acmi drammatici erano così complicati e pericolosi che il giorno dopo mi era molto difficile tirar fuori dai guai la mia famiglia. Mentre io portavo avanti il mio capolavoro, respirando forte, con la lingua tra i denti, interrompendomi per discutere con Roger i punti culminanti dell'intreccio, Peter e Margo passeggiavano in giardino per guardare i fiori. Tutt'a un tratto, con mia grande sorpresa, si era sviluppata in tutti e due una grande propensione per la botanica. Sicché le mattinate trascorrevano in modo molto piacevole per tutti gli interessati. Di tanto in tanto, nei primi giorni, Peter era preso da subitanee crisi di coscienza, la mia epopea finiva relegata in un cassetto e noi ci immergevamo nei problemi di matematica. Ma via via che le giornate estive si allungavano e l'interesse di Margo per il giardinaggio si faceva più costante, queste noiosissime crisi andarono dirandosi.

Dopo la sfortunata faccenda dello scorpione, la famiglia mi aveva dato una grande stanza al primo piano per alloggiarvi le mie bestiole, nella vaga speranza che così sarebbero rimaste relegate in una determinata parte della casa. Questa stanza – che io chiamavo il mio studio e che il resto della famiglia chiamava il Cimiciaio – aveva un gradevole odore di etere e di alcool denaturato. Là dentro tenevo i miei libri di storia naturale, il mio diario, il microscopio, gli strumenti per sezionare, i retini, i vascoli e altri oggetti importanti. Grandi scatole di cartone contenevano le mie uova di uccello, le mie collezioni di scarabei, farfalle e libellule, mentre sugli scaffali c'era una bella serie di bottiglie piene di alcool denaturato nelle quali erano conservate cose di grande interesse come un pulcino a quattro zampe (regalo del marito di Lugaretzia), lucertole e serpenti vari, uova di rana in diversi stadi di sviluppo, un polipo neonato, tre topi bruni ancora piccolini (omaggio di Roger), e una minuscola tartaruga, appena uscita dall'uovo, che non aveva resistito all'inverno. Sulle pareti, in modo sparso ma pieno di gusto, facevano bella mostra di sé una lastra di ardesia con i resti fossilizzati di un pesce, una fotografia che mi ritraeva mentre stringevo la mano a uno scimpanzè, e un pipistrello impagliato. L'avevo impagliato io stesso, senza nessun aiuto, ed ero molto orgoglioso del risultato. Visto che le mie nozioni di tassidermia erano estremamente limitate, a me sembrava che *somigliasse* parecchio a un pipistrello, specie se uno stava dall'altra parte della stanza. Con le ali spalancate, guardava il mondo con aria torva dalla sua tavoletta di sughero attaccata alla parete. Quando venne l'estate, però, il pipistrello diede segni di soffrire il caldo: si accasciò un poco, il suo mantello perse il lustro, e un odore nuovo e misterioso cominciò a sopraffare quello dell'etere e dell'alcool denaturato. A tutta prima fu ingiustamente accusato il povero Roger, e soltanto in seguito, quando quell'odore era riuscito a penetrare persino nella camera di Larry, un'approfondita indagine stabilì che il fetore proveniva dal mio pipistrello. Ne fui stupito e non poco deluso. Subissato dalle altrui proteste fui costretto a liberarmene. Peter mi spiegò che non l'avevo trattato nel modo giusto e disse che se riuscivo a procurarmi un altro esemplare mi avrebbe insegnato come si faceva. Lo ringraziai di tutto cuore, ma suggerii con garbo che sarebbe stato meglio tener segreta la faccenda; gli spiegai che avevo l'impressione che ormai la famiglia considerasse con sospetto l'arte della tassidermia, e ci sarebbe voluta una noiosa opera di persuasione per suscitare in loro una disposizione d'animo favorevole.

Tutti i miei sforzi per procurarmi un altro pipistrello furono vani. Armato di un lungo bambù, aspettavo per ore nei corridoi spruzzati di luna in mezzo agli ulivi, ma i pipistrelli guizzavano via come mercurio e scomparivano prima che riuscissi a utilizzare la mia arma. Ma mentre aspettavo invano l'opportunità di colpire un pipistrello, vidi un gran numero di altre creature notturne che altrimenti non avrei mai viste. Sul fianco della collina vidi una giovane volpe che scavava speranzosa in cerca di scarabei, graffiando la terra con le zampe esili e stritolando famelicamente gli insetti man mano che li dissotterrava. Una volta cinque sciacalli sbucarono dai cespugli di mirti, si fermarono stupiti nel vedermi, poi tornarono a svanire tra gli alberi come ombre. I nottoloni sulle loro silenti e seriche ali planavano dolcemente come grandi rondini nere lungo i filari di ulivi, sfrecciando tra l'erba per inseguire le tipule che turbinavano ubriache. Una notte, sull'albero sopra la mia testa, comparvero due ghiri che presero a rincorrersi con sfrenata esuberanza su e giù per il bosco, saltando da un ramo all'altro come acrobati, scapicollandosi su e giù lungo i tronchi degli alberi, con le loro code folte che nel chiarore lunare sembravano sbuffi di fumo grigio. Rimasi così affascinato da quelle bestiole che decisi di tentare di catturarne una. Naturalmente il momento migliore per andarne in cerca era durante il giorno, quando dormivano. Così mi dedicai a una laboriosa caccia in mezzo agli uliveti per scovare il loro nascondiglio, ma era un'impresa disperata perché tutti i tronchi nodosi e contorti erano cavi, e in ognuno c'erano cinque o sei buchi. Ma la mia pazienza fu in certo qual modo ricompensata, perché un giorno cacciai il braccio in un buco e le mie dita si strinsero intorno a qualcosa di piccolo e morbido, qualcosa che si dimenava mentre lo tiravo fuori. Alla prima occhiata la mia preda mi parve uno smisurato ammasso di semi di dente di leone, munito di un paio di enormi occhi dorati; un esame più attento mi rivelò che era un piccolo gufo, ancora avvolto nella sua peluria di neonato. Restammo un momento a guardarci, poi l'uccello, evidentemente indignato per il modo villano con cui risi del suo aspetto, mi affondò i minuscoli artigli nel pollice, e io, che mi tenevo aggrappato al ramo, persi la presa e cascammo dall'albero tutti e due.

Mi misi in tasca lo sdegnato gufetto e me lo portai a casa, dove lo presentai con una certa trepidazione alla famiglia. Con mia grande sorpresa, fu accolto bene e senza riserve, e nessuno trovò da ridire che me lo tenessi. Prese dimora in un cestino nel mio studio, e dopo molte discussioni fu battezzato Ulisse. Dimostrò sin dal principio di essere un uccello dotato di una grande forza di carattere, e da non prendere sottogamba. Benché fosse così piccolo da stare comodamente in una tazza da tè, non aveva paura di niente e senza esitare aggrediva tutto e tutti, per quanto grandi fossero. Visto che dovevamo vivere nella stessa stanza, mi parve una buona idea che lui e Roger entrassero in confidenza, così, non appena il gufo si fu sistemato, feci le presentazioni mettendo Ulisse sul pavimento e dicendo a Roger di avvicinarsi e di fare amicizia. Roger ormai subiva con filosofia questo continuo dover fare amicizia con le varie bestiole che io adottavo, e accettò senza obiezioni la comparsa di un gufo. Dimenando vivacemente la coda con aria accattivante, si avvicinò a Ulisse, che si acquattò sul pavimento con un'espressione tutt'altro che amichevole sulla faccia. Osservava l'approssimarsi di Roger con un inesorabile sguardo di ferocia. L'avanzata di Roger si fece meno sicura. Ulisse continuava a fissare il cane come se cercasse di ipnotizzarlo. Roger si fermò, con le orecchie penzoloni, muovendo la coda appena appena, e mi guardò come per chiedermi consiglio. Severamente io gli ordinai di continuare i suoi approcci amichevoli. Roger guardò nervosamente il gufo, poi con grande indifferenza gli girò intorno, nel tentativo di avvicinarsi da dietro. Ma Ulisse roteò la testa e continuò a tenere lo sguardo fisso sul cane. Roger, che non aveva mai incontrato una creatura che potesse guardare dietro di sé senza girarsi tutta, prese un'aria un po' perplessa. Dopo averci pensato su un momentino, decise di tentare l'approccio allegro e giocherellone. Si sdraiò a pancia sotto, si mise la testa tra le zampe e scivolò pian piano verso il gufo, uggiolando gentilmente e dimenando la coda con abbandono. Ulisse continuò a starsene là come se fosse imbalsamato. Roger, sempre avanzando sulla pancia, riuscì ad arrivargli proprio vicino, ma a quel punto fece un errore fatale. Spinse avanti la faccia pelosa e tutto interessato fiutò rumorosamente il gufo. Ora, Ulisse tollerava un mucchio di cose, ma non era disposto a farsi fiutare da un cane grosso come una montagna e coperto di ricci neri. Decise che quella sgarbata bestia priva di ali si meritava una lezione. Abbassò le palpebre, sbatté il becco, balzò in aria e atterrò sul muso del cane, conficcando nel suo naso nero gli artigli taglienti come rasoi. Roger, con un guaito di dolore, scrollò via l'uccello e si rifugiò sotto il tavolo; e nessuna lusinga riuscì a stanarlo finché Ulisse non fu al sicuro nel suo cesto.

Quando Ulisse diventò più grande perse la sua peluria infantile e mise il bel piumaggio color grigio cenere, rosso ruggine e nero della sua specie, col petto scialbo graziosamente cosparso di croci maltesi nere. Mise anche due lunghi ciuffi di penne ai lati della testa, che gli si drizzavano per lo sdegno quando osavate prendervi delle libertà con lui. Visto che ormai era troppo grande per starsene in un cesto, e si opponeva violentemente all'idea di una gabbia, fui costretto a mettere a sua disposizione lo studio. Faceva i suoi esercizi di volo tra il tavolo e la maniglia della porta, e non appena divenne padrone di quell'arte, scelse come dimora la mantovana sopra la finestra e passava le sue giornate dormendo lassù, con gli occhi chiusi, del tutto simile a un ceppo d'ulivo. Se gli parlavate lui apriva appena appena gli occhi, drizzava le penne sulle orecchie e si slungava tutto, prendendo l'aspetto di un misterioso, emaciato idolo cinese. Se si sentiva particolarmente affettuoso sbatteva il becco, oppure, come grande concessione, volava giù a darvi una frettolosa beccata.

Quando il sole tramontava e i gechi cominciavano a sgambettare sui muri ombrosi della casa, Ulisse si svegliava. Sbadigliava delicatamente, tendeva le ali, si puliva la coda, e poi rabbrividiva con tanta violenza che tutte le sue penne si arruffavano come i petali di un crisantemo sotto una raffica di vento. Con grande disinvoltura rigurgitava una pallottolina di cibo non digerito sul giornale spiegato sul pavimento per questo e per altri scopi. Essendosi così preparato al lavoro notturno, emetteva un 'chiùu?' di prova per assicurarsi che la sua voce fosse in forma, e poi con ali morbide spiccava il volo per vagare intorno alla stanza, silenzioso come un fiocco di cenere, e atterrava sulla mia spalla. Per un poco restava là, mordicchiandomi l'orecchio, poi si dava un'altra scrollata, metteva da parte il sentimento e diventava pratico. Volava sul davanzale ed emetteva un altro 'chiùu?' interrogativo, fissandomi coi suoi occhi color miele. Questo era il segnale che voleva le persiane aperte. Non appena io le spalancavo, lui volava via dalla finestra, e per un attimo si stagliava contro la luna prima di tuffarsi tra gli ulivi cupi. Dopo un momento risonava un forte 'chiùu! chiùu!' di sfida, l'avvertimento che Ulisse stava per cominciare la caccia.

La durata delle cacce di Ulisse non era sempre uguale; qualche volta ripiombava nella stanza dopo un'ora appena, altre volte stava fuori tutta la notte. Ma dovunque andasse, tra le nove e le dieci non mancava mai di tornare a casa per la sua cena. Se nel mio studio la luce era spenta, lui planava per venire a spiare dalla finestra del salotto e accertarsi che fossi là. Se non c'ero, tornava a volar su, si posava sul davanzale della mia camera e picchiettava vivacemente sulle persiane finché io non gli aprivo e non gli davo il suo piattino di carne tritata, o di cuore di pollo tagliuzzato, o qualunque leccornia ci fosse sul menù quel giorno. Dopo avere inghiottito l'ultimo boccone sanguinolento faceva un amabile singhiozzo pigolante, meditava un momentino e poi volava via al di sopra delle cime degli alberi illuminate dalla luna.

Dal momento che aveva dato prova della sua prodezza di combattente, Ulisse diventò abbastanza cordiale con Roger, e se di sera tardi scendevamo per un'ultima nuotata qualche volta riuscivo a persuaderlo a onorarci della sua compagnia. Cavalcava sul dorso di Roger, tenendosi forte al pelo nero; se Roger, come qualche volta succedeva, si dimenticava del suo passeggero e camminava troppo in fretta, o saltava festoso su una pietra, Ulisse, con gli occhi fiammeggianti, sbatteva le ali in un frenetico sforzo per mantenere l'equilibrio e sdegnatissimo faceva schioccare forte il becco finché io non sgridavo Roger per la sua mancanza di riguardo. Sulla spiaggia Ulisse se ne rimaneva appollaiato sui miei calzoncini, mentre Roger e io sguazzavamo nell'acqua tiepida. Ulisse guardava i nostri giochi sfrenati con occhi rotondi e un pochino disapprovanti, dritto e impettito come una guardia d'onore. Ogni tanto lasciava il suo posto e si aggirava a volo radente sopra di noi, poi tornava sulla riva, ma non ho mai capito bene se lo facesse perché temeva che fossimo in pericolo o perché voleva partecipare ai nostri giochi. Qualche volta, se la nostra nuotata durava troppo, lui si stancava e spiccava il volo per tornare nel nostro giardino a mezza costa, gridando un 'chiùu' di commiato.

D'estate, quando c'era la luna piena, tutti noi facevamo il bagno di sera, perché durante il giorno il sole era così violento che il mare diventava troppo caldo per trovarvi refrigerio. Non appena spuntava la luna ci incamminavamo in mezzo agli alberi per raggiungere lo scricchiolante pontile di legno e poi ci arrampicavamo sul *Dugongo*. Con Larry e Peter a un remo, Margo e Leslie all'altro, e Roger e io a prua come vedette, scivolavamo per circa mezzo miglio lungo la costa sino a una piccola baia con un bordo di sabbia bianca e alcuni macigni ben disposti, lisci e ancora caldi di sole, che erano l'ideale per sedersi. Ancoravamo il *Dugongo* al largo e poi ci tuffavamo dal bordo per giocare a tirarci sotto, infrangendo il riflesso della luna sull'acqua della baia. Quando eravamo stanchi, nuotavamo lentamente sino alla riva e ci stendevamo sulle rocce tiepide, fissando il cielo tempestato di stelle. Dopo una mezz'ora io di solito mi annoiavo della conversazione, filavo di nuovo in acqua e mi mettevo a nuotare lentamente verso il largo, dove poi mi abbandonavo supino, cullato dal mare, fissando la luna. E una sera, proprio in queste circostanze, scoprii che non eravamo gli unici frequentatori di quella baia.

A braccia spalancate nell'acqua di raso, fissando il cielo, muovendo appena appena le mani e i piedi per tenermi a galla, contemplavo la Via Lattea stesa come una sciarpa di velo attraverso il cielo domandandomi di quante stelle fosse composta. Sentivo risonare sull'acqua le voci degli altri, che ridevano e chiacchieravano sulla spiaggia, e quando alzavo la testa le luci palpitanti delle sigarette mi rivelavano la loro posizione. Mi lasciavo portare dalla corrente, rilassato e sognante, quando tutt'a un tratto mi spaventai nel sentire, vicinissimo a me, un tonfo e un gorgoglio, seguiti da un lungo, profondo sospiro, mentre una serie di ondine mi faceva ballonzolare su e giù. Mi raddrizzai immediatamente e scalciai nell'acqua, cercando di vedere quanto mi fossi allontanato dalla spiaggia. Con mio grande sgomento mi accorsi che ero parecchio distante non solo dalla riva ma anche dal *Dugongo*, e non riuscivo a immaginarmi che specie di creatura stesse nuotando nelle cupe acque alle mie spalle. Potevo sentire gli altri che sulla spiaggia ridevano di qualche scherzo e vidi qualcuno scagliare verso il cielo un mozzicone di sigaretta simile a una stella rossa, che descrisse un arco e si spense sull'orlo del mare. Mi sentivo sempre più inquieto e stavo per chiamare aiuto quando, a cinque o sei metri da me, il mare sembrò aprirsi con un frusciante gorgoglio, e un dorso lucente sbucò fuori dall'acqua, diede un profondo sospiro soddisfatto e tornò a scomparire sotto la superficie. Feci appena in tempo a riconoscere nella bestia una focena quando mi resi conto che stavo proprio in mezzo a un loro branco. Affiorarono tutt'intorno a me, sospirando rumorosamente, coi dorsi neri tutti lucenti mentre sgroppavano sotto la luna. Saranno state otto a dir poco, e una emerse così vicino che con tre bracciate avrei potuto arrivare a toccarle la testa d'ebano. Sollevandosi e respirando forte attraversarono rapidamente la baia, e io nuotai con loro, osservando affascinato come affioravano alla superficie increspando l'acqua, inalavano un gran respiro, e poi tornavano a immergersi, lasciando in quel punto solo un cerchio di spuma che si allargava. Poco dopo, come se obbedissero a un segnale, cambiarono rotta e si diressero fuori della baia verso la costa lontana dell'Albania, e io mi fermai sgambettando nell'acqua e le guardai allontanarsi lungo la catena bianca del riflesso lunare, coi dorsi luccicanti che emergevano e si tuffavano con estasi goffa nell'acqua calda come latte appena munto. Si lasciavano dietro una striscia di grosse bolle che prima di scomparire sotto le ondine vagolavano e splendevano per un istante come tante lune in miniatura.

Dopo quella volta, quando andavamo a fare il bagno con la luna ci imbattemmo spesso nelle focene, che una sera, approfittando dell'aiuto dei più incantevoli insetti che abitavano l'isola, misero in scena per noi uno spettacolo pirotecnico. Avevamo scoperto che nei mesi caldi il mare diventava tutto fosforescente. Quando c'era la luna non si notava molto quella fosforescenza – un leggero barlume verdastro intorno alla prua della barca, un breve bagliore quando qualcuno si tuffava in acqua. Scoprimmo che le notti migliori per vedere la fosforescenza erano quelle senza luna. Un altro abitante luminoso dei mesi estivi era la lucciola. Non appena si faceva buio questi coleotteri bruni e snelli cominciavano a volare, volteggiando a sciami tra gli uliveti, con il corpo che si accendeva e si spengeva, dando una luce che era bianco-verdastra, e non verde dorata come quella del mare. E anche le lucciole si mostravano in tutta la loro bellezza quando non c'era il vivido chiarore della luna ad attenuare le loro luci. Per quanto strano sembri, non avremmo visto le focene, le lucciole e la fosforescenza dar spettacolo tutte insieme se non fosse entrato in scena il costume da bagno di mamma.

Per parecchio tempo mamma ci aveva molto invidiato le nostre nuotate diurne e notturne, ma, come ci faceva notare quando le dicevamo di venire con noi, era troppo vecchia per quel genere di cose. Finalmente, però, cedendo alle nostre insistenze, fece una scappata in città e tornò alla villa portando timidamente un misterioso pacchetto. Quando lo aprì, ci lasciò tutti esterrefatti mostrandoci uno straordinario e informe indumento di stoffa nera coperto da cima a fondo di gale, balze e piegoline.

«Be', cosa ne pensate?» disse mamma.

Noi fissavamo quello strano indumento domandandoci a che cosa servisse.

«Che cos'è?» domandò infine Larry.

«È un costume da bagno, naturalmente» disse mamma. «Cosa diamine credevi che fosse?».

«A me sembra una balena spellata male» disse Larry esaminandolo con cura.

«Non puoi *assolutamente* mettertelo, mamma,» disse Margo scandalizzata «diamine, sembra un cimelio degli Anni Venti».

«A che servono tutte quelle gale e quei fronzoli?» domandò Larry interessato.

«Ma insomma, sono per ornamento» disse mamma indignata.

«Che idea peregrina! Quando esci dall'acqua non dimenticarti di scrollarti di dosso i pesci».

«Be', in ogni caso *a me* piace,» disse mamma con fermezza, tornando a incartare quella mostruosità «e me lo metterò».

«Dovrai stare attenta a non assorbire troppa acqua, con tutta quella stoffa addosso» disse Leslie seriamente.

«Mamma, *è atroce*! Non puoi mettertelo» disse Margo. «Perché diavolo non hai preso un costume un po' più moderno?».

«Quando si arriva alla mia età, cara, non si può andarsene in giro col due pezzi... non si ha più la figura adatta».

«Vorrei tanto sapere per che tipo di figura hanno fatto questo» osservò Larry.

«Sei proprio *impossibile,* mamma» disse Margo in tono affranto.

«Ma a me *piace*... e non ti chiedo mica di indossarlo tu» precisò mamma combattiva.

«Questo è vero, tu sei padrona di fare quello che vuoi,» riconobbe Larry «non lasciarti scoraggiare. Probabilmente ti starà molto bene se riuscirai a farti crescere altre tre o quattro gambe che si intonino al tutto».

Mamma sbuffò indignata e corse al piano di sopra per provarsi il costume. Poco dopo ci gridò di salire per vedere l'effetto, e noi tutti sciamammo verso la sua camera. Roger fu il primo a entrare, e nel vedersi accogliere da quella strana apparizione avvolta nel voluminoso costume nero tutto festonato di gale arretrò in tutta fretta oltre la soglia, camminando all'indietro e abbaiando furiosamente. Ci mettemmo un certo tempo per riuscire a convincerlo che era proprio mamma, e anche allora continuò a guardarla un po' perplesso con la coda dell'occhio. Ma ad onta di tutte le opposizioni mamma si tenne quel costume da bagno che sembrava una tenda, e alla fine noi ci arrendemmo.

Per festeggiare il suo primo contatto col mare, decidemmo di fare un picnic al chiaro di luna giù alla baia e mandammo un invito a Theodore, l'unico estraneo che mamma potesse tollerare in una grande occasione come quella. Arrivò il giorno della memorabile immersione, furono preparate le vettovaglie e il vino, la barca venne ripulita a fondo e riempita di cuscini, e quando comparve Theodore tutto era pronto. Sentendo che avevamo in programma un picnic e una nuotata al chiaro di luna, ci fece presente che quella notte la luna non c'era. Allora tutti se la presero con tutti gli altri perché non avevano controllato le fasi lunari, e la diatriba continuò fino al tramonto. Alla fine decidemmo di seguire il nostro programma a dispetto di tutto, visto che ormai avevamo fatto tutti i preparativi, e così, carichi di vettovaglie, vino, asciugamani e sigarette, facemmo tutta la scarpinata sino alla barca e ci mettemmo in viaggio. Theodore e io stavamo di vedetta a prua, e gli altri si misero ai remi a turno, mentre mamma stava al timone. Tanto per cominciare, poiché i suoi occhi non erano abituati al buio, mamma ebbe l'abilità di farci girare in tondo, sicché dopo dieci minuti di voga accanita tutt'a un tratto ci si parò davanti il pontile e noi ci piombammo contro tra un crepitio di schegge. Snervata da quest'incidente, mamma andò all'estremo opposto e puntò la prua verso il largo, e senza dubbio avremmo finito con l'approdare in qualche punto della costa albanese se Leslie non se ne fosse accorto in tempo. A questo punto prese il timone Margo e se la cavò abbastanza bene, solo che, in un momento difficile, perse la testa e si dimenticò che per girare a destra bisognava spostare la barra a sinistra. Il risultato fu che per dieci minuti dovemmo sfiancarci a tirare la barca perché Margo, nella sua agitazione, invece di evitare uno scoglio ci era andata contro. Per il primo bagno di mamma, tutto sommato, era un inizio fausto.

Finalmente arrivammo alla baia, stendemmo le coperte sulla sabbia, sistemammo le cibarie, disponemmo il battaglione di bottiglie di vino in fila nell'acqua bassa per tenerle in fresco, ed ecco, era arrivato il momento memorabile. Tra grandi acclamazioni, mamma si tolse la vestaglia e apparve in tutto il suo splendore, avviluppata in quel costume da bagno che la faceva sembrare, disse Larry, una specie di Monumento al Principe Alberto in versione marina. Roger si comportò molto bene finché non vide mamma entrare con passo lento e dignitoso nell'acqua. Allora diventò frenetico. Probabilmente era convinto che quel costume da bagno fosse chi sa quale mostro marino che aveva avviluppato mamma e adesso se la stava trascinando in mare. Abbaiando come un forsennato partì alla riscossa, addentò una delle gale che penzolavano con tanta dovizia dall'orlo del costume e tirò con tutta la sua forza per riportare mamma in salvo. Mamma, che aveva appena detto che secondo lei l'acqua era un po' fredda, si sentì tirare improvvisamente all'indietro. Gettando un grido costernato perse l'equilibrio e piombò a sedere in mezzo metro d'acqua, mentre Roger tirava così forte che riuscì a strappare un bel pezzo di gala. Esultante nel constatare che il nemico si stava disintegrando, Roger, tra molti ringhi di incoraggiamento rivolti a mamma, si accinse con grande zelo a toglierle di dosso il resto di quel mostro ripugnante. Noi ci torcevamo sulla sabbia dal gran ridere, mentre mamma se ne stava seduta ansimante nell'acqua, facendo sforzi disperati per rimettersi in piedi, liberarsi di Roger e salvare almeno una parte del suo costume. Disgraziatamente, dato che il costume era fatto di un tessuto pesantissimo, l'aria vi restava intrappolata dentro; l'effetto dell'acqua lo fece gonfiare come un pallone, e il tentativo di tenere sotto controllo quel dirigibile di gale e di fronzoli rendeva più ardue le difficoltà di mamma. Alla fine Theodore riuscì a far mollare la presa a Roger e aiutò mamma a rialzarsi. E così, dopo esserci concessi un bel bicchiere di vino per festeggiare e riprenderci da quella che Larry definì «la liberazione di Andromeda dalle grinfie del mostro», ce ne andammo a fare una nuotata, e mamma rimase prudentemente seduta nell'acqua bassa mentre Roger si accovacciava poco lontano, ringhiando minaccioso contro il costume che tutto gonfio le fluttuava intorno alla vita.

Quella notte la fosforescenza era eccezionale. A rastrellare l'acqua con le dita si tracciava sul mare un largo nastro di fredde scintille verde oro, e quando ci si tuffava, nel momento in cui si colpiva la superficie pareva di essersi immersi in una gelida fornace di luce sfavillante. Quando fummo stanchi tornammo a riva, così ruscellanti d'acqua che sembravamo in fiamme, e ci sedemmo sulla sabbia per il nostro picnic. Poi, quando alla fine del pasto furono aperte le bottiglie del vino, come se tutto fosse stato preordinato, tra gli ulivi alle nostre spalle comparvero alcune lucciole – una specie di preludio dello spettacolo.

In principio si videro soltanto due o tre puntini verdi che scorrevano dolcemente tra gli alberi, lampeggiando a ritmo regolare. Ma a poco a poco il loro numero crebbe, finché certi punti dell'uliveto furono rischiarati da un magico scintillio verde. Non avevamo mai visto tante lucciole riunite insieme; svolazzarono a sciami tra gli alberi, sfiorarono l'erba, i cespugli e i tronchi degli ulivi, a sciami fluttuarono sopra di noi e si posarono sulle coperte come tizzoni verdi. Luminose fiumane di lucciole volarono sulla baia, vorticando sull'acqua, e allora, con un tempismo perfetto, comparvero le focene, nuotando tutte in fila nella baia, sgroppando ritmicamente attraverso l'acqua, coi dorsi che parevano verniciati di fosforo. In mezzo alla baia nuotarono in tondo, tuffandosi e rotolandosi, spiccando ogni tanto dei gran salti e ricadendo giù in uno schianto di luce. Tra le lucciole sopra e le focene scintillanti sotto, era uno spettacolo fantastico. Vedevamo persino le strisce luminose sott'acqua dove le focene disegnavano fiammeggianti arabeschi nuotando sul fondo sabbioso, e quando balzavano in aria sprizzavano tutt'intorno una pioggia di splendenti gocce color smeraldo, e non si sapeva più se quella che si stava guardando era la luminosità della fosforescenza o quella delle lucciole. Assistemmo a questo carosello per circa un'ora, poi le lucciole sciamarono lentamente verso l'isola e più giù lungo la costa. Allora le focene si misero in fila e presero il largo lasciandosi dietro un sentiero fiammeggiante che guizzava e scintillava, e poi si spense lentamente, come un ramo infuocato gettato sulla baia.

XI
L'ARCIPELAGO INCANTATO

Via via che l'estate si faceva più calda decidemmo che era troppo faticoso remare lungo la costa per raggiungere la nostra baia, e così ci comprammo un fuoribordo. L'acquisto di questo motore ci rese accessibile una vasta striscia di litorale, perché adesso potevamo avventurarci molto più lontano, facendo escursioni lungo la costa frastagliata sino a spiagge remote e deserte, dorate come il grano, o distese come falci di luna cadute in mezzo alle rocce contorte. Durante queste gite ebbi la rivelazione che lungo la costa si stendeva per miglia e miglia uno sparso arcipelago di piccole isole, alcune abbastanza grandi, altre che invece erano soltanto grossi scogli con un parrucchino di vegetazione posato precariamente sul cocuzzolo. Per qualche ragione che non riuscii a scoprire, la fauna marina era profondamente attratta da quest'arcipelago, e tutt'intorno alle isole, negli specchi d'acqua tra le rocce e nelle baie sabbiose, non più grandi di un ampio tavolo, c'era un assortimento sbalorditivo di vita. Riuscii a convincere i miei fratelli a fare diverse gite in queste isole, ma, dato che i punti adatti per fare il bagno erano molto pochi, ben presto loro si annoiarono di starsene seduti sugli scogli infuocati dal sole, mentre io continuavo a pescare negli specchi d'acqua e ogni tanto dissotterravo strane e, per loro, disgustose creature marine. Queste isole, inoltre, stavano allineate molto vicino alla costa, certe ne erano separate da un canale largo non più di cinque o sei metri, e gli scogli e le secche non si contavano. Sicché guidare il *Dugongo* attraverso questi pericolosi ostacoli, facendo in modo che l'elica non si spezzasse urtando, rendeva ogni gita alle isole un vero problema di navigazione. Nonostante le mie suppliche, queste nostre gite si fecero sempre più rare, e io mi torturavo al pensiero di tutta quella meravigliosa vita animale che nelle limpide pozze d'acqua aspettava di essere catturata; ma non potevo farci proprio niente, per il semplice fatto che non avevo una barca. Suggerii che avrebbero potuto lasciarmi prendere il *Dugongo,* diciamo una volta alla settimana, così sarei andato là da solo, ma per varie ragioni loro bocciarono la mia proposta. Proprio quand'ero sul punto di perdere ogni speranza mi venne un'idea geniale: mancava poco al giorno del mio compleanno, e se sapevo manovrare bene le cose, ero sicuro che sarei riuscito a procurarmi non solo una barca, ma anche un sacco di altri oggetti necessari. E così lanciai la mia proposta: invece di lasciare a loro la scelta dei miei regali di compleanno, non potevo dire io quali fossero le cose che più desideravo? In questo modo avrebbero avuto la certezza di non deludermi. Loro, presi un po' alla sprovvista, accettarono, e poi, alquanto sospettosi, mi domandarono che cosa volessi. Io dissi che non ci avevo ancora pensato bene, ma che avrei preparato un elenco per ciascuno, così loro avrebbero potuto scegliere una o più voci.

Per preparare quella lista mi ci volle un sacco di tempo e di meditazione, e un bel po' di psicologia applicata. Per esempio, sapevo che mamma avrebbe comprato tutto quello che trovava sul suo elenco, sicché vi segnai gli articoli più necessari e costosi del mio equipaggiamento: cinque cassette di legno, col coperchio di vetro e l'interno di sughero, per tenerci la mia collezione di insetti; due dozzine di provette; cinque pinte di alcool denaturato, cinque pinte di formalina, e un microscopio. L'elenco di Margo fu un po' più difficile, perché dovevo scegliere degli articoli che la spingessero ad andare nei suoi negozi preferiti. Così a lei chiesi dieci metri di canapa grezza, dieci metri di calicò bianco, sei grossi pacchi di chiodi, due pacchi di cotone idrofilo, due pinte di etere, un paio di pinze e due pompette da stilografica. Mi resi conto che era del tutto inutile chiedere a Larry qualcosa tipo formalina o spilli, ma se il mio elenco mostrava una certa propensione letteraria avrei avuto qualche buona possibilità. Di conseguenza riempii un enorme foglio coi titoli, i nomi degli autori, le edizioni e il prezzo di tutti i libri di storia naturale di cui sentivo il bisogno, e misi un asterisco vicino a quelli che sarebbero stati più graditi. Poiché mi rimaneva una sola cosa da chiedere, decisi di affrontare Leslie a quattr'occhi anziché dargli un elenco, ma sapevo che avrei dovuto scegliere con molta cura il momento buono. Dovetti aspettare alcuni giorni perché si presentasse quello che a me parve un momento propizio.

L'avevo appena aiutato a portare brillantemente a termine alcuni esperimenti balistici in cui si era imbarcato, tra i quali quello di legare un vecchio fucile ad avancarica a un albero e di far fuoco mediante una lunga corda attaccata al grilletto. Al quarto tentativo ottenemmo quello che evidentemente Leslie considerava un successo: la canna esplose in mille frammenti che si sparsero sibilando da tutte le parti. Leslie era esultante e prese molti appunti sul retro di una busta. Poi ci mettemmo tutti e due a raccogliere i pezzetti del fucile. Mentre eravamo intenti a questa bisogna gli domandai in tono casuale che cosa gli sarebbe piaciuto regalarmi per il mio compleanno.

«Non ci ho ancora pensato» rispose distrattamente, esaminando con palese soddisfazione un pezzo di metallo tutto contorto. «Per me è uguale... quello che ti pare... scegli tu».

Io dissi che volevo una barca. Leslie, rendendosi conto di essere caduto nella trappola, disse indignato che una barca era un regalo troppo costoso per un compleanno, e che comunque lui non poteva permetterselo. Io ribattei, ugualmente indignato, che era stato *lui* a dirmi di scegliere quello che volevo. Leslie disse che questo era vero, ma che lui non aveva certo in mente una barca, visto che erano costosissime. Io dissi che quando uno dice *quello che ti pare* significa quello che ti pare, barche comprese, e che in ogni caso non mi aspettavo che lui me ne comprasse una. Dato che era così esperto di barche, avevo pensato che sarebbe stato capace di costruirmene una. Comunque, se pensava che sarebbe stato troppo difficile...

«Non è difficile,» disse Leslie incautamente, e subito si affrettò ad aggiungere «be', non difficilissimo. Ma è il *tempo*. Ci vogliono secoli per costruirla. Senti, non sarebbe meglio se due volte alla settimana ti portassi fuori col *Dugongo*?».

Ma io fui irremovibile: volevo una barca ed ero prontissimo ad aspettare per averla.

«E va bene, va bene,» disse Leslie esasperato «ti costruirò una barca. Ma patti chiari, mentre lavoro non ti voglio tra i piedi, capito? Devi startene lontano. Non devi vederla finché non è finita».

Accettai tutto contento queste condizioni, e così, per due settimane di seguito, Spiro continuò a portare a casa carrettate di tavole, e dalla loggia posteriore provenivano il ronzio della sega, un gran martellare e fiorite imprecazioni. I pavimenti di casa sembravano una lettiera di trucioli, e camminando Leslie si lasciava dietro una traccia di segatura. Non mi fu troppo difficile tenere a freno l'impazienza e la curiosità, perché in quel periodo avevo qualcos'altro di cui occuparmi. Avevamo appena finito di far fare certe riparazioni sul retro della casa, ed erano avanzati tre grossi sacchi di bellissimo cemento rosa. Io me n'ero appropriato, e mi ero messo a costruire una serie di piccoli vivai nei quali tenere non soltanto la mia fauna d'acqua dolce, ma anche tutte le meravigliose creature marine che speravo di catturare con la mia nuova barca. Scavare in piena estate era un lavoraccio più arduo di quanto avessi previsto, ma finalmente riuscii a fare alcune buche passabilmente quadrate, e un paio di giorni passati a diguazzare in una poltiglia appiccicosa di bel cemento rosa corallo mi rimisero in sesto. Le tracce di segatura e di trucioli che Leslie lasciava per tutta la casa si intrecciavano adesso con uno straordinario arabesco di orme rosa.

Il giorno prima del mio compleanno tutta la famiglia fece una spedizione in città. Le ragioni erano tre. Primo, dovevano comprare i regali per me. Secondo, bisognava fare gli approvvigionamenti. Avevamo stabilito di non invitare troppa gente al ricevimento; eravamo tutti d'accordo che non ci piaceva la folla, e che quindi dieci ospiti accuratamente scelti costituivano il massimo che ci sentivamo disposti a sopportare. Sarebbe stata una piccola ma raffinata riunione di persone che ci erano simpatiche. Avendo così deciso all'unanimità, ciascun membro della famiglia provvide a invitare dieci persone. Disgraziatamente i dieci invitati non erano gli stessi per tutti, all'infuori di Theodore, che ricevette cinque inviti distinti. Il risultato fu che mamma, il giorno prima del ricevimento, scoprì che i nostri ospiti non sarebbero stati dieci bensì quarantacinque. La terza ragione per scendere in città era quella di assicurarci che Lugaretzia andasse dal dentista. Da qualche tempo i denti erano la sua principale calamità, e il dottor Androuchelli, dopo averle esaminato la bocca, aveva emesso una serie di suoni schioccanti che denotavano tutto il suo orrore e aveva detto che doveva farseli cavare tutti, perché ovviamente erano proprio i denti a provocare tutti i suoi mali. Dopo una settimana di discussioni, accompagnate da fiumi di lacrime, riuscimmo a convincere Lugaretzia, ma lei si rifiutava di andare dal dentista senza un appoggio morale. E così, serrandola pallida e piangente in mezzo a noi, facemmo la nostra scorribanda in città.

Tornammo la sera, esausti e nervosi, con la macchina stracarica di vettovaglie e Lugaretzia che stava sdraiata sulle nostre gambe come un cadavere e gemeva atrocemente. Era chiarissimo che l'indomani non sarebbe stata in grado di dare una mano in cucina né di fare altri lavori. Quando pregammo Spiro di escogitare qualche rimedio, lui diede la sua solita risposta.

«Non si preoccupa,» disse torvo «lascia tutto a me».

La mattina dopo successero un sacco di cose. Lugaretzia si era ripresa quanto bastava per dedicarsi a qualche piccolo lavoro, e ci seguiva per tutta la casa mostrando con orgoglio le cavità insanguinate nelle sue gengive e descrivendo per filo e per segno le pene dell'inferno che ogni singolo dente le aveva fatto passare. Dopo avere debitamente esaminato i miei regali e ringraziato la famiglia, andai con Leslie verso la loggia sul retro, e là, coperta da un telone, c'era una forma misteriosa. Con aria da congiurato Leslie tirò via il telone, ed ecco la mia barca. La fissai con occhi rapiti; era senza dubbio la barca più perfetta che chiunque al mondo avesse mai avuto. Scintillante nel suo rivestimento di vernice fresca, eccolo là, il mio destriero per raggiungere l'arcipelago incantato.

La barca era lunga circa due metri, e di forma quasi circolare. Per dissipare ogni mio dubbio che quella forma potesse dipendere da imperizia artigianale, Leslie si affrettò a spiegarmi che era dovuta al fatto che le tavole erano troppo corte per la struttura, e quella spiegazione mi parve del tutto soddisfacente. In fin dei conti, era proprio uno di quei noiosi inconvenienti che possono succedere a chiunque. Dissi con fermezza che secondo me era una forma bellissima per una barca, e lo pensavo davvero. Non era guizzante, snella, con l'aria un po' predatoria di tutte le barche, ma rotonda, placida, e in certo qual modo confortante nella sua circolare concretezza. Mi ricordava un solerte scarabeo stercorario, un insetto per il quale provavo un'affettuosa simpatia. Leslie, compiaciuto della mia palese gioia, disse in tono contrito che era stato costretto a farla col fondo piatto, perché, per un insieme di ragioni tecniche, così era più sicura. Io dissi che le barche col fondo piatto erano quelle che mi piacevano di più, perché ci si potevano mettere dentro i barattoli degli esemplari senza troppo rischio che si capovolgessero. Leslie mi domandò se mi piaceva la disposizione dei colori, perché lui aveva avuto qualche dubbio in proposito. Ora, secondo me, la disposizione dei colori era la cosa più bella di tutte, il tocco finale che completava quell'imbarcazione senza eguale. All'interno era dipinta di verde e di bianco, mentre i suoi fianchi rotondi erano elegantemente verniciati a strisce bianche, nere e d'un vivido color arancione, un accostamento di colori che io trovavo non solo molto artistico ma anche molto allegro. Poi Leslie mi mostrò il lungo e levigato palo di cipresso che aveva tagliato per farne l'albero maestro, ma mi spiegò che si poteva metterlo al suo posto soltanto quando si varava la barca. Io proposi entusiasticamente di vararla subito. Leslie, che era un fanatico della procedura, disse che non si poteva varare una nave senza prima averle messo un nome; avevo pensato al nome? Questo era un problema difficile, e convocai tutta la famiglia perché mi aiutasse a risolverlo. Si radunarono tutti intorno alla barca, che in mezzo a loro somigliava a un gigantesco fiore, e cominciarono a lambiccarsi il cervello.

«Perché non la chiami il *Pirata*?» suggerì Margo.

Respinsi con aria sprezzante quel suggerimento;

spiegai che io volevo un qualche nome *grasso* che si intonasse con l'aspetto e la personalità della barca.

«Il *Condor*» suggerì mamma in tono vago.

Non andava bene nemmeno questo; la barca non aveva affatto l'aspetto di un condor.

«Chiamala l'*Arca*» disse Leslie, ma io crollai la testa.

Ci fu un altro silenzio mentre tutti noi fissavamo la barca. E improvvisamente lo trovai, il nome perfetto: *Opima,* ecco come l'avrei chiamata.

«Graziosissimo, caro» approvò mamma.

«Stavo giusto per suggerirti la *Culandrona*» disse Larry.

«Larry, caro!» lo riprese mamma. «Non insegnare certe cose al bambino».

Rimuginai tra me e me il suggerimento di Larry; senza dubbio era un nome insolito, ma lo era anche l'*Opima.* Tutti e due sembravano richiamare alla mente la forma e la personalità della barca. Dopo una lunga meditazione decisi quello che dovevo fare. Mi fu portato un barattolo di vernice nera e laboriosamente, a lettere maiuscole un po' gocciolanti, tracciai il suo nome sul fianco: OPIMA-CULANDRONA. Ecco fatto: non soltanto un nome *insolito,* ma addirittura un nome con l'aristocratico trattino in mezzo. Per placare le ansie di mamma dovetti prometterle che parlando con gli estranei avrei chiamato la barca soltanto col primo nome. Sistemata la faccenda del nome, ci accingemmo all'impresa di vararla. Ci vollero gli sforzi congiunti di Margo, di Peter, di Leslie e di Larry per trasportare la barca giù per il pendio sino al pontile, mentre mamma ed io li seguivamo portando l'albero, e una piccola bottiglia di vino perché il varo avvenisse nelle dovute forme. In fondo al pontile i portatori si fermarono, vacillando per la spossatezza, mentre mamma ed io lottavamo col tappo della bottiglia.

«Che diavolo state *facendo*?» disse Larry irritato. «Santo cielo, spicciatevi! Non sono abituato a far da trave di sostegno».

Finalmente riuscimmo a sturare la bottiglia, e con voce limpida io annunciai che battezzavo quella nave col nome di OPIMA-CULANDRONA. Poi sbattei la bottiglia contro il suo fianco rotondo, con l'infelice risultato che mezza pinta di vino bianco si rovesciò sulla testa di Larry.

«E sta' un po' attento!» protestò lui. «Chi diavolo devi varare, me o lei?».

Finalmente, con uno sforzo poderoso, gettarono la *Opima-Culandrona* giù dal pontile, e lei ammarò sul fondo piatto con un rimbombo che parve una cannonata, schizzando acqua da tutte le parti, per poi mettersi a beccheggiare con impavido abbandono sulle ondine che aveva suscitate. Si sarebbe detto che sbandasse appena appena un po' a dritta, ma generosamente io attribuii questo fatto al vino e non a un'eventuale imperizia di Leslie.

«Bene!» disse Leslie organizzando le operazioni. «Mettiamo l'albero... Margo, tu reggila per la prua... così... Ora, Peter, se tu sali da poppa, Larry ed io ti passiamo l'albero... non devi fare altro che ficcarlo in quel buco».

Così, mentre Margo teneva ferma la barca stando sdraiata sul pontile, Peter saltò agilmente da poppa e si preparò, a gambe divaricate, a prendere l'albero che Larry e Leslie reggevano.

«Quest'albero mi sembra un po' troppo lungo, Les» disse Larry, guardandolo con occhio critico.

«Ma va'! Una volta montato andrà benissimo» ribatté Leslie. «Avanti... sei pronto, Peter?».

Peter annuì, tese i muscoli, afferrò saldamente l'albero con tutt'e due le mani e lo affondò nel buco. Poi si ritrasse, si spolverò le mani, e l'*Opima-Culandrona*, con una rapidità notevole per un'imbarcazione della sua circonferenza, si capovolse. Peter, che in onore del mio compleanno si era messo l'unico vestito decente che aveva, scomparve senza quasi nemmeno un tonfo. Sulla superficie dell'acqua non rimase più nient'altro che il suo cappello, l'albero e il rutilante fondo arancione dell'*Opima-Culandrona.*

«Affoga! Affoga!» strillò Margo, che nelle crisi era sempre portata a prendere tutto sul tragico.

«Non dire sciocchezze! L'acqua non è abbastanza profonda» disse Leslie.

«Te l'avevo detto che quell'albero era troppo lungo» disse Larry mellifluo.

«*Non è* troppo lungo» scattò Leslie irritato. «Quell'idiota non l'ha messo bene».

«Non azzardarti a chiamarlo idiota!» disse Margo.

«Non puoi mettere un albero di sei metri su questa specie di bagnarola e pretendere che resti dritta» disse Larry.

«Se sei tanto bravo perché la barca non l'hai fatta *tu?*».

«Non mi è stato chiesto... E poi l'esperto sei tu, a quanto pare, anche se dubito molto che ti assumerebbero in un arsenale».

«Molto spiritoso. È facile criticare... solo perché quell'idiota...».

«Non chiamarlo idiota... Come osi?».

«Su, su, non litigate per questo, cari» disse mamma conciliante.

«Be' Larry ha una tale aria di condiscendenza...».

«Grazie a Dio! È tornato su» disse Margo in tono fervido mentre Peter, inzuppato e sputacchiante, tornava alla superficie.

Lo tirammo fuori dall'acqua, e Margo lo accompagnò subito a casa nella speranza che il suo vestito si asciugasse prima del ricevimento. Noialtri li seguimmo, continuando a litigare. Leslie, esasperato dalle critiche di Larry, si mise in costume da bagno, e armato di un massiccio manuale sulla costruzione dei natanti e di un metro a nastro tornò giù per recuperare la barca. Per tutta la mattina continuò a segare l'albero pezzetto a pezzetto sinché non riuscì a farla star dritta, ma a quel punto l'albero non misurava più di un metro. Leslie era molto confuso, ma mi promise che avrebbe sistemato un albero nuovo non appena fosse riuscito a calcolare le misure giuste. Così l'*Opima-Culandrona*, ormeggiata in fondo al pontile, ondeggiava in tutta la sua magnificenza, con l'aria di un gatto senza coda eccezionalmente sgargiante e mastodontico.

Spiro arrivò subito dopo il desinare, portando con sé un individuo alto e attempato che aveva tutta l'aria di un ambasciatore. Costui, ci spiegò Spiro, era l'ex maggiordomo del re di Grecia, che si era lasciato convincere a uscire dal suo ritiro per darci una mano al ricevimento. Poi Spiro fece uscire tutti dalla cucina e ci si chiuse dentro col maggiordomo. Quando di soppiatto andai a spiare dalla finestra, vidi il maggiordomo, in panciotto, che lustrava bicchieri, mentre Spiro, con un cipiglio meditabondo e canticchiando piano, era alle prese con un mucchio di ortaggi. Ogni tanto si avvicinava col suo passo ondeggiante ai sette fornelli allineati lungo la parete e soffiava sulla carbonella, facendola splendere come tanti rubini.

Il primo ospite ad arrivare fu Theodore, in carrozza, tirato a lucido, col suo più bel vestito, le scarpe lustre e, data la circostanza, senza la sua attrezzatura da naturalista. Reggeva in una mano un bastone da passeggio e nell'altra un pacchetto elegantemente confezionato. «Ah, ah... Molti... ehm... di questi giorni» disse, stringendomi la mano. «Ti ho portato un... ehm... piccolo... ehm... ricordo... un regalino, ossia un *presente* per... ehm... festeggiare l'occasione... uhm».

Quando aprii il pacchetto scoprii con gioia che conteneva un grosso volume intitolato *Vita negli stagni e nei ruscelli*.

«Credo che lo troverai un... ehm... utile supplemento per la tua biblioteca» disse Theodore, dondolandosi sui tacchi. «Contiene alcune notizie molto interessanti sulla... ehm... fauna *generale* d'acqua dolce».

A poco a poco gli ospiti cominciarono ad arrivare, e davanti alla villa c'era un confuso andirivieni di carrozze e di tassì. Il salotto e la sala da pranzo, molto vasti, erano pieni di gente che chiacchierava, discuteva e rideva, e il maggiordomo (che con grande costernazione di mamma aveva indossato una giacca a code) passava rapido in mezzo alla folla come un attempato pinguino, servendo da bere e da mangiare con un'aria così regale che molti degli ospiti erano in dubbio se fosse un vero maggiordomo o un nostro eccentrico parente in visita. In cucina, Spiro tracannava inverosimili quantità di vino mentre continuava ad aggirarsi tra pentole e padelle, col viso arcigno arrossato dai riflessi dei fuochi, cantando con voce roboante. L'aria era satura del profumo d'aglio e di erbe aromatiche, e Lugaretzia continuava a zoppicare con notevole rapidità su e giù dalla cucina al salotto. Ogni tanto riusciva a inchiodare in un angolo qualche ospite sfortunato e, tenendogli sotto il naso un piatto di cibarie, gli raccontava per filo e per segno quello che aveva passato dal dentista, facendo la più vivida e ripugnante imitazione del rumore che fa un molare quando viene estirpato dal suo alveolo e spalancando la bocca per mostrare alla sua vittima la strage spaventosa che vi era stata fatta.

Arrivarono altri ospiti, e con loro arrivarono i doni. Questi ultimi, dal mio punto di vista, erano in gran parte inutili, perché non li si poteva adattare in nessun modo per usarli nel lavoro scientifico. Tra tutti i regali, a mio parere, i migliori furono due cuccioli portati da una famiglia di contadini miei amici che abitavano poco lontano. Uno dei cuccioli era bianco e marrone con grosse sopracciglia fulve, e l'altro era nero come il carbone con grosse sopracciglia fulve. Visto che erano un regalo, la famiglia naturalmente dovette accettarli. Roger li guardò con sospetto e interesse, e così, per dare a tutti e tre la possibilità di fare amicizia, li chiusi nella sala da pranzo davanti a un gran piatto di leccornie destinate agli ospiti. I risultati non furono propriamente quelli che io mi ero proposti, perché quando la folla di invitati divenne così imponente che fummo costretti a spalancare le porte e a mettere a loro disposizione anche la sala da pranzo, trovammo Roger seduto con aria tetra sul pavimento coi due cuccioli che gli ruzzolavano intorno, e la stanza decorata in modo tale che non potevano sussistere dubbi sull'ingordigia con cui i nuovi arrivati avevano mangiato e bevuto. La proposta di Larry di chiamarli Pipì e Vomito suscitò il disgusto di mamma, ma quei nomi rimasero e nessuno glieli spiccicò più di dosso.

Gli ospiti continuavano ad arrivare, traboccando dal salotto nella sala da pranzo, e poi, oltre le portefinestre, nella loggia. Alcuni erano venuti pensando che si sarebbero annoiati, e dopo un'oretta si divertivano tanto che chiamarono le loro carrozze, andarono a casa e tornarono col resto della famiglia. Il vino scorreva a fiumi, l'aria era azzurrata dal fumo delle sigarette, e i gechi erano troppo impauriti dal chiasso e dalle risate per uscire dalle fessure nel soffitto. In un angolo della stanza Theodore, dopo essersi audacemente tolto la giacca, stava ballando il *Kalamatiano* con Leslie e con alcuni degli ospiti più animati, battendo forte i piedi sul pavimento o sfiorandolo appena mentre saltavano e ritmavano i vari passi. Il maggiordomo, che forse aveva bevuto un tantino più del giusto, fu preso da tanto entusiasmo nel vedere il ballo nazionale che posò il vassoio e si mise a ballare anche lui, con le code della giacca svolazzanti alle sue spalle. Mamma, con un sorriso piuttosto forzato e stravolto, era incastrata tra il cappellano inglese, che osservava con crescente disapprovazione quella baldoria, e il console belga, che continuava a parlarle a perdifiato arricciandosi i baffi. Spiro venne fuori dalla cucina per vedere che fine avesse fatto il maggiordomo, e subito si unì ai ballerini. I palloncini fluttuavano per tutta la stanza, rimbalzando contro le gambe dei danzatori, scoppiando all'improvviso come fucilate; Larry, sulla loggia, si sforzava di insegnare a un gruppo di greci alcuni dei più divertenti limerick inglesi. Pipì e Vomito si erano messi a dormire nel cappello di non so chi. Arrivò il dottor Androuchelli e si scusò con mamma per il ritardo.

«Si trattava di mia moglie, madame; poco fa ha avuto un bambino» disse con orgoglio.

«Oh, congratulazioni, dottore» disse mamma. «Dobbiamo bere alla loro salute».

Spiro, spossato dalla danza, stava seduto sul divano lì accanto, facendosi vento.

«Che cosa?» muggì con cipiglio feroce rivolgendosi ad Androuchelli. «Lei hai un altro bambino?».

«Sì, Spiro, un maschio» disse Androuchelli raggiante.

«Quanti lei hai adesso?» domandò Spiro.

«Sei, solo sei» disse il dottore un po' stupito. «Perché?».

«Lei dovrebbe vergognare» disse Spiro disgustato. «Sei... Perbacco! Lei sforna come gatti e cani».

«Ma a me piacciono i bambini» protestò Androuchelli.

«Quando io mi sposo io domando a mia mogli quanti lei vuole,» disse Spiro con voce stentorea «e lei dice dui, e io le do dui e poi la cucio. Sei figli... Non dico bugia, lei mi fai venire voltastomaco... gatti e cani».

A questo punto il cappellano inglese, con immenso rincrescimento, decise che doveva andar via perché l'indomani aveva davanti a sé una giornata molto lunga. Mamma e io lo accompagnammo fuori, e quando tornammo Androuchelli e Spiro si erano uniti ai danzatori.

L'alba rendeva il mare come di raso e a oriente cominciava a diffondersi un barlume roseo, mentre noi, sbadigliando, stavamo fermi davanti alla porta e l'ultima carrozza si allontanava zoccolando lungo il viale.

Sdraiato nel letto con Roger di traverso sui miei piedi, i cuccioli ai miei fianchi, e Ulisse tutto arruffato in cima alla mantovana, guardavo il cielo dalla finestra, osservando quel barlume rosa che si diffondeva oltre le cime degli ulivi, spengendo le stelle ad una ad una, e conclusi che, tutto sommato, era stata una gran bella festa di compleanno.

La mattina dopo di buon'ora presi tutta la mia attrezzatura e qualcosa da mangiare e, in compagnia di Roger, Pipì e Vomito, mi imbarcai sull'*Opima-Culandrona.* Il mare era calmo, il sole splendeva in un cielo color azzurro genziana, e c'era appena un alito di vento; era una giornata ideale. L'*Opima-Culandrona* rollava con lenta dignità lungo la costa, mentre Roger se ne stava di vedetta a prua e Pipì e Vomito correvano da un lato all'altro della barca, cercando di sporgersi oltre il bordo per bere il mare e comportandosi insomma da veri animali terricoli.

Che gioia avere una barca tutta per sé! La gradevole sensazione di potenza mentre spingi i remi e senti la barca filare avanti con quel fruscio d'acqua saettante come quando si taglia la seta; il sole che ti scalda dolcemente la schiena e frantuma la superficie del mare in cento colori diversi; il brivido di farti strada nel complicato labirinto delle secche tutte coperte di erbe che baluginavano appena sotto il pelo dell'acqua. Mi fece piacere persino contemplare le vesciche che mi si stavano gonfiando sulle palme, facendomi sentire le mani rigide e intorpidite.

In seguito feci un'infinità di traversate con l'*Opima-Culandrona,* ed ebbi molte avventure, ma nessuna che si potesse lontanamente paragonare a quella prima traversata. Il mare sembrava più azzurro, più limpido e trasparente, le isole sembravano più remote, più imbevute di sole e più incantevoli di quanto mi fossero mai apparse, e si sarebbe detto che la vita del mare si fosse radunata tutta nelle piccole baie e nei canali per salutare me e la mia nuova barca. A una trentina di metri da un'isoletta rientrai i remi e mi inerpicai a prua, dove, accanto a Roger, mi misi a scrutare attraverso un braccio d'acqua cristallina il fondo del mare, mentre l'*Opima-Culandrona* rollava verso riva col placido ballonzolio di un papero di celluloide. Man mano che la sua ombra a forma di tartaruga si spostava sul fondo, al mio sguardo si schiudeva l'arazzo multicolore e mobilissimo della vita marina.

Radunati in piccoli grappoli, i molluschi stavano infitti in posizione verticale nelle chiazze di sabbia, argentei, tutti con la bocca aperta. Talvolta, posato tra le labbra calcaree della conchiglia, c'era un minuscolo granchiolino color avorio pallido, fragile e degenerata creatura dal guscio tenero che viveva da parassita al riparo delle pareti increspate della grande conchiglia. Era divertente far suonare la sirena d'allarme della colonia di molluschi. Mi lasciai portare dalla corrente verso uno di quei gruppi, e quando fui sopra ai molluschi, tutti a bocca spalancata, avvicinai pian piano il manico del mio acchiappafarfalle e diedi un colpetto ad una delle conchiglie. Quella si chiuse di scatto, e a quel movimento una microscopica nuvola di sabbia turbinò come un vortice. Man mano che si diffondevano nell'acqua, le correnti di quest'allarme venivano captate dal resto della colonia. In un attimo tutti i molluschi sbatterono le porte di casa, e l'acqua si riempì di piccoli turbini di sabbia che vorticavano e ondeggiavano intorno alle conchiglie, ricadendo poi come polvere d'argento sul fondo del mare.

Sparse tra i molluschi c'erano le serpule, bellissimi petali piumati che ondulavano all'infinito, posati in cima a un lungo e grosso tubo grigiastro. I petali ondeggianti, color azzurro e oro-arancione, apparivano stranamente fuori posto in cima a quegli steli tozzi, come un'orchidea su un gambo di fungo. Anche le serpule avevano un sistema d'allarme, ma molto più sensibile di quello dei molluschi; bastava che il manico dell'acchiappafarfalle arrivasse a una decina di centimetri dal vortice di petali scintillanti, e subito quelli si protendevano verso l'alto, si serravano e poi si tuffavano a capofitto lungo il gambo, sicché non rimaneva nient'altro che una serie di steli che sembravano pezzetti di tubicini in miniatura confitti nella sabbia.

Sugli scogli che erano appena qualche centimetro sotto la superficie, e che affioravano durante la bassa marea, viveva la più fitta moltitudine di creature. Nelle cavità c'erano le bavose eternamente imbronciate, che ti fissavano sporgendo le grosse labbra e dando alle loro facce un'espressione di negroide insolenza mentre ti agitavano sotto il naso le loro pinne. Nelle ombrose fenditure tra le alghe i ricci vivevano radunati in gruppi, simili a bruni e lustri pericarpi d'ippocastano, con gli aculei che si muovevano pian piano come aste di compasso contro un eventuale pericolo. Intorno a loro le attinie stavano aggrappate agli scogli, grasse e lucide, agitando le braccia in una danza languida e un po' orientaleggiante nel tentativo di afferrare i gamberetti che passavano rapidi, trasparenti come il vetro. Frugando nelle ombrose caverne sottomarine, stanai una seppiettina neonata, che si posò sulle rocce come una testa di Medusa e si fece di un colore bruno melmoso, mentre da sotto la levigata cupola della testa i suoi occhi mi fissavano un po' tristi. Abbozzai un altro gesto, e la seppia schizzò un piccolo nembo d'inchiostro nero che si gonfiò rotolandosi nell'acqua limpida e gli servì da riparo mentre lei se la svignava fendendo rapidamente l'acqua, con le braccia che le fluttuavano dietro come uno strascico e la facevano sembrare un palloncino decorato di nastri. C'erano anche molti granchi, grassi, verdi e lucidi quelli che stavano sulla superficie degli scogli, muovendo le chele come se stessero amichevolmente salutando, e giù giù, sul fondo algoso del mare, le grancevole con le loro strane corazze dai bordi aguzzi, le loro lunghe zampe sottili, ognuna col suo manto di alghe e di spugne, e alcune persino adorne di una attinia che si erano accuratamente fissata sul dorso. E dappertutto, sugli scogli, sulle chiazze erbose, sul fondo di sabbia, si muovevano centinaia di valve di conchiglia, nitidamente striate e maculate d'azzurro, d'argento, di grigio e di rosso, dalle quali faceva capolino la faccia scarlatta e piuttosto indignata di un paguro. Sembravano piccoli, goffi carrozzoni che giravano qua e là, cozzando l'uno contro l'altro, arrancando in mezzo alle alghe o filando rapidi sulla sabbia tra le torreggianti conchiglie delle *Venus mercenaria* e delle gorgonie.

Il sole stava calando, e nelle baie e sotto i diroccati castelli di roccia l'acqua si tingeva del grigio ardesia del crepuscolo. Lentamente, accompagnato dal cigolio sommesso dei remi, guidai l'*Opima-Culandrona* verso casa. Pipì e Vomito dormivano, spossati dal sole e dall'aria marina, le zampe percorse da fremiti, le sopracciglia fulve tutte un brivido, mentre loro inseguivano granchi di sogno lungo interminabili scogliere. Roger sedeva assediato da barattoli e provette di vetro in cui galeggiavano minuscoli pesciolini, le attinie agitavano le loro braccia e le grancevole toccavano con chele delicate le pareti delle loro prigioni di vetro. Lui spiava nei barattoli, con le orecchie dritte, di tanto in tanto mi gettava un'occhiata e muoveva brevemente la coda, poi tornava a sprofondarsi nei suoi studi. Roger era un accanito studioso di fauna marina. Il sole scintillava come una moneta dietro gli ulivi, e il mare era striato d'oro e d'argento quando l'*Opima-Culandrona* urtò leggermente contro il pontile col suo tondo didietro. Affamato, assetato, esausto, con la testa frastornata da tutti i colori e le forme che avevo visto, m'incamminai lentamente lungo la collina carico di tutti i miei preziosi esemplari, mentre i tre cani, sbadigliando e stiracchiandosi, mi seguivano a distanza.

XII
L'INVERNO DELLE BECCACCE

Verso la fine dell'estate, con mia grande esultanza, mi trovai ancora una volta senza maestro. Mamma aveva scoperto che tra Margo e Peter si stava instaurando, come delicatamente si espresse lei, «un rapporto *troppo* affettuoso». Visto che la famiglia era unanime nel rifiutare Peter come futuro parente acquisito, era chiaro che bisognava fare qualcosa. Leslie partecipò al problema limitandosi a proporre di fucilare Peter, ma quel piano, per chi sa quale motivo, fu accolto con derisione. A me sembrava una splendida idea, ma eravamo in minoranza. Il suggerimento di Larry di mandare la coppia felice a vivere ad Atene per un mese, perché, come ci spiegò, potessero levarsene la voglia una volta per tutte, fu bocciato da mamma sotto il pretesto dell'immoralità. Finalmente mamma dispensò Peter dal suo incarico, lui partì subito e in gran segreto, e noi dovemmo tener testa a una tragica, piangente e indignatissima Margo che, avvolta per l'evento nelle sue vesti più fluenti e luttuose, recitava la sua parte in modo sublime. Mamma la blandiva e snocciolava gentili luoghi comuni, Larry teneva a Margo lunghe conferenze sul libero amore, e Leslie, per ragioni che sapeva solo lui, decise di fare la parte del fratello oltraggiato e ogni tanto compariva brandendo una rivoltella e minacciando di ammazzare Peter come un cane se avesse osato rimettere piede in casa nostra. In simili frangenti, Margo, col viso rigato di autentiche lacrime, faceva gesti tragici e ci diceva che la sua vita era finita. Spiro, che amava più di chiunque altro le belle situazioni drammatiche, trascorreva le sue giornate versando solidali lacrime con Margo e appostando vari suoi amici giù al porto per assicurarsi che Peter non tentasse di tornare sull'isola. Ci divertivamo un sacco tutti quanti. Proprio quando sembrava che la faccenda stesse morendo di morte naturale, e Margo era in grado di arrivare alla fine del pasto senza scoppiare in lacrime, Peter le mandò un biglietto comunicandole che sarebbe tornato per vederla. Margo, un po' sgomenta a quell'idea, mostrò il biglietto a mamma, e ancora una volta la famiglia si gettò con entusiasmo nella farsa. Spiro raddoppiò le sentinelle giù al porto, Leslie lubrificò la sua artiglieria e cominciò a esercitarsi sparando contro una grande figura di cartone inchiodata sulla facciata di casa. Larry metteva Margo di fronte all'alternativa: o si camuffava da contadina e volava nelle braccia di Peter, o era meglio che la piantasse di far la Margherita Gauthier. Margo, offesa, si rinchiuse nella soffitta e non volle più vedere nessuno all'infuori di me, perché ero l'unico della famiglia a non parteggiare né per gli uni né per gli altri. Se ne stava sdraiata lassù, a versare copiose lacrime e a leggere un libro di Tennyson; ogni tanto interrompeva queste occupazioni per consumare, con inalterato appetito, un lauto pasto che io le portavo su un vassoio.

Margo rimase chiusa in soffitta per una settimana. Finalmente ne fu stanata da una situazione che coronò in modo degno l'intera faccenda. Leslie aveva scoperto che dal *Dugongo* continuavano a scomparire svariati oggetti, e sospettava dei pescatori che di notte passavano in barca davanti al pontile. Sicché decise di spaventare un po' quei ladruncoli e fissò alla finestra della sua camera tre fucili a canna lunga puntati sull'imbarcadero. Grazie a un ingegnoso dispositivo di corde, poteva far sparare una canna dopo l'altra senza nemmeno alzarsi dal letto. Naturalmente il tiro era troppo lungo per far del male a qualcuno, ma lui era certo che il sibilo delle pallottole tra le foglie degli ulivi e il loro tonfo nell'acqua sarebbero stati ottimi mezzi di persuasione. Ed era così entusiasta della propria ingegnosità che si dimenticò di informarci che aveva costruito questo marchingegno antifurto.

Ce n'eravamo già andati nelle nostre stanze, e ognuno di noi era intento alle proprie faccende. La casa era silenziosa. Fuori, la calda aria notturna risonava del gentile mormorio dei grilli. Tutt'a un tratto si udì una rapida serie di fragorose esplosioni che scossero la casa e scatenarono i furiosi latrati dei cani al piano di sotto. Io mi precipitai sul pianerottolo, dove stava succedendo un pandemonio: i cani si erano avventati in massa su per le scale per prender parte alla baldoria, e saltavano da tutte le parti, abbaiando eccitati. Mamma, con aria folle e stravolta, era uscita di corsa dalla sua camera, avvolta nella sua voluminosa camicia da notte, convinta che Margo si fosse suicidata. Larry uscì furioso dalla sua stanza per sapere che diavolo fosse tutto quel baccano, e Margo, convinta che Peter fosse tornato per rapirla e fosse stato ucciso da Leslie, annaspava intorno alla serratura della soffitta gridando a pieni polmoni.

«Ha fatto qualche sciocchezza... ha fatto qualche sciocchezza...» gemeva mamma, facendo frenetici sforzi per liberarsi di Pipì e Vomito i quali, pensando che quella fosse una sfrenata orgia notturna, avevano addentato l'orlo della camicia e continuavano a tirare, ringhiando ferocemente.

«Questo è il colmo... non si può nemmeno dormire

in pace... questa famiglia mi sta facendo diventare matto...» tuonava Larry.

«Non fategli male... non toccatelo... vigliacchi» ripeteva la voce di Margo, stridula e piangente, mentre lei annaspava frenetica tentando di aprire la porta della soffitta.

«Sono i ladri... Calmatevi... sono soltanto i ladri» urlò Leslie, aprendo la porta della sua camera.

«È ancora viva... è ancora viva... mandate via questi cani...».

«Bruti... come osate spararagli addosso?... Fatemi uscire, fatemi *uscire*...».

«Ma piantatela di agitarvi! Sono soltanto i ladri...».

«Animali ed esplosioni tutto il giorno, e poi dozzine di fucili che sparano le loro maledette salve nel cuore della notte... A questo punto la stravaganza supera i limiti...».

Finalmente mamma riuscì a salire sino alla soffitta, trascinandosi dietro Pipì e Vomito ancora appesi all'orlo della sua camicia, e bianca e tremante spalancò la porta per trovarsi di fronte una non meno bianca e tremante Margo. Dopo un sacco di confusione appurammo quello che era successo e quello che ognuno di noi aveva pensato. Mamma, ancora scossa dall'emozione, sgridò severamente Leslie.

«Non devi fare certe cose, caro!» disse. «È veramente stupido. Se spari i tuoi fucili, faccelo almeno *sapere*».

«Sì,» disse Larry in tono aspro «se non ti spiace, dacci un piccolo avvertimento. Grida "Fuoco!" o qualcosa del genere».

«Non vedo come potrei cogliere i ladri di sorpresa se devo gridare avvertimenti a tutti quanti voi» disse Leslie in tono risentito.

«Che io sia dannato se riesco a capire perché dovremmo essere colti di sorpresa anche noi» disse Larry.

«Be', suona un campanello o qualcos'altro, caro. Ma ti prego di non fare più una cosa simile. Mi ha messo in uno stato terribile».

Ma l'episodio stanò Margo dalla soffitta, e questa, come disse mamma, fu una vera fortuna.

Sebbene tra lei e la famiglia si fossero ristabiliti dei rapporti sia pur vaghi di conoscenza, Margo preferiva tuttora curare il suo cuore infranto in privato, e prese l'abitudine di sparire per ore e ore con la sola compagnia dei cani. Dovette arrivare l'improvviso e selvaggio scirocco autunnale per farle decidere che il posto ideale dove star sola era una piccola isola nella baia di fronte a casa nostra, a circa un miglio dalla riva. Un giorno, quando il suo desiderio di solitudine si fece irresistibile, prese in prestito l'*Opima-Culandrona* (senza il mio permesso), ci ammucchiò dentro i cani e partì verso l'isola per sdraiarsi al sole a meditare sull'Amore.

Soltanto all'ora del tè, e con l'aiuto del binocolo, riuscii a scoprire dove fossero andate a finire Margo e la mia barca. Spinto dall'ira, e un po' sventatamente, dissi a mamma dove si trovava Margo, e sottolineai che non aveva nessun diritto di prendersi la mia barca senza chiedermi il permesso. Chi mi avrebbe costruito un'altra barca, domandai in tono acido, se l'*Opima-Culandrona* faceva naufragio? Ormai lo scirocco ululava intorno alla casa come un branco di lupi, e mamma, mossa da un sentimento che a tutta prima io ritenni di profonda preoccupazione per il destino dell'*Opima-Culandrona,* si precipitò ansante al piano di sopra e si sporse dalla finestra della sua camera, scrutando la baia col binocolo. Anche Lugaretzia si trascinò su per le scale, singhiozzando e torcendosi le mani, e tutt'e due, tremanti e ansiose, continuavano a passare da una finestra all'altra scrutando la baia infiocchettata di spuma. Mamma avrebbe voluto tanto mandar qualcuno a salvare Margo, ma non c'era nessuno disponibile. Così non poté far altro che starsene davanti alla finestra col binocolo incollato agli occhi mentre Lugaretzia elevava preghiere a Santo Spiridione e continuava a raccontare a mamma una lunga e complicata storia di un suo zio che era annegato con uno scirocco proprio come quello. Per fortuna, di tutto il racconto di Lugaretzia mamma capiva sì e no una parola su sette.

Finalmente, Margo parve rendersi conto che avrebbe fatto meglio a tornare a casa prima che lo scirocco peggiorasse, e la vedemmo scendere tra gli alberi verso il punto dove l'*Opima-Culandrona* beccheggiava e dava strattoni agli ormeggi. Ma Margo procedeva lentamente e in modo a dir poco strano; prima di tutto cadde due volte, poi arrivò sulla spiaggia a una cinquantina di metri dalla barca, e per un certo tempo continuò a girare in tondo come se la stesse cercando. Infine, indirizzata dai latrati di Roger, si incamminò barcolloni lungo la riva e trovò la barca. Allora dovette faticare non poco a persuadere Pipì e Vomito a salirci sopra. Ai due non dispiaceva andare in barca quando il mare era calmo, ma non avevano mai navigato col mare in tempesta e non avevano la minima intenzione di cominciare adesso. Non appena Pipì era sistemato a bordo, lei si voltava per prendere Vomito, e quando finalmente riusciva ad acchiapparlo Pipì era saltato di nuovo sulla riva. Questa pantomima continuò per un certo tempo. Finalmente Margo riuscì a imbarcarli insieme, balzò anche lei a bordo e si mise a remare con grande vigore, finché a un certo punto non si rese conto che non aveva slegato la barca.

Mamma seguiva col cuore stretto la sua avanzata nella baia. L'*Opima-Culandrona,* bassa com'era, non sempre era visibile, e ogni volta che scompariva dietro un cavallone molto grosso mamma s'irrigidiva per l'ansia, convinta che la barca fosse affondata con tutto l'equipaggio. Poi l'ardita chiazza bianca e arancione ricompariva sulla cresta di un'onda e mamma tornava a respirare. La rotta che Margo seguiva era quanto mai stravagante, perché l'*Opima-Culandrona* continuava a zigzagare a casaccio per la baia, e ogni tanto ricompariva sulle onde con la prua puntata addirittura verso l'Albania. Una o due volte Margo si alzò in piedi vacillando e scrutò l'orizzonte tutt'intorno, riparandosi gli occhi con la mano; poi tornò a sedersi e riprese a remare. Finalmente, quando la barca, più per caso che di proposito, venne sospinta abbastanza vicino alla nostra riva, scendemmo tutti al pontile, e cercando di dominare gli schiaffi e gli scrosci delle ondate e l'ululato del vento gridammo a Margo le istruzioni necessarie. Guidata dalle nostre grida lei remò vigorosamente verso riva, e finì con l'urtare contro il pontile con una violenza tale che per poco non fece cadere in acqua mamma. I cani s'inerpicarono fuori della barca e fuggirono su per il pendio, evidentemente terrorizzati dall'idea che potessimo costringerli a fare un'altra crociera con lo stesso capitano. Quando aiutammo Margo a scendere, scoprimmo la ragione di quella rotta così poco ortodossa. Una volta raggiunta l'isola, lei si era artisticamente distesa al sole ed era caduta in un profondo sonno, dal quale l'aveva svegliata il ruggito del vento. Dopo aver dormito per quasi tre ore sotto il sole cocente, al risveglio si era trovata gli occhi così gonfi e bruciati che a malapena riusciva a vedere. Il vento e gli spruzzi avevano peggiorato la situazione, e quando finalmente era arrivata al pontile non ci vedeva quasi più. Era rossa come un gambero e tutta spellata, e aveva le palpebre così gonfie che sembrava un pirata mongolo eccezionalmente malevolo.

«Francamente, Margo, certe volte mi domando se tu non sia un po' *irresponsabile*» disse mamma mentre le bagnava gli occhi col tè freddo. «Fai delle cose talmente stupide!».

«Oh, piantala mamma! Quante storie!» disse Margo. «Poteva succedere a chiunque».

Ma a quanto parve quell'episodio bastò a guarire il suo cuore infranto, perché lei non fece più le sue passeggiate solitarie e smise di avventurarsi in mare con la barca; insomma, tornò a essere, nella misura in cui le era possibile, una persona normale.

Sull'isola, generalmente, l'arrivo dell'inverno era molto mite. Il cielo era ancora limpido, il mare calmo e azzurro, il sole caldo. Ma c'era nell'aria come un senso d'incertezza. Mucchi di foglie dorate e scarlatte che ricoprivano come un tappeto la campagna sussurravano e ridacchiavano tra loro, o facevano per prova qualche piccola corsa da un punto all'altro, rotolandosi come cerchi colorati in mezzo agli alberi. Era come se stessero esercitandosi in qualcosa, preparandosi per qualcosa, e mentre si affollavano intorno ai tronchi discutevano animatamente con voci fruscianti. Anche gli uccelli si radunavano in piccoli gruppi, arruffando le penne, cinguettando assorti. C'era tutt'intorno un'aria di attesa, come quando un vasto pubblico aspetta che si alzi il sipario. Poi una mattina aprivi le imposte e al di sopra degli ulivi, oltre la baia azzurra, guardavi le montagne rosso-brune della terraferma e ti accorgevi che l'inverno era arrivato, perché ogni cima era adorna di un lacero cappuccio di neve. Adesso quell'aria di attesa si faceva più intensa quasi di ora in ora.

Nel giro di pochi giorni, alcune piccole nuvole bianche cominciavano la loro processione invernale, percorrendo il cielo tutte insieme, morbide e pienotte, lunghe, languide e scarmigliate, oppure piccole e sfioccate come piume; poi, spingendole avanti a sé come un eterogeneo gregge di pecore, arrivava il vento. A tutta prima era caldo, e veniva a piccoli sbuffi, intrufolandosi tra gli ulivi così che le loro foglie tremavano d'eccitazione e diventavano d'argento, cullando i cipressi che si mettevano a oscillare gentilmente, e trascinando le foglie morte in piccole danze gioiose e turbinanti che finivano all'improvviso com'erano cominciate. Scompigliava per gioco le piume sui dorsi dei passeri, che rabbrividivano e si scrollavano tutti; aggrediva improvvisamente i gabbiani, che trovandosi fermati a mezz'aria dovevano curvare le loro ali bianche per vincerne l'urto. Le persiane cominciavano a sbattere e le porte tutt'a un tratto vibravano nelle loro cornici. Ma il sole brillava ancora, il mare rimaneva calmo e le montagne se ne stavano là soddisfatte, dorate dall'estate, coi loro sfrangiati cappelli di neve.

Per circa una settimana il vento giocava con l'isola, dandole affettuosi buffetti, canticchiando tra sé tra i rami spogli. Poi veniva la bonaccia, una strana calma che durava qualche giorno; e all'improvviso, quando meno te l'aspettavi, ecco di nuovo il vento. Ma era un vento diverso, un vento pazzo, ululante, rabbioso, che si avventava sull'isola e cercava di scagliarla nel mare. Il cielo azzurro scompariva dietro un grigio manto di nuvole che si stendeva su tutta l'isola. Il mare diventava azzurro cupo, quasi nero, e si copriva di spuma. Sotto quella sferza i cipressi sembravano enormi pendoli contro il cielo, e gli ulivi (così fossilizzati per tutta l'estate, così immobili e simili a streghe) si facevano contagiare dalla pazzia del vento e si squassavano scricchiolando sui loro tronchi deformi e vigorosi, tra il fruscio sibilante delle loro foglie che prendevano il cangiante colore verde argenteo della madreperla. Ecco che cosa avevano bisbigliato le foglie morte, ecco per che cosa si stavano preparando; si sollevavano esultanti nell'aria e danzavano, vorticando tutt'intorno, tuffandosi, piombando giù e cadendo esauste quando il vento si stancava di loro e passava oltre. Al vento seguiva la pioggia, ma era una pioggia calda sotto la quale era piacevole camminare, grossi goccioloni che picchiettavano sulle persiane, battevano sulle foglie di vite come tamburi, e gorgogliavano armoniosamente nelle grondaie. I fiumi sulle montagne albanesi si gonfiavano e nella loro corsa verso il mare scoprivano in un ringhio certi denti bianchi che mordevano gli argini e strappavano via i relitti dell'estate, pezzi di legno, ceppi, ciuffi d'erba e quant'altro riuscivano a portar via, per poi vomitare tutto nella baia, sinché le acque azzurro cupo non si costellavano di grandi e rattorte venature di fango e di altri detriti. A poco a poco tutte queste vene scoppiavano, e il mare da azzurro diventava giallastro; allora il vento fendeva la sua superficie accumulando l'acqua in ondate possenti, simili a grandi leoni fulvi dalla bianca criniera che avanzavano e si avventavano contro la riva.

Quella era la stagione della caccia: sulla terraferma, il grande lago di Butrinto aveva tutt'intorno una frangia di ghiaccio scricchiolante, e la sua superficie era maculata dagli stormi delle anatre selvatiche. Sulle colline brune, umide e franose per la pioggia, le lepri, i caprioli e i cinghiali si radunavano nei boschetti per raspare e grufolare nel terreno gelato, scavandone fuori bulbi e radici. Sull'isola, gli acquitrini e gli stagni avevano i loro stormi di beccaccini, che frugavano la terra molle coi loro lunghi becchi color caucciù e ronzavano come frecce quando si levavano in volo davanti ai tuoi piedi. Negli uliveti, in mezzo ai mirti, stavano nascoste le beccacce, grasse e sgraziate, che quando le disturbavi scappavano via con un tremendo frullo d'ali e parevano mucchi di foglie autunnali soffiate dal vento.

In quella stagione, naturalmente, Leslie era al settimo cielo. Ogni quindici giorni andava in gita sulla terraferma con un gruppo di altri fanatici della caccia e ne tornava con l'enorme e setolosa carcassa di un cinghiale, mantelle di lepri insanguinate a tracolla e grosse ceste traboccanti di anatre iridescenti. Sporco, non rasato, con addosso l'odore forte del lubrificante e del sangue, Leslie ci raccontava per filo e per segno tutta la caccia, con gli occhi che gli luccicavano mentre andava su e giù per la stanza descrivendoci dove e come lui si era appostato, dove e come il cinghiale era uscito dal riparo, lo scoppio del fucile che rotolava e rimbalzava tra le montagne nude, il tonfo della pallottola e il balzo di fianco con cui il cinghiale si era tuffato in mezzo all'erica. La sua descrizione era così vivida che a noi sembrava d'essere stati a caccia con lui. Ora faceva il cinghiale che fiutava il vento, spostandosi inquieto nel fitto di canne, scrutandosi intorno da sotto le sopracciglia irte, tendendo l'orecchio al rumore dei battitori e dei cani; ora faceva uno dei battitori, che si muoveva cauto tra la vegetazione che gli arrivava alla cintola, guardando da un lato e dall'altro ed emettendo lo strano suono gorgogliante che serviva a stanare la selvaggina; ora, mentre il cinghiale usciva allo scoperto e cominciava a scendere lungo il pendio, sbuffando, lui imbracciava il fucile e sparava, il fucile rinculava in modo molto realistico, e in un angolo della stanza il cinghiale faceva un capitombolo e crollava morto.

Mamma non aveva dato molta importanza alle gite venatorie di Leslie finché lui non portò a casa il primo cinghiale selvatico. Dopo aver esaminato quel corpo possente e muscoloso e le zanne aguzze che rialzavano il labbro superiore come in un ringhio, quasi le mancò il respiro.

«Dio santo! Non credevo che fossero così grossi» disse. «Spero che tu sia prudente, caro».

«Non c'è problema,» disse Leslie «a meno che non sbuchino fuori proprio davanti a te; in quel caso è un po' un affaraccio, perché se li manchi ti saltano addosso».

«Molto *pericoloso*» disse mamma. «Non credevo che fossero così grossi... uno di questi bestioni potrebbe ferirti e anche ammazzarti con la massima facilità».

«No, no, mamma, non c'è nessun pericolo se non ti sbucano proprio sotto il naso».

«E anche così, non vedo perché dovrebbe essere pericoloso» disse Larry.

«Perché no?» domandò Leslie.

«Be', se ti aggrediscono e li manchi, perché non gli salti sopra?».

«Non essere ridicolo» disse Leslie sogghignando.

«Quelle bestiacce sono alte un metro a dir poco, e sono di una velocità infernale. Non hai il tempo di saltargli sopra».

«Francamente non vedo perché» disse Larry. «Dopo tutto, non dovrebbe essere più difficile che saltare su una sedia. E comunque, se non puoi saltargli sopra, perché non li scavalchi con un bel volteggio?».

«Queste sono pure idiozie, Larry; tu non li hai mai visti muoversi. Saltare o scavalcare è impossibile».

«Il guaio di voi cacciatori è la mancanza d'immaginazione» disse Larry in tono critico. «Io ti do delle splendide idee – tu non devi fare altro che metterle in pratica. Ma no, tu le bocci seduta stante».

«Be', la prossima volta vieni anche tu e dimostrami come si fa» propose Leslie.

«Io non sostengo di essere un villoso uomo d'azione» disse Larry in tono austero. «Il mio campo è il regno delle idee – il lavoro di cervello, per così dire. Io metto il mio cervello a vostra disposizione per il compimento di progetti e stratagemmi, e poi voi, il bracciantato, li mettete in pratica».

«D'accordo. Ma io *questo* in pratica non lo metto davvero» disse Leslie convinto.

«A me sembra una cosa estremamente temeraria» disse mamma. «Non fare sciocchezze, caro. E tu, Larry, smettila di ficcargli in testa certe idee così pericolose».

Larry era sempre pieno di idee sulle cose di cui non si intendeva affatto. A me dava consigli sul modo migliore di studiare la natura, a Margo sui vestiti, a mamma sul modo di dirigere la casa e di coprire il deficit in banca, e a Leslie sul modo di sparare. E non correva alcun rischio, perché sapeva benissimo che nessuno di noi poteva rendergli la pariglia spiegandogli il modo migliore di scrivere. Se uno di noi aveva un problema, invariabilmente Larry sapeva il modo migliore di risolverlo; se qualcuno si gloriava di qualche sua impresa, Larry non riusciva mai a capire perché si dovesse fare tanto scalpore – era una cosa facilissima, posto che uno sapesse usare il cervello.

Proprio per questa sua spocchia finì col dare fuoco alla villa.

Leslie era tornato da una gita sulla terraferma, carico di selvaggina, e scoppiava d'orgoglio. Ci spiegò che aveva fatto la sua prima doppietta. Ma dovette entrare in particolari, prima che afferrassimo la magnificenza della sua impresa. In gergo venatorio, a quanto pare, fare una doppietta significa uccidere in rapida successione due uccelli o due qualsiasi altri animali sparando prima con la canna sinistra e poi con la canna destra. In piedi nella grande cucina lastricata, illuminato dal bagliore rosso del fuoco di legna, ci raccontò come lo stormo di anatre fosse arrivato nel freddo del primo albore, in una lunga fila che attraversava il cielo. Tra un vibrante frullar d'ali erano passate sopra di loro, e Leslie aveva preso di mira la capofila e aveva sparato, poi aveva puntato il fucile sulla seconda e con una rapidità incredibile aveva sparato ancora, sicché quando aveva abbassato le canne fumanti le due anatre erano piombate nel lago quasi con un solo tonfo. Radunati in cucina, tutti ascoltavamo affascinati questa vivida descrizione. L'ampio tavolo di legno era pieno zeppo di selvaggina, mamma e Margo stavano spennando un paio di anatre per la cena, io esaminavo le varie specie e prendevo appunti sul mio diario (che si stava rapidamente coprendo di macchie di sangue e di piume), e Larry stava seduto su una sedia, con una bell'anatra morta in grembo, intento ad accarezzare le sue ali duricce e a osservare Leslie che, immerso sino alla vita in una palude immaginaria, ci mostrava per la terza volta come avesse azzeccato la sua doppietta.

«Bravissimo, caro» disse mamma, quando Leslie ebbe descritto la scena per la quarta volta. «Dev'essere stato molto difficile».

«Non vedo perché» disse Larry.

Leslie, che era proprio sul punto di ricominciare daccapo tutta la sua descrizione, s'interruppe e lo guardò con occhi fiammeggianti.

«Ah no?» disse in tono bellicoso. «E tu che ne sai? Tu non saresti capace di colpire un ulivo a tre passi, figuriamoci un uccello in volo!».

«Amico mio, non ti sto sminuendo» disse Larry con la sua voce più melliflua e irritante. «Solo non vedo perché sia considerato tanto difficile fare quella che a me sembra una cosa molto semplice».

«*Semplice?* Se tu avessi la minima esperienza di caccia non diresti che è semplice».

«Non credo che sia necessario avere esperienza. A me sembra che si tratti semplicemente di mantenere il sangue freddo e di avere una certa mira».

«Non fare lo stupido» disse Les disgustato. «Tu pensi sempre che le cose che fanno gli altri siano semplici».

«È il guaio di chi è versatile» sospirò Larry. «Di solito, quando mi ci provo, si rivelano tutte di una semplicità ridicola. Ecco perché non capisco tutto questo scalpore per una normalissima dimostrazione di tiro al volo».

«Di una semplicità ridicola quando ti ci provi *tu*?» ripeté Leslie incredulo. «E quando mai tu hai messo in pratica uno dei tuoi consigli?».

«Questa è una calunnia» disse Larry punto sul vivo. «Sono sempre disposto a dimostrare che le mie idee sono giuste».

«Benissimo, allora vediamo come azzecchi una doppietta».

«Ma certo. Tu provvedi il fucile e le vittime e io ti faccio vedere che non ci vuole nessuna abilità particolare: si tratta soltanto di avere una mente pronta che sa valutare l'aspetto matematico del problema».

«Bene. Domani andiamo a caccia di beccaccini nella palude. Andranno benissimo per far lavorare la tua mente pronta».

«Non mi dà nessun piacere far strage di uccelli che hanno tutta l'aria d'essere rachitici dalla nascita,» disse Larry «ma visto che è in gioco il mio onore, immagino che li si debba sacrificare».

«Se ne pigli *uno* potrai dirti fortunato» disse Leslie con soddisfazione.

«Ma possibile che dobbiate sempre litigare per le cose più stupide?» disse mamma filosoficamente, nettando i suoi occhiali dalle penne.

«Ha ragione Les» saltò su a dire Margo. «Larry non fa mai niente, ma ha la mania di spiegare agli altri come si fanno le cose. Una lezione gli sta bene. *Io* penso che Les è stato bravissimo a prendere due piccioni con una fava, o come diavolo si dice».

Leslie, preso dal sospetto che Margo avesse male interpretato la sua impresa, s'imbarcò in un nuovo e più particolareggiato resoconto dell'episodio.

Era piovuto tutta la notte, sicché la mattina dopo di buon'ora, quando ci incamminammo per assistere alle prodezze di Larry, il terreno era così bagnato che si spiaccicava sotto i nostri piedi, e aveva un odore forte e penetrante come un plum-cake. Per quella grande occasione Larry si era messo una grossa penna di tacchino sul cappello di tweed, e sembrava un piccolo, corpulento e dignitosissimo Robin Hood. Non fece che lamentarsi durante tutto il tragitto sino alla palude dove si radunavano i beccaccini. E che era freddo, e che si sdrucciolava a tutto spiano, e che non capiva perché Leslie non potesse credergli sulla parola senza tutta quella ridicola farsa, e che il suo fucile era pesante, e che come niente non avremmo nemmeno trovato la selvaggina, perché secondo lui soltanto un pinguino deficiente avrebbe potuto sognarsi di star fuori in una giornata come quella. Con fredda implacabilità noi lo facemmo marciare sino alla palude, senza dar retta a tutte le sue lagnanze e le sue proteste.

In realtà la palude non era che il fondo di una piccola valle, una decina di acri di terreno piano che durante la primavera e l'estate veniva coltivato. D'inverno lo si lasciava tornare allo stato selvaggio e diventava una foresta di erbacce e di bambù, intersecata dai canali d'irrigazione colmi d'acqua sino alle sponde. Questi canali che attraversavano in lungo e in largo la palude rendevano difficile la caccia, perché erano quasi tutti troppo larghi per scavalcarli con un salto, e non si poteva passarli a guado perché sotto a un metro di acqua sporca c'erano due metri di fango liquido. Qua e là c'erano alcuni stretti ponti di tavole, che erano quasi tutti malsicuri e crollanti ma costituivano l'unico mezzo per circolare nella palude. Durante una caccia si doveva dividere il proprio tempo tra la ricerca della selvaggina e la ricerca del prossimo ponte.

Avevamo appena attraversato il primo ponticello quando tre beccaccini spiccarono il volo davanti ai nostri piedi e si alzarono quasi a candela zigzagando di qua e di là. Larry imbracciò il fucile e tutto eccitato premette il grilletto. Il cane scattò, ma non si udì alcun suono.

«Forse sarebbe il caso di caricarlo» disse Leslie con un certo qual pacato trionfo.

«Credevo che l'avessi caricato *tu*» disse Larry con acrimonia. «Dopo tutto sei tu che svolgi le mansioni di portatore. Quei due li avrei presi, non fosse stato per la tua inefficienza».

Caricò il fucile e ci incamminammo lentamente in mezzo ai bambù. Avanti a noi sentivamo una coppia di gazze che schiamazzavano come disperate a ogni nostro movimento. Larry borbottava minacce e imprecazioni, perché tutto quello strepito metteva in allarme la selvaggina. Quelle continuavano a volare davanti a noi, schiamazzando forte, finché Larry non ne fu esasperato. Si fermò all'estremità di un minuscolo ponte che spenzolava su un'ampia distesa d'acqua stagnante.

«Non si può farli star zitti, quei due uccelli?» disse furioso. «Faranno scappare tutta la selvaggina».

«I beccaccini no» disse Leslie. «I beccaccini non si muovono finché non gli arrivi quasi addosso».

«Mi sembra proprio inutile continuare» disse Lar-

ry. «Tanto varrebbe farci precedere da una banda».
Si cacciò il fucile sotto il braccio e marciando irritato s'incamminò sul ponte. E allora accadde l'incidente. Stava proprio al centro della tavola che traballava tutta cigolante quando due beccaccini, che se ne stavano nascosti nelle alte erbe dall'altra parte del ponte, sbucarono fuori dalle frasche e partirono come razzi verso il cielo. Dimentico della sua posizione un po' particolare, Larry tutto eccitato imbracciò il fucile e, cercando di tenersi in equilibrio sul ponte oscillante, fece fuoco con tutt'e due le canne. Il fucile tuonò e rinculò, i beccaccini si allontanarono illesi e Larry, con un grido sgomento, precipitò all'indietro nel canale.

«Tieni il fucile in alto!... Tieni il fucile in alto!!!» urlava Leslie.

«Non alzarti se no sprofondi» strillava Margo. «Resta fermo!».

Ma Larry, riverso sul dorso, aveva un solo desiderio, quello di uscire dall'acqua il più presto possibile. Si drizzò a sedere e poi cercò di rimettersi in piedi sostenendosi, con grande spasimo di Leslie, alle canne del fucile. Si rialzò, il fango liquido cominciò a fremere e a ribollire, il fucile scomparve e Larry sprofondò sino alla cintola.

«Guarda che cosa hai fatto al fucile» gridò Leslie furioso. «Accidenti, hai fatto ostruire le canne!».

«E che diavolo pretendi che faccia?» ringhiò Larry. «Che me ne stia qui a farmi risucchiare? Dammi una mano, Cristo santo!».

«Tira fuori il fucile» disse Leslie infuriato.

«Mi rifiuto di salvare il tuo fucile se tu non salvi me» strillò Larry. «Maledizione, non sono mica una foca... *tirami fuori!*».

«Se mi tendi il fucile riesco a tirarti fuori, idiota» gridò Leslie. «Se no non ci arrivo».

Larry annaspò freneticamente sotto la superficie e sprofondò un tantino più giù, prima di riuscire a recuperare il fucile, tutto imbrattato di fango nero e maleodorante.

«Dio mio! *guarda* che roba,» gemette Leslie, nettandolo dal fango col suo fazzoletto «ma guarda qui che roba!».

«Vuoi piantarla di far la lagna per quel maledetto fucile e ti decidi a tirarmi fuori?» domandò Larry caustico. «O vuoi che muoia affogato come uno Shelley degli sportivi?».

Leslie gli tese le estremità delle canne, e ci mettemmo tutti a tirare. I nostri sforzi non ebbero alcun risultato, tranne quando ci fermammo esausti e Larry sprofondò ancora un poco.

«Se non sbaglio dovreste salvarmi,» fece notare Larry ansimando «e non darmi il colpo di grazia!».

«Oh, piantala di dir fesserie e cerca di tirarti fuori» scattò Leslie.

«E cosa diavolo credi che stia facendo, Cristo santo? Già così mi saranno venute almeno tre ernie».

Finalmente, dopo molti sforzi, dal fango venne un rutto possente. Larry fu catapultato alla superficie e noi lo issammo sull'argine. Lui se ne rimase là, tutto coperto di melma nera e puzzolente, come una statua di cioccolata che si fosse avvicinata troppo a un altoforno; quando gli fummo accanto sembrava che si stesse liquefacendo.

«Stai bene?» domandò Margo.

Larry la fulminò con lo sguardo.

«Benissimo,» disse in tono sarcastico «proprio benissimo. Non mi ero mai divertito tanto. A parte un leggero attacco di polmonite, la schiena contorta e il fatto che una delle mie scarpe è rimasta a cinque braccia di profondità, me la sto proprio spassando».

Mentre zoppicava verso casa ci rovesciò addosso tutto il suo disprezzo e la sua indignazione, e quando infine arrivammo si era persuaso che era stato tutto un complotto. Quando entrò in casa, lasciandosi dietro una traccia che sembrava un campo arato, mamma diede in un rantolo di orrore.

«Che cosa hai *fatto,* caro?» domandò.

«Fatto? Cosa credi che abbia fatto? Sono andato a caccia».

«Ma come hai fatto a ridurti in questo modo, caro? Sei *zuppo.* Sei caduto in acqua?».

«Davvero, mamma, tu e Margo avete una tale perspicacia che qualche volta mi domando come facciate a sopravvivere».

«Ho solo *domandato,* caro» disse mamma.

«Be', è ovvio che sono caduto in acqua; cosa credevi che avessi fatto?».

«Devi cambiarti, caro, se no ti buschi un raffreddore».

«Faccio da solo,» disse Larry con dignità «per oggi ho già subito abbastanza attentati alla mia vita».

Rifiutò tutte le offerte di aiuto, prese dalla dispensa una bottiglia di brandy e si chiuse in camera sua, dove, seguendo le sue istruzioni, Lugaretzia accese un gran fuoco. E lui se ne rimase tutto imbacuccato nel letto, starnutendo e poppando brandy. A ora di pranzo mandò a prenderne un'altra bottiglia, e all'ora del tè potevamo sentirlo che cantava a pieni polmoni, interrompendosi ogni tanto per scoppiare in fragorosi starnuti. All'ora di cena Lugaretzia arrancò su per le scale con la terza bottiglia, e mamma cominciò a preoccuparsi. Mandò su Margo a vedere se Larry stava bene. Dopo un lungo silenzio, si sentirono la voce collerica di Larry e quella supplichevole di Margo. Mamma salì accigliata per vedere che cosa stesse succedendo, e Leslie e io la seguimmo.

Nella camera di Larry un gran fuoco crepitava dietro la grata del camino, e Larry era completamente invisibile sotto un enorme cumulo di coperte. Margo, con un bicchiere in mano, stava accanto al letto in atteggiamento desolato.

«Che cosa gli succede?» domandò mamma avanzando risoluta.

«È ubriaco,» disse Margo affranta «e non riesco a

farlo ragionare. Sto cercando di fargli prendere il sale inglese, se no domani si sentirà da cani, ma lui non vuole. Continua a nascondersi sotto le coperte e dice che voglio avvelenarlo».

Mamma strappò il bicchiere dalla mano di Margo e marciò verso il letto.

«Ora basta, Larry, e smettila di fare lo sciocco,» disse in tono secco «bevi questo *immediatamente*».

Le coperte si sollevarono e la testa arruffata di Larry comparve da quell'ammasso. Scrutò mamma con occhi annebbiati, poi sbatté le palpebre con aria assorta.

«Sei una vecchiaccia orribile... devo averti già vista da qualche parte» disse, e prima che mamma si fosse ripresa dal colpo, cadde in un sonno profondo.

«Be',» disse mamma allibita «deve aver bevuto come una spugna. Comunque, visto che adesso dorme, aggiungiamo un po' di legna e lasciamolo in pace. Domattina starà meglio».

La mattina dopo di buon'ora fu Margo a scoprire che un grosso tizzone era scivolato giù dal camino sull'assito della stanza e aveva dato fuoco alla trave sottostante. Volò giù per le scale in camicia da notte, pallida per l'emozione, e irruppe nella camera di mamma.

«La casa è in fiamme... Uscite... uscite...» gridò con voce drammatica.

Mamma balzò dal letto immediatamente.

«Sveglia Gerry... sveglia Gerry...» gridò sforzandosi, per qualche ragione nota soltanto a lei, di agganciarsi il busto sopra la camicia da notte.

«Svegliatevi... svegliatevi... L'incendio... l'incendio!» strillava Margo a squarciagola.

Leslie e io ci precipitammo sul pianerottolo.

«Che succede?» domandò Leslie.

«L'incendio!» gli gridò Margo nell'orecchio. «Larry sta bruciando vivo!».

Comparve mamma, che aveva un aspetto decisamente stravagante col busto agganciato di sghembo sopra la camicia da notte.

«Larry? Presto, salvatelo» gridò, e corse su per le scale verso l'attico, con tutti noi alle calcagna. La camera di Larry era piena di fumo acre, che saliva denso dalle fessure tra le assi del pavimento. Larry dormiva beato. Mamma si precipitò accanto al letto e scosse Larry vigorosamente.

«Svegliati, Larry! Per l'amore del cielo svegliati!».

«Che succede?» domandò lui, drizzandosi a sedere tutto insonnolito.

«La stanza va a fuoco».

«Non mi sorprende» disse lui, tornando a sdraiarsi. «Di' a Les che lo spenga».

«Bisogna versarci sopra qualcosa,» gridò Les «datemi qualcosa da versarci sopra».

Margo, obbedendo a queste istruzioni, afferrò una bottiglia semivuota di brandy e ne versò il contenuto su un'ampia area del pavimento. Le fiamme divamparono crepitando allegramente.

«Non il *brandy,* cretina!» urlò Leslie «l'acqua... porta dell'acqua».

Ma Margo, affranta da quel suo contributo all'olocausto, scoppiò in lacrime. Imprecando tra i denti Les strappò via le coperte dal corpo disteso di Larry e se ne servì per soffocare le fiamme. Larry balzò su sdegnato.

«Che diavolo sta succedendo?» domandò.

«C'è un incendio, caro».

«Be', non è una buona ragione perché io debba morire di freddo... perché mi avete tolto tutte le coperte? Che razza di confusione! Non ci vuole niente a spengere un incendio».

«Oh, chiudi il becco!» scattò Leslie, saltando su e giù sulle coperte.

«Non ho mai visto nessuno che perda la testa come voi» disse Larry. «Si tratta semplicemente di conservare il sangue freddo. Les ha già fatto il più; ora, mamma, se Gerry va a prendere l'accetta e tu e Margo portate dell'acqua, lo spengeremo subito».

Finalmente, mentre Larry se ne stava sdraiato sul letto e dirigeva le operazioni, noialtri riuscimmo a strappar via le assi e a spengere la trave che stava bruciando. Il fuoco doveva aver covato tutta la notte, perché la trave, un blocco d'ulivo dello spessore di almeno trenta centimetri, era carbonizzata per metà. Quando infine Lugaretzia fece la sua comparsa e cominciò a spazzar via tutto quel guazzabuglio di coperte bruciacchiate, schegge di legno, acqua e brandy, Larry si sdraiò sul letto sospirando.

«Ecco fatto,» dichiarò «tutto a posto senza confusione e senza panico. Si tratta solo di non perdere la testa. Vi sarei grato se qualcuno mi portasse una tazza di tè, per cortesia: ho un mal di testa atroce».

«Non mi sorprende; ieri sera hai preso una ciucca formidabile» disse Leslie.

«Se non sai distinguere tra un accesso di febbre per assideramento e un'orgia alcolica non è giusto che macchi la mia reputazione» osservò Larry.

«Be', comunque la febbre ti ha lasciato una bella spranghetta» disse Margo.

«Questa non è una spranghetta,» disse Larry con dignità «è soltanto tensione nervosa perché sono stato svegliato all'alba da un mucchio di gente isterica e ho dovuto dominare una crisi».

«L'hai dominata col cavolo, standotene a letto» sbuffò Leslie.

«Non è l'azione che conta, ma il cervello che la stimola, l'intelligenza pronta, l'abilità di mantenere la testa a posto quando tutti gli altri la stanno perdendo. Non fosse stato per me, probabilmente sareste bruciati tutti quanti nei vostri letti».

Era arrivata la primavera e l'isola era sgargiante di fiori. Agnelli dalle code pendule saltellavano sotto gli ulivi, pestando i crochi gialli sotto i loro minuscoli zoccoli. Somarelli neonati dalle zampe bitorzolute e vacillanti piluccavano tra gli asfodeli. Gli stagni, i corsi d'acqua e i fossi erano tutti festonati di maculate uova di rospo, le tartarughe stavano spingendo via le loro coperte invernali di foglie e di terra, e le prime farfalle, estenuate e sbiadite dall'inverno, intrecciavano pallidi voli tra i fiori.

In quell'aria frizzante che dava alla testa passavamo quasi tutta la giornata sulla loggia, mangiando, dormendo, leggendo, o anche solo discutendo. E sulla loggia, una volta alla settimana, avevamo l'abitudine di riunirci a leggere la posta che Spiro ci portava. Si trattava in massima parte di cataloghi d'armi da fuoco per Leslie, riviste di moda per Margo e periodici sulla fauna per me. La posta di Larry in genere consisteva di libri e di interminabili lettere di scrittori, artisti e musicisti che parlavano di scrittori, artisti e musicisti. Quella di mamma era composta di una pila di lettere di vari parenti, con una spruzzatina di cataloghi di piante. Mentre scorrevamo la corrispondenza, ci scambiavamo spesso qualche commento o ne leggevamo qualche rigo ad alta voce. Non lo facevamo per ragioni di socievolezza (perché comunque nessuno della famiglia ascoltava), ma solo perché sembravamo incapaci di gustare pienamente le nostre lettere e le nostre riviste se non ne facevamo partecipi anche gli altri. Ogni tanto però capitava che qualche notizia fosse abbastanza sorprendente per attirare l'attenzione di tutti, e fu quello che accadde in un bel giorno di primavera in cui il cielo sembrava di vetro azzurro e noi, seduti nell'ombra chiazzata della vite, divoravamo la nostra posta.

«Oh, questo è carino... Guarda... d'organdis con le

maniche a sbuffo... mi piacerebbe più di velluto, però... o forse col sopra di velluto e la gonna *svasata*. Oh, questo è carino... ci starebbero bene dei lunghi guanti bianchi e una di quelle grandi paglie estive, no?».

Una pausa, il fievole gemito di Lugaretzia che si udiva dalla sala da pranzo e si accompagnava al fruscio della carta. Roger sbadigliò forte, imitato, nell'ordine, da Vomito e da Pipì.

«Dio? Che meraviglia!... Ma guardate qua... mirino telescopico, sicura... È magnifico! Uhm... centocinquanta... non costa nemmeno tanto, immagino... questo sì che è a buon prezzo... Vediamo un po'... a doppia canna... Sì... credo proprio che occorra qualcosa di più pesante per le anatre».

Roger si grattò le orecchie, prima l'una poi l'altra, piegando la testa da un lato, con un'espressione di beatitudine sulla faccia e un piccolo guaito di piacere. Pipì si sdraiò e chiuse gli occhi. Vomito cercò invano di catturare una mosca, facendo schioccare le mascelle mentre tentava di ghermirla al volo.

«Ah! Finalmente hanno accettato una poesia di Antoine! Ha del vero talento, se soltanto riesce a tirarlo fuori. Varlaine sta mettendo su una tipografia in una stalla... Bah! edizioni numerate delle sue opere. Oh, Dio, George Bullock si sta dando ai ritratti... ritratti, figuriamoci! Quello non sa dipingere neanche un candeliere. Ecco un buon libro che dovresti leggere, mamma: *I drammaturghi elisabettiani*... un'opera meravigliosa... ci sono cose interessantissime».

Roger si attorcigliò tutto per cercarsi una pulce sul didietro, usando i denti davanti come una tosatrice e sbuffando rumorosamente. Pipì contrasse appena appena le zampe e la coda, mentre le sue sopracciglia fulve si agitavano per lo stupore suscitato dal suo sogno. Vomito stava sdraiato e faceva finta di dormire, storcendo gli occhi per vedere dove si posava la mosca.

«Zia Mabel si è trasferita nel Sussex... Dice che

Henry ha fatto tutti gli esami ed entrerà in banca... almeno, *credo* che si tratti di una banca... ha una scrittura atroce, nonostante tutte le arie che si dà per le scuole costosissime che ha frequentate... Zio Stephen si è rotto una gamba, poveretto... e che diamine si è fatto alle *scapole*?... Ah, no, no, ho capito... questo modo di scrivere... si è rotto una gamba cadendo da una pila di scatole... Dovrebbe pensarci due volte prima di salire su una pila di scatole alla sua età... ridicolo... Tom si è sposato... con una delle Garnet...».

Mamma lasciava sempre per ultima una grossa lettera, con l'indirizzo scritto a caratteri spaziosi, decisi, arrotondati, che era la puntata mensile della prozia Hermione. In famiglia le sue lettere scatenavano sempre uno sdegnato tumulto, sicché quando mamma, con un sospiro di rassegnazione, spiegava le venti e più pagine, si sistemava comoda sulla sedia e cominciava a leggere, tutti mettevamo da parte la nostra corrispondenza e ci facevamo attenti.

«Dice che i medici non le danno molte speranze» osservò mamma.

«Sono quarant'anni che i medici non le danno nessuna speranza, e lei è ancora forte come un bue» disse Larry.

«Dice che le è sembrato un po' strano da parte nostra precipitarci in Grecia in questo modo, ma hanno avuto un inverno pessimo e ritiene che forse abbiamo fatto bene a scegliere un clima così salubre».

«Salubre! Che razza di parola!».

«Oh santo cielo!... oh no.. oh Signore!...».

«Che succede?».

«Dice che vuol venire a stare qui da noi... i medici le hanno consigliato un clima caldo!».

«Ah no, mi rifiuto! Non potrei sopportarlo» gridò Larry balzando in piedi. «Non basta che Lugaretzia ci faccia vedere le gengive tutte le mattine, ci mancherebbe anche la prozia Hermione che muore a poco a poco per tutta la casa! Devi dirle di no, mamma... dille che non c'è posto».

«Ma non posso, caro; nell'ultima lettera le ho detto che avevamo una villa grandissima».

«Probabilmente se n'è dimenticata» disse Leslie speranzoso.

«No. Ne parla qui... dov'è?... ah, sì, ecco qui: "Visto che adesso a quanto pare puoi permetterti una casa così vasta, sono sicura, Louie cara, che non vorrai negare un angolino a una povera vecchia che non ha più molto da vivere ". Siamo sistemati! Che diavolo possiamo *fare*?».

«Scrivile che è scoppiata un'epidemia di vaiolo e mandale una fotografia dell'acne di Margo» suggerì Larry.

«Non dire sciocchezze, caro. Del resto, le ho detto che qui c'è un clima molto sano».

«Francamente sei impossibile, mamma» proruppe Larry irritato. «Mi stavo sognando una bella estate tranquilla per lavorare, con soltanto pochi amici scelti, e ora rischiamo di essere invasi da quel vecchio cammello maligno che puzza di naftalina e canta inni in gabinetto».

«Be', caro, adesso *esageri.* E non so che cosa c'entrino i gabinetti – non le ho mai sentito cantare inni in nessun posto».

«Non fa altro che cantare inni... *Guidaci, Luce misericordiosa,* mentre tutti fanno la fila sul pianerottolo».

«Be', comunque dobbiamo trovare una scusa buona. Non posso scriverle che non la vogliamo perché canta gli inni».

«Perché no?».

«Non essere irragionevole, caro; dopo tutto, *è* una parente».

«E questo che diavolo c'entra? Non vedo perché dovremmo fare un sacco di smancerie a quella vecchia strega solo perché è una parente, quando l'unica cosa sensata sarebbe di metterla al rogo».

«Via, non è poi così orribile» protestò mamma non troppo convinta.

«Cara mamma, di tutti gli immondi parenti che ci affliggono lei è decisamente la peggiore. Perché ti tieni in contatto con lei giuro che non riesco proprio a immaginarmelo».

«Be', devo pur rispondere alle sue lettere, no?».

«Perché? Scrivi *Partita* sulla busta e rimandale al mittente».

«Non è possibile, caro; riconoscerebbero la mia calligrafia,» disse mamma in tono vago «e poi, questa ormai l'ho aperta».

«Uno di noi non potrebbe scriverle che stai male?» suggerì Margo.

«Sì, diremo che i medici non ci hanno lasciato nessuna speranza» disse Leslie.

«La lettera la scrivo *io*» disse Larry gongolando. «Mi procurerò una di quelle belle buste col bordo nero... darà una certa verosimiglianza a tutta la faccenda».

«Non farai niente di simile» disse mamma con fermezza. «Se lo fai, quella viene di corsa a curarmi. Lo sai com'è fatta».

«Ma perché ti tieni in contatto con loro, questo vorrei sapere» ripeté Larry affranto. «Che soddisfazione ti dà? Sono tutti quanti o dei fossili o dei pazzi scatenati».

«Ma via, non sono pazzi» disse mamma indignata.

«E come no, mamma... Guarda zia Bertha, che alleva turbe di gatti immaginari... e il prozio Patrick, che va in giro nudo e racconta a dei perfetti sconosciuti come ammazzava le balene con un temperino... Sono *tutti* strambi».

«Be', sono un po' *eccentrici;* ma sono tutti molto vecchi, e quindi è inevitabile. Però non sono *pazzi*» spiegò mamma; e soggiunse candidamente: «comunque, non abbastanza per chiuderli in manicomio».

«Be', se dobbiamo subire l'invasione dei parenti, c'è una sola cosa da fare» disse Larry in tono rassegnato.

«E sarebbe?» domandò mamma guardandolo speranzosa da sopra gli occhiali.

«Dobbiamo trasferirci, naturalmente».

«Trasferirci? Trasferirci dove?» domandò mamma stupefatta.

«In una villa più piccola. Così potrai scrivere a tutte quelle cariatidi che non abbiamo posto».

«Ma non essere stupido, Larry. Non possiamo *continuare* a trasferirci. Abbiamo preso questa villa proprio per far fronte ai tuoi amici».

«Be' ora ci trasferiamo per far fronte ai parenti».

«Ma non possiamo *continuare* a correre da un punto all'altro dell'isola... la gente penserà che siamo diventati matti».

«Se compare quella vecchia arpia ci giudicheranno ancora più matti. Francamente, mamma, se quella venisse non riuscirei a sopportarlo. Probabilmente mi farei prestare da Leslie uno dei suoi fucili e le farei qualche buco in più».

«Larry! Vorrei che tu *non* dicessi certe cose davanti a Gerry».

«Ti sto solo avvertendo».

Ci fu una pausa, mentre mamma puliva febbrilmente i suoi occhiali.

«Ma mi sembra così... così... *stravagante* continuare a cambiar casa in questo modo, caro» disse infine.

«Non c'è niente di stravagante» disse Larry stupito. «È una cosa logicissima».

«Ma certo» disse Leslie. «È una specie di legittima difesa, comunque».

«Sii ragionevole, mamma» disse Margo. «Dopo tutto, partire è un po' rivivere, no?».

Così, tenendo a mente questo proverbio di nuovo conio, traslocammo.

PARTE TERZA

L'uomo felice vive (dicono)
quanto l'infelice, e un giorno di più.
UDALL, *Ralph Roister Doister*

XIII
LA VILLA BIANCA COME LA NEVE

Appollaiata sulla cima di un colle tra gli ulivi, la nuova villa, bianca come la neve, aveva lungo un fianco una vasta loggia frangiata da una spessa mantovana di viti. Davanti alla casa c'era un giardino piccolo come un fazzoletto e cintato da un muro che era tutto un folto viluppo di fiori selvatici. L'intero giardino era ombreggiato da una grande magnolia, le cui lucide foglie d'un verde scurissimo gettavano un'ombra cupa. Il viale tutto pieno di solchi scendeva tortuoso dalla villa giù per il pendio, e attraversava uliveti, vigne e frutteti prima di raggiungere la strada. La villa ci era piaciuta non appena Spiro ce l'aveva fatta vedere. Si ergeva, decrepita ma estremamente elegante, in mezzo agli ulivi ubriachi, e aveva l'aria di una damigella del diciottesimo secolo adagiata tra un nugolo di domestiche. Le sue attrattive erano state immensamente valorizzate, almeno ai miei occhi, dalla scoperta di un pipistrello che si era rifugiato in una delle stanze e penzolava a testa in giù da una persiana stridendo con tetra malevolenza. Speravo che continuasse a trascorrere le sue giornate nella casa, ma non appena traslocammo lui decise che quel posto stava diventando troppo affollato e andò a cercarsi un ulivo tranquillo. La sua decisione mi dispiacque, ma poiché molte altre cose mi tenevano occupato mi dimenticai presto di lui.

Proprio alla villa bianca entrai in rapporti di vera confidenza con le mantidi; sino allora mi era capitato talvolta di vederle aggirarsi tra i mirti in cerca di preda, ma non mi ero mai interessato molto a loro. Adesso mi costrinsero a farlo, perché la cima del colle su cui si ergeva la casa ne era letteralmente piena, ed erano quasi tutte molto più grosse di quelle che avevo viste prima. Stavano sdegnosamente acquattate sugli ulivi, in mezzo ai mirti, sulle foglie verdi e levigate della magnolia, e di notte convergevano sulla casa, ronzando nella luce della lampada, con le loro ali verdi che frullavano come le pale dei piroscafi di altri tempi, per poi atterrare sui tavoli o sulle sedie e aggirarsi all'intorno con ostentazione, voltando la testa di qua e di là in cerca di preda, guardandoci fisso con quei loro occhi rotondi nella faccia senza mento. Non mi ero mai reso conto che le mantidi potessero diventare così grosse; alcuni degli esemplari che venivano a farci visita erano lunghi più di dieci centimetri, mostri che non avevano paura di niente e non esitavano ad aggredire avversari grossi quanto loro e anche più grossi. Pareva che questi insetti considerassero la casa di loro proprietà, e i muri e i soffitti il loro legittimo terreno di caccia. Ma anche i gechi che vivevano nelle crepe del muro di cinta consideravano la casa come loro terreno di caccia, sicché tra le mantidi e i gechi c'era uno stato di guerra permanente. Quasi tutte le battaglie erano semplici scaramucce tra individui delle due diverse specie, ma siccome di solito gli avversari erano di pari forza, raramente queste battaglie si concludevano in modo clamoroso. Ogni tanto, però, c'era una battaglia che meritava d'essere vista. E io ebbi la fortuna di assistere a una di queste battaglie dalla tribuna d'onore, perché essa si svolse al di sopra, su e dentro il mio letto.

Durante il giorno quasi tutti i gechi vivevano sotto l'intonaco staccato del muro di cinta. Quando il sole tramontava e l'ombra fresca della magnolia avvolgeva la casa e il giardino, essi facevano la loro comparsa, sporgendo dalle crepe le loro piccole teste e guardandosi curiosamente intorno coi loro occhi dorati. A poco a poco scivolavano lungo il muro, coi corpi piatti e tozzi, le code quasi coniche che nella penombra sembravano grigio cenere. Avanzavano cautamente sul muro chiazzato di musco finché non trovavano scampo nella vite sopra la loggia, e lì aspettavano pazientemente che il cielo si oscurasse e le lampade venissero accese. Allora si sceglievano i loro territori di caccia e si incamminavano sul muro della casa per raggiungerli, alcuni diretti alle camere da letto, alcuni verso la cucina, mentre altri restavano tra le foglie di vite sopra la loggia.

C'era un geco che aveva prescelto come territorio di caccia la mia camera da letto, e io finii col conoscerlo molto bene e lo battezzai Geronimo, perché i suoi assalti contro gli insetti mi sembravano astuti e ben studiati come tutte le imprese compiute da quel famoso pellerossa. Geronimo sembrava più in gamba di tutti gli altri gechi. Tanto per cominciare viveva solo, sotto una grossa pietra nell'aiola di zinnie ai piedi della mia finestra, e vicino alla sua casa non tollerava altri gechi; quanto a questo, a un geco estraneo non avrebbe nemmeno consentito di entrare nella mia camera. Si svegliava più presto degli altri suoi simili, e usciva da sotto la sua pietra quando il muro e la casa erano ancora rischiarati dalla tenue luce del tramonto. Zampettava su per il precipizio di bianco intonaco scaglioso finché non raggiungeva la finestra della mia camera, e giunto là faceva capolino oltre il davanzale, guardandosi curiosamente intorno e muovendo rapidamente la testa su e giù, due o tre volte, non sono mai riuscito a capire se per salutarmi o perché era soddisfatto di trovare la stanza come l'aveva lasciata. Se ne restava sul davanzale, con la gola palpitante, finché non si faceva buio e non veniva portata una lampada; e in quella luce dorata sembrava che cambiasse colore, passando dal grigio cenere a un pallido, traslucido color perla rosato che metteva in risalto il nitido disegno a pelle-d'oca delle sue squame, e faceva sembrare così fine e sottile la sua pelle da darvi il desiderio che fosse trasparente per poter vedere i visceri, accuratamente ravvolti come la proboscide di una farfalla, dentro il suo ventre grasso. Con gli occhi luccicanti di gioia, zampettava lungo il muro sino al suo posto preferito, l'angolo esterno a sinistra del soffitto, e lì restava attaccato a testa in giù, in attesa che comparisse il suo pasto serale.

Il cibo non tardava ad arrivare. Il primo sciame di moscerini, zanzare e coccinelle, che Geronimo non degnava d'uno sguardo, era seguito ben presto dalle tipule, dai formicaleoni, dalle falene più piccole e da alcuni dei coleotteri più robusti. Osservare la furtiva tattica di avvicinamento di Geronimo era quanto mai istruttivo. Un formicaleone o una falena, dopo aver mulinato intorno alla lampada sino a stordirsi, svolazzava sino al soffitto e si posava nel cerchio bianco disegnato lassù dalla luce. Geronimo, aggrappato a testa in giù nel suo angolo, si irrigidiva tutto. Muoveva su e giù la testa due o tre volte, molto rapidamente, poi cominciava a spostarsi con grande cautela lungo il soffitto, un millimetro per volta, con gli occhi brillanti fissi sull'insetto. Scivolava lentamente sull'intonaco finché non arrivava a una decina di centimetri dalla sua preda, allora si fermava per un secondo, e tu potevi vedere il movimento impercettibile dei suoi piedi carnosi mentre cercava di rendere più salda la loro presa sull'intonaco. L'eccitazione faceva diventare i suoi occhi ancora più sporgenti, sulla sua faccia si spandeva un'espressione che lui doveva credere di una ferocia agghiacciante, la punta della sua coda aveva un lieve fremito, poi, scorrevole come una goccia d'acqua, lui scivolava sul soffitto, faceva con la bocca un piccolo schiocco e subito tornava a voltarsi, con un'aria di beata felicità e in bocca il formicaleone con le zampe e le ali che gli frangiavano le labbra come stravaganti e tremuli baffi da tricheco. Agitava vigorosamente la coda come un cucciolo festoso, e poi tornava zampettando al suo rifugio per consumare in pace il suo pasto. Aveva una vista incredibilmente acuta, perché più volte lo vidi sbirciare una minuscola falena dall'altra parte della stanza e fare tutto il giro del soffitto per arrivarle abbastanza vicino da riuscire a catturarla.

Il suo atteggiamento verso i rivali che cercavano di invadere il suo territorio era molto esplicito. Non appena quelli si issavano sul bordo del davanzale e si fermavano un attimo per riposarsi dopo la lunga arrampicata sul muro della villa, subito si sentiva un trepestio e Geronimo attraversava il soffitto come un fulmine, si precipitava giù lungo la parete, e poi atterrava con un leggero tonfo sul davanzale. Prima che l'intruso potesse fare un solo gesto, Geronimo gli era addosso. Il particolare curioso era che lui non assaliva il nemico alla testa o al corpo, come tutti gli altri gechi. Puntava dritto alla coda dell'avversario, e afferrandola con la bocca, a due millimetri circa dalla punta, ci si attaccava come un bulldog e la scrollava di qua e di là. L'intruso, snervato da questo vile e insolito sistema di attacco, ricorreva immediatamente al venerando stratagemma difensivo delle lucertole: mollava la coda e fuggiva a tutta velocità oltre il bordo del davanzale e giù lungo il muro verso l'aiola di zinnie. Geronimo, ansando un poco per lo sforzo, restava trionfante sul davanzale, con la coda del nemico che gli pendeva dalla bocca e sferzava l'aria come un serpente. Accertatosi che il rivale se n'era andato, Geronimo si metteva comodo e cominciava a mangiarsi la coda, un'abitudine disgustosa che io disapprovavo con tutta l'anima. Ma evidentemente era il suo modo di festeggiare la vittoria, e lui non era del tutto felice finché la coda non si trovava al sicuro nel suo stomaco prominente.

Quasi tutte le mantidi che volavano nella mia stanza erano piuttosto piccole. Geronimo aveva sempre una gran voglia di afferrarle, ma quelle erano troppo svelte per lui. Al contrario degli altri insetti, le mantidi non si lasciavano incantare dalla luce della lampada: invece di turbinarvi intorno come ubriache, loro se ne stavano ferme in un punto conveniente e divoravano i danzatori tutte le volte che quelli si posavano per recuperare le forze. I loro occhi a forma di bulbo dovevano essere acuti come quelli del geco, ed esse riuscivano a vederlo e ad allontanarsi rapidamente molto prima che lui fosse arrivato alla distanza giusta per combattere. Ma la notte della grande battaglia incontrò una mantide che non soltanto si rifiutò di volar via, ma andò addirittura ad affrontarlo, e lui per poco non ci rimise le penne.

Da qualche tempo ero affascinato dalle abitudini coniugali delle mantidi. Avevo visto lo sfortunato maschio accovacciato sul dorso della femmina la quale, tranquillissima, se lo pappava con la testa girata all'indietro. Anche dopo che la testa e il torace dello sposo erano scomparsi nella bocca nettamente delineata della femmina, la sua estremità inferiore continuava a fare il proprio dovere. Avendo osservato la loro vita amorosa alquanto selvaggia, adesso ero impaziente di vedere una femmina deporre le uova e poi di vederle schiudersi. Mi si presentò quest'occasione un giorno che stavo sulle colline e mi trovai faccia a faccia, per così dire, con una mantide femmina eccezionalmente grossa che incedeva con passo regale tra l'erba. Aveva il ventre teso, e io fui certo che stava aspettando un lieto evento. Si fermò un istante, oscillando un poco sulle sue zampe sottili, poi, dopo avermi guardato con freddezza, riprese il cammino, facendosi maestosamente strada tra gli steli. Conclusi che la cosa migliore era catturarla, così lei avrebbe deposto le uova in una scatola e io avrei potuto osservarle con tutto comodo. Non appena si rese conto che stavo cercando di catturarla si girò di scatto e si drizzò sulle zampe di dietro, con le pallide ali verde giada spalancate, le braccia irte di aculei, ricurve verso l'alto in un minaccioso gesto di sfida. Divertito dal suo atteggiamento bellicoso nei confronti di una creatura tanto più grossa di lei, con disinvoltura la presi per il torace, tra l'indice e il pollice. Immediatamente le sue braccia lunghe e aguzze si protesero all'indietro e si chiusero sul mio pollice, e fu come se fossi stato trafitto da una mezza dozzina di aghi. Rimasi così sorpreso che la lasciai cadere e mi ritrassi per succhiarmi la ferita: vidi che tre delle piccole punture erano veramente profonde, e che spremendole affioravano delle minuscole gocce di sangue. Sentii aumentare il mio rispetto per lei; era senza dubbio un insetto da non sottovalutare. Al secondo tentativo fui più cauto e usai tutt'e due le mani, afferrandola per il torace con una e tenendole con l'altra le pericolosissime braccia. Lei si dimenò invano e cercò di mordermi con le mandibole, chinando la sua piccola faccia maligna e appuntita e mordicchiando la mia pelle, ma le sue mandibole erano troppo deboli per riuscire nell'intento. La portai nella mia camera da letto e la rinchiusi in una grande gabbia coperta di garza, elegantemente adorna di felci, di erica e di sassi, tra cui lei si muoveva con agile grazia. Le misi nome Cerfoglio, senza nessuna ragione particolare, e passavo un sacco di tempo a catturare farfalle che lei mangiava in grandi quantità e con inalterato appetito, mentre il suo addome continuava a ingrossarsi. Proprio quand'ero sicuro che da un momento all'altro avrebbe deposto le uova, lei chi sa come trovò un buco nella gabbia e fuggì via.

Una sera stavo leggendo a letto quando, con un grande frullo d'ali, Cerfoglio attraversò la stanza e si posò con un tonfo sulla parete, a circa tre metri dal punto dove Geronimo era tutto intento a spazzar via gli ultimi rimasugli di una falena pelosissima. Con le labbra impiastricciate di peluria lui s'interruppe e fissò attonito Cerfoglio. Sono sicuro che non aveva mai visto una mantide così grossa, perché Cerfoglio era più lunga di lui di almeno un centimetro. Stupefatto dalle sue dimensioni e sbalordito dalla sfrontatezza con cui si era sistemata nella sua stanza, Geronimo non seppe far altro che fissarla per qualche secondo. Intanto Cerfoglio girava la testa di qua e di là e si guardava intorno con torvo interesse, come una zitella spigolosa in una galleria d'arte. Riprendendosi dallo stupore, Geronimo decise che quell'insetto si meritava una lezione. Si pulì la bocca sul soffitto, poi mosse su e giù la testa e staffilò l'aria con la coda, sforzandosi chiaramente di entrare in uno stato di furore incontenibile. Cerfoglio non se ne curò affatto, e continuò a guardarsi intorno, oscillando leggermente sulle sue lunghe zampe sottili. Geronimo scese lentamente lungo la parete, con la gola palpitante di furore, poi, a circa un metro dalla mantide, si fermò e mosse un po' i piedi, uno alla volta, per accertarsi che aderissero bene al muro. Cerfoglio, con stupore ben simulato, mostrò di averlo visto in quel momento. Senza cambiare posizione, girò la testa e lo scrutò da sopra la spalla. Geronimo la fissò furente, con la gola che gli palpitava più che mai. Dopo averlo esaminato freddamente coi suoi occhi globulari, Cerfoglio si mise a ispezionare il soffitto come se il geco non esistesse. Geronimo si avvicinò di qualche centimetro, e anche stavolta mosse i piedi, mentre la punta della sua coda si contorceva. Poi si gettò avanti, e allora successe una cosa strana. Cerfoglio, che sino a quel momento era parsa tutta assorta a ispezionare una crepa nell'intonaco, tutt'a un tratto spiccò il volo, fece un giro, tornò a posarsi nello stesso punto, ma con le ali aperte come un manto, si drizzò sulle zampe di dietro e piegò le due utili zampe anteriori in posizione di attacco. Geronimo non era preparato a quell'ispida accoglienza, e a pochi centimetri di distanza si arrestò bruscamente e la guardò fisso. Lei lo fissò a sua volta con bellicoso disprezzo. Geronimo sembrò un po' sconcertato da tutta la faccenda; stando alla sua esperienza, la mantide, nel vederlo avvicinare, avrebbe dovuto spiccare il volo e battersela a tutta velocità, e invece quella stava lì ritta, con le braccia pronte a pugnalare, il suo verde mantello d'ali che frusciava piano piano mentre lei si dondolava da un lato e dall'altro. Ma ormai, dopo essersi spinto fino a quel punto, lui non poteva più tirarsi indietro, sicché si fece coraggio e partì per il massacro.

La sua velocità e il suo peso ebbero un certo effetto, perché si abbatté sulla mantide e la fece barcollare, e la strinse tra le mandibole sotto il torace. Cerfoglio gli rese la pariglia chiudendo a scatto tutt'e due le zampe davanti sulle zampe posteriori di Geronimo. Ondeggiarono abbarbicati lungo tutto il soffitto e giù per la parete, ognuno cercando di prendere il sopravvento. Poi ci fu una pausa, mentre i contendenti si riposavano prima del secondo round, sempre avvinghiati l'uno all'altro. Mi domandai se fosse il caso di intervenire; non volevo che uno dei due restasse ucciso, ma nello stesso tempo la battaglia era così affascinante che non me la sentivo di separarli. Prima che arrivassi a decidere, loro ricominciarono.

Per qualche misteriosa ragione, Cerfoglio faceva di tutto per trascinare Geronimo giù dalla parete sul pavimento, mentre lui stava facendo di tutto per trascinare lei sul soffitto. Per un po' barcollarono di qua e di là, sopraffacendosi a vicenda, ma in realtà non successe niente di determinante. Poi Cerfoglio commise il suo errore fatale; approfittando di una delle loro momentanee pause, si scagliò in aria nel tentativo, si sarebbe detto, di volare attraverso la stanza tenendo Geronimo tra gli artigli, come fa l'aquila con un agnello. Ma non aveva valutato bene il peso dell'antagonista. Il suo balzo improvviso colse di sorpresa il geco e strappò via dal soffitto i suoi piedi a ventosa, ma non appena furono a mezz'aria lui diventò un peso morto, e un peso tale che nemmeno Cerfoglio riuscì a reggerlo. E in un intricato viluppo di coda e di ali caddero sul mio letto.

Quella caduta li sorprese entrambi a tal punto che ciascuno dei due lasciò la presa, e rimasero là sulla coperta, fissandosi con occhi fiammeggianti. Ritenendo che quello fosse il momento buono per intervenire e concludere la partita a punteggio pari stavo per afferrare i due contendenti, quando loro si gettarono di nuovo l'uno contro l'altro. Stavolta Geronimo fu più furbo e strinse tra le mandibole una delle aguzze braccia di Cerfoglio. Lei gli rese la pariglia serrandogli l'altro braccio intorno al collo. Sulla coperta lo svantaggio era uguale per entrambi, perché ci si impigliavano con i piedi e gli artigli e non riuscivano a districarsene. Lottarono sbattendosi da una parte all'altra del letto, poi cominciarono a spostarsi verso il cuscino. Ormai erano ridotti entrambi a mal partito: Cerfoglio aveva un'ala tutta lacera e cincischiata e una zampa rotta e fuori uso, mentre Geronimo aveva il dorso e il collo pieni di graffi sanguinanti prodotti dalle braccia aguzze di Cerfoglio. A quel punto avevo una tale voglia di vedere chi dei due avrebbe vinto che non mi sognai nemmeno di separarli, sicché quando loro si avvicinarono al cuscino io balzai giù dal letto, perché non mi garbava affatto l'idea di sentirmi trafiggere il torace da una delle chele di Cerfoglio.

La mantide sembrava già un po' stanca, ma non appena i suoi piedi sentirono la superficie liscia del lenzuolo parve riprendere lena. Fu un vero peccato che rivolgesse quel ritorno di energia contro l'obiettivo sbagliato. Mollò la presa sul collo di Geronimo e gli afferrò la coda; forse pensava che così facendo sarebbe riuscita a sollevarlo in aria e a metterlo fuori combattimento, questo non potrei dirlo con sicurezza, ma è certo che ottenne l'effetto opposto. Non appena i suoi artigli affondarono nella coda di Geronimo lui gliela lasciò tra le mani, ma per riuscirci dovette scrollarsi furiosamente, e nel dimenare la testa da una parte e dall'altra staccò a Cerfoglio il braccio che stringeva tra le mandibole. Sicché da una parte c'era Cerfoglio con la coda sferzante di Geronimo stretta nell'artiglio, e dall'altra Geronimo, senza coda e sanguinante, che teneva in bocca il braccio sinistro tutto fremente di Cerfoglio. Cerfoglio avrebbe ancora potuto cavarsela se avesse afferrato subito Geronimo, prima che lui sputasse quella boccata di braccio; ma lei era troppo occupata con quella coda guizzante, che, penso, doveva credere un organo vitale del suo nemico, e continuava a tenerla ben stretta con l'unico braccio che le restava. Geronimo sputò quello che aveva in bocca e balzò avanti, le sue mandibole scattarono e la testa e il torace di Cerfoglio scomparvero nella sua gola.

Questo segnò la fine della battaglia; ora Geronimo doveva soltanto aspettare che Cerfoglio morisse. Le zampe della mantide si contrassero, le sue ali si spiegarono come grandi ventagli e sbatterono frusciando come foglie secche, il suo grosso addome pulsò, e i movimenti del suo corpo agonizzante fecero ruzzolare entrambi in una piega delle coperte scompigliate. Per un pezzo non riuscii a vederli; potevo udire soltanto il lieve crepitio delle ali della mantide, ma poco dopo cessò anche quello. Ci fu una pausa, e poi una piccola testa graffiata e insanguinata si sporse oltre l'orlo del lenzuolo, e due occhi dorati mi fissarono con espressione trionfante, mentre Geronimo veniva fuori trascinandosi esausto. Dalla spalla gli era stato strappato un bel pezzo di pelle, che aveva lasciato una chiazza di carne viva e rossa; il suo dorso era punteggiato di goccioline di sangue là dove gli aculei l'avevano trafitto, e il suo sanguinolento mozzicone di coda lasciava ad ogni suo passo una traccia scarlatta sul lenzuolo. Era a pezzi, spossato ed esausto, ma vittorioso. Per un po' rimase là fermo, con un lieve palpito nella gola, e lasciò che gli pulissi il dorso con un batuffolo di cotone idrofilo avvolto in cima a un fiammifero. Poi, per premiarlo, catturai cinque mosche grasse e gliele diedi, e lui se le mangiò con grande soddisfazione. Quando ebbe un po' ripreso le forze, si incamminò lentamente lungo la parete, salì sul davanzale e scese giù lungo il muro esterno della casa, diretto alla sua tana sotto la pietra nell'aiola di zinnie. Doveva aver deciso che dopo un duello così movimentato una notte di riposo era quel che gli ci voleva. La sera dopo tornò nel suo solito angolo, pimpante come sempre, agitando con gioia il suo mozzicone di coda nel vedere il banchetto d'insetti che svolazzavano intorno alla lampada.

Un paio di settimane dopo la sua grande battaglia, una sera, con mio grande stupore, Geronimo comparve sul davanzale in compagnia di un altro geco. Il nuovo venuto era molto minuscolo, sarà stato grande la metà di Geronimo, ed era di un delicatissimo color rosa perlaceo, con gli occhi grandi e lustri. Geronimo andò a mettersi nel suo solito angolo, mentre il nuovo venuto scelse un punto al centro del soffitto. Subito si dedicarono con immensa concentrazione alla loro caccia agli insetti, ignorandosi completamente l'un l'altro. A tutta prima pensai che il nuovo venuto fosse la sposa di Geronimo, visto che era così grazioso, ma una ricognizione nell'aiola di zinnie mi dimostrò che sotto la sua pietra lui faceva ancora vita da scapolo. Evidentemente il nuovo geco viveva altrove, e compariva soltanto di sera per unirsi a Geronimo quando lui si inerpicava lungo il muro sino alla mia camera. Avendo visto quant'era combattivo con gli altri gechi non riuscivo a spiegarmi come mai tollerasse quest'intruso. Mi gingillai con l'idea che fosse un figlio o una figlia di Geronimo, ma sapevo che i gechi non hanno vita familiare di sorta, limitandosi a deporre le uova e lasciando che i piccoli (una volta nati) provvedano a se stessi, perciò la cosa non era probabile. Ero ancora indeciso sul nome da mettere a questo nuovo frequentatore della mia camera quando il poveretto restò vittima di un destino atroce.

A sinistra della casa c'era una valle che sembrava una gran ciotola d'erba, tutta imbullettata dalle colonne ritorte dei tronchi di ulivo. Questa valle era circondata da scoscendimenti di argilla e di ghiaia alti circa sei metri, ai piedi dei quali cresceva un fitto folto di mirti che copriva un ammasso disordinato di rocce. Per me rappresentava un territorio di caccia molto proficuo, perché dentro quell'area e tutto all'intorno vivevano grandi quantità di animali d'ogni specie. Un giorno che stavo andando a caccia tra questi macigni trovai, sotto i cespugli, un tronco d'ulivo caduto e semimarcito. Pensando che sotto potesse esserci qualcosa d'interessante, lo sollevai con tutte le mie forze finché non riuscii a rovesciarlo da una parte con un gran tonfo. Nella cavità lasciata dal suo peso stavano accovacciate due creature che mi fecero rimanere a bocca aperta per lo stupore.

A quanto potevo vedere erano rospi comuni, ma i più grossi che avessi mai visti. La loro circonferenza era molto più larga di un normale piattino. Erano di un verde grigiastro, molto bitorzoluti, e col corpo cosparso di strane chiazze bianche sulle quali la pelle era lustra e carente di pigmento. Se ne stavano acquattati là come due Budda obesi e malati di lebbra, fissandomi e inghiottendo con quell'aria colpevole che è tipica dei rospi. Quando li presi, uno per mano, mi sembrò di tenere sulle palme due flaccidi palloni di cuoio, e loro mi guardarono sbattendo i loro begli occhi di filigrana d'oro e si sistemarono più comodamente sulle mie dita, fissandomi fiduciosi, mentre le loro larghe bocche dalle grosse labbra sembravano distendersi in un sorriso incerto e imbarazzato. Mi piacevano da morire, ed ero così eccitato da quella scoperta che sentii di doverli mostrare subito a qualcuno, se no tutta quella gioia trattenuta mi avrebbe fatto scoppiare. Sicché tornai di corsa alla villa, stringendo un rospo in ciascuna mano, per far vedere alla famiglia i miei nuovi acquisti.

Mamma e Spiro stavano esaminando le provviste nella dispensa quando io vi feci irruzione. Sollevai i rospi verso di loro e li supplicai di guardare quei meravigliosi anfibi. Stavo proprio vicino a Spiro, sicché quando lui si volse si trovò faccia a faccia con un rospo. Il cipiglio di Spiro scomparve, gli occhi gli si spalancarono e la sua pelle prese una sfumatura verdastra; la somiglianza tra lui e il rospo era sorprendente. Cavando fuori il fazzoletto e premendoselo contro la bocca, Spiro uscì con passo incerto sulla loggia, dove fu preso da violenti conati.

« Non dovresti far vedere a Spiro certe cose, caro » obiettò mamma. « Lo sai che è delicato di stomaco ».

Io ribattei che pur sapendo quanto Spiro fosse delicato di stomaco non avrei potuto immaginare che la vista di quelle adorabili creature gli facesse un simile effetto. Cos'avevano di tanto strano quei rospi? domandai molto perplesso.

« Non hanno niente di strano caro, sono molto carini » disse mamma guardando i rospi con un certo sospetto. « È solo che *nessuno* li ama troppo ».

Spiro rientrò vacillando, pallido, asciugandosi la fronte col fazzoletto. Io mi affrettai a nascondere i rospi dietro la schiena.

« Perbacco, signorino Gerry, » disse afflitto « perché lei mi mostri quelle cose? Mi dispiace che devo correre fuori, signora Durrell, ma davvero quando vedo uno di loro bastardi devo vomitare, e ho pensato che è meglio se vomito fuori e non qua. Lei non mi mostri più quelle cose, signorino Gerry, prego ».

Con mia grande delusione, di fronte ai due rospi il resto della famiglia ebbe una reazione molto analoga a quella di Spiro, e così, visto che negli altri non riuscivo a suscitare nessun entusiasmo, mi portai tutto triste le due bestiole nella mia camera e le nascosi ben chiuse sotto il mio letto.

Quella sera, dopo aver acceso le lampade, misi in libertà i rospi per fargli fare una passeggiatina nella stanza, e mi divertii a far cadere sul pavimento gli insetti che svolazzavano intorno alla lampada perché loro se ne cibassero. I due saltavano goffamente di qua e di là, inghiottendo questi bocconcini, con le larghe bocche che si chiudevano di scatto con un lieve suono schioccante non appena la loro lingua viscosa aveva risucchiato l'insetto. A un tratto una falena enorme e particolarmente isterica entrò vacillando nella stanza, e io, pensando che sarebbe stata una vera leccornia, mi misi a darle la caccia. Poco dopo si fermò sul soffitto, fuori della mia portata, a pochi centimetri dall'amico di Geronimo. Visto che la falena era grossa almeno il doppio di lui, il geco saggiamente la ignorò. Nel tentativo di farla cadere giù le scaraventai contro una rivista, e fu una vera stupidaggine. La rivista mancò la falena ma colse in pieno il geco, proprio mentre lui cominciava a tener d'occhio l'avvicinarsi di un formicaleone. La rivista finì nell'angolo della stanza, e il geco cadde con un tonfo sul tappeto proprio davanti al più grosso dei due rospi. Prima che il rettile avesse ripreso fiato, e prima ch'io potessi fare qualcosa per salvarlo, il rospo si protese con un'espressione benevola sulla faccia, la sua bocca enorme si spalancò come un ponte levatoio, la lingua guizzò fuori e si ritrasse, risucchiando il geco, poi la bocca si richiuse e riprese quella sua piega di timida ilarità. Geronimo, appeso a testa in giù nel suo angolo, parve restare del tutto indifferente al destino del suo compagno, ma io fui sconvolto da quell'episodio e mortificato dalla sensazione che era stata colpa mia. Nel timore che anche Geronimo potesse restar vittima della loro ferocia, mi affrettai a prendere i rospi e a chiuderli di nuovo nella loro scatola.

Per un mucchio di ragioni, questi rospi giganti mi incuriosivano molto. Prima di tutto sembravano rospi comuni, ma avevano quelle strane macchie bianche sul corpo e sulle zampe. E poi tutti i rospi comuni che avevo visti raggiungevano sì e no un quarto delle dimensioni di questi mostri. Un'altra cosa strana era che li avevo trovati sotto quel tronco; già il trovare uno solo di quei mostri sarebbe stato insolito, ma trovarne due acquattati fianco a fianco doveva essere una scoperta unica, ne ero sicurissimo. Arrivai persino a domandarmi se non si sarebbero rivelati di una specie completamente sconosciuta. Tutto speranzoso li tenni imprigionati sotto il mio letto sino al giovedì successivo, quando arrivò Theodore. Allora corsi a perdifiato su nella mia stanza e li portai giù per farglieli vedere.

«Ah ah!» disse Theodore, esaminandoli attentamente e stuzzicandone uno col dito «sì, effettivamente sono degli esemplari molto grossi».

Ne tolse uno dalla scatola e lo posò sul pavimento, dove quello rimase a guardarlo con aria triste, bozzuto e sfatto come una palla di pasta di pane ammuffita.

«Uhm... sì,» disse Theodore «si direbbe proprio che siano... ehm... rospi comuni, anche se, come dico, sono esemplari veramente *belli.* Queste strane macchie sono dovute alla mancanza di pigmentazione. Direi che sono dovute all'età, anche se, naturalmente... ehm... potrei sbagliarmi. Devono avere un'età considerevole per essere... ehm... per avere raggiunto queste proporzioni».

Rimasi stupito, perché non avevo mai saputo che i rospi fossero animali longevi. Domandai a Theodore a quale età arrivassero normalmente.

«Be', è difficile dirlo... uhm... non ci sono statistiche su cui basarci,» precisò, con gli occhi che gli luccicavano «ma direi che degli esemplari grossi come questi possano benissimo avere dodici o anche venti anni. Pare che abbiano una grande capacità di resistenza. Ho letto non so dove che certi rospi sono stati murati vivi nelle case eccetera, e che, a quanto sembra, hanno continuato a vivere imprigionati in quel modo per un sacco di anni. In un caso specifico sono sicuro che si trattava di qualcosa come venticinque anni».

Tirò fuori dalla scatola l'altro rospo e lo posò vicino al compagno. Loro rimasero l'uno accanto all'altro, inghiottendo e sbattendo gli occhi, coi fianchi flosci che palpitavano al ritmo del respiro. Theodore li contemplò ben bene per un momento, poi tirò fuori dalla tasca del panciotto un paio di pinzette. Si inoltrò nel giardino e rivoltò parecchi sassi finché non scovò un grosso lombrico bagnaticcio color rossobruno. Lo prese delicatamente con le pinzette e tornò sulla loggia. Si fermò davanti ai rospi e, senza chinarsi, lasciò cadere il lombrico guizzante sulle lastre di pietra. Lui si ravvolse in un viluppo, poi lentamente cominciò a svolgersi. Il rospo più vicino alzò la testa, sbatté rapidamente gli occhi e si girò un poco in modo da trovarsi di fronte al verme. Il verme continuò a contorcersi come un filo di lana su un tizzo di carbone. Il rospo si protese, guardando giù verso il verme con un'espressione di profondo interesse sulla larga faccia.

«Ah ah!» disse Theodore, e sorrise tra la barba.

Il verme disegnò un otto particolarmente convulso, e il rospo, tutto eccitato, si protese ancora un poco. La sua grande bocca si aprì, la lingua rosa guizzò fuori, e la parte anteriore del verme fu risucchiata nella gola sbadigliante. Il rospo chiuse la bocca con uno scatto, e il verme, che pendeva quasi tutto fuori, si contorse freneticamente. Il rospo si accovacciò, e con estrema cura, aiutandosi con le dita, provvide a cacciarsi dentro la bocca il resto del verme. Via via che il verme guizzante finiva a pezzi e a bocconi nella sua bocca, il rospo inghiottiva forte, chiudendo gli occhi con un'espressione che sembrava di acuta pena. Lentamente ma inesorabilmente, pezzetto per pezzetto, il verme scomparve tra le grosse labbra, sinché alla fine non rimase fuori che un minuscolo rimasuglio che si contorceva di qua e di là.

«Uhm» disse Theodore con voce allegra. «Mi diverte sempre assistere a questa scena. Mi fa tornare alla mente quei prestigiatori, sai, quelli che si tirano fuori dalla bocca metri e metri di fettuccia o di nastri colorati... ehm... ma *all'incontrario*, naturalmente».

Il rospo sbatté le palpebre, inghiottì disperatamente, strinse forte gli occhi, e l'ultimo pezzettino di verme scomparve nella sua bocca.

«Chi sa,» disse Theodore con aria pensierosa, gli occhi che gli luccicavano «chi sa se ai rospi si potrebbe insegnare a ingoiare le *spade*? Sarebbe un esperimento interessante».

Raccolse con garbo i rospi e li rimise nella scatola.

«Spade non affilate, naturalmente» disse, raddrizzandosi e dondolandosi sui tacchi, con gli occhi tutti uno sfavillio. «Se fossero affilate, metterei il tuo rospo in un bel pasticcio».

E ridacchiò piano tra sé, grattandosi un lato della barba col pollice.

XIV
I FIORI PARLANTI

Non passò molto, ed ebbi la sgradita notizia che mi era stato trovato un altro insegnante. Stavolta si trattava di un certo signor Kralefsky, un individuo che discendeva da una complessa mescolanza di nazionalità, ma che era prevalentemente inglese. La famiglia mi informò che era un uomo molto simpatico e che per giunta si interessava agli uccelli, sicché saremmo andati d'accordo. Io comunque non mi lasciai affatto impressionare da questo particolare: avevo conosciuto un sacco di persone che dichiaravano di interessarsi agli uccelli, e che poi si erano rivelate (dopo un accurato interrogatorio) dei perfetti ciarlatani che non sapevano come fosse fatta un'upupa, o non sapevano distinguere un codirosso da un tordo comune. Ero certo che la famiglia aveva escogitato questo insegnante appassionato di uccelli nel semplice tentativo di farmi soffrire meno all'idea di dovermi rimettere a studiare. Ero sicuro di scoprire che la sua fama di ornitologo era dovuta al fatto che a quattordici anni aveva avuto in casa un canarino. Quindi mi recai in città per la mia prima lezione nel più tetro stato d'animo.

Kralefsky viveva nei due piani superiori di una vecchia casa squadrata e piena di muffa che si ergeva alla periferia della città. Mi inerpicai su per le scale ampie e, tanto per fare una sdegnosa bravata, sparai una scarica di colpi col battaglio che decorava la porta d'ingresso. Rimasi in attesa, ribollendo di rabbia e affondando con violenza il tacco della scarpa nel tappeto rosso vino; infine, proprio mentre stavo per bussare di nuovo, sentii un leggero trepestio, e la porta d'ingresso, spalancandosi, mi rivelò il mio nuovo insegnante.

Decisi immediatamente che Kralefsky non era un essere umano, ma uno gnomo che si era camuffato da uomo indossando un vestito fuori moda ma molto lindo. Aveva una grossa testa a forma di uovo e appiattita ai lati, che lui rovesciava all'indietro contro una gobba liscia e rotonda. Questo gli dava l'aria alquanto strana di essere sempre intento a stringersi nelle spalle e a scrutare il cielo. Un lungo naso aquilino dalle narici molto larghe sporgeva ricurvo dalla sua faccia, e i suoi occhi grandissimi erano limpidi e di un pallido color sherry. Avevano uno sguardo fisso e lontanissimo, come se il loro proprietario si stesse appena destando da uno stato di ipnosi. La sua bocca larga e sottile riusciva a combinare la compitezza con l'umorismo, e in quel momento era stirata da un orecchio all'altro in un sorriso di benvenuto, che scopriva una dentatura regolare ma ingiallita.

«Gerry Durrell?» domandò, saltellando come un passero in amore e sventolando verso di me le sue grandi mani ossute. «Sei Gerry Durrell, no? Vieni, ragazzo mio, vieni!».

Mi indicò la strada con un lungo indice, e io, passandogli davanti, entrai nell'ingresso buio, dove l'assito scricchiolava di protesta sotto la pelle rognosa del tappeto.

«Di qua; questa è la stanza dove lavoreremo» disse Kralefsky con voce flautata, spalancando una porta e facendomi entrare in una piccola stanza con pochissimi mobili. Posai i miei libri sul tavolo e mi sedetti sulla sedia che lui mi indicava. Si protese sul tavolo, appoggiandosi sulla punta delle dita molto curate, e mi rivolse un sorriso vago. Non sapendo bene che cosa si aspettasse, io gli sorrisi a mia volta.

«Amici!» proruppe lui in tono estatico. «È *importantissimo* che noi siamo amici. Io sono certo, assolutamente certo che diventeremo amici, non è vero?».

Io annuii serio, mordendomi il dentro della guancia per trattenere un sorriso.

«L'amicizia,» mormorò lui, chiudendo gli occhi con aria estatica a quel pensiero «l'amicizia! Questo è l'importante!».

Le sue labbra si mossero tacitamente e io mi domandai se stesse pregando, e in quel caso se pregava per me, per sé o per tutti e due. Una mosca svolazzò intorno alla sua testa poi gli si posò fiduciosamente sul naso. Kralefsky trasalì, la spazzò via, aprì gli occhi e mi guardò ammiccando.

«Sì, sì, è proprio così,» disse fermamente «sono sicuro che saremo amici. Tua madre mi dice che hai una grande passione per la storia naturale. Questo, vedi, stabilisce fin dal principio qualcosa in comune tra noi... un legame, si potrebbe dire, eh?».

Infilò l'indice e il pollice nel taschino del panciotto, ne trasse un grosso orologio d'oro e lo guardò con aria accigliata. Diede un sospiro, tornò a intascare l'orologio e poi si lisciò la pelata sulla testa, che scintillava come un ciottolo scuro tra i licheni dei suoi capelli.

«Io ho una certa fama come avicoltore, sia pure dilettante» mi informò con modestia. «Ho pensato che forse potrebbe interessarti di vedere la mia collezione. Oso pensare che una mezz'oretta con i pennuti prima di metterci al lavoro non sarà un gran danno. Del resto, stamattina ho fatto *un po'* tardi, e a qualcuno di loro bisogna rinnovare l'acqua».

Mi precedette su per una scala scricchiolante sin sotto il tetto della casa e si fermò davanti a una porta tappezzata di panno verde. Tirò fuori un enorme mazzo di chiavi, che tintinnavano melodiosamente intanto che cercava quella giusta; la infilò nella toppa, la girò e spalancò la pesante porta. Uno sfavillio di sole scaturì dalla porta, accecandomi, e col sole si riversò fuori un assordante coro di cinguettii; era come se in quello sporco corridoio in cima alla casa Kralefsky avesse aperto i cancelli del paradiso. La soffitta, molto vasta, occupava quasi tutto il sottotetto. Non c'era tappeto, e l'unico mobile era un largo tavolo d'abete in mezzo alla stanza. Ma le pareti, dal pavimento al soffitto, erano tutte incastellate di grosse gabbie ariose che contenevano dozzine di uccelli svolazzanti e trillanti. Il pavimento della stanza era coperto da un sottile strato di miglio, sicché nel camminare i piedi scricchiolavano con un suono molto gradevole, come quando si cammina su una spiaggia ciottolosa. Affascinato da quella massa di uccelli girai lentamente attorno alla stanza, fermandomi a guardare in ogni gabbia, mentre Kralefsky (che pareva essersi dimenticato della mia esistenza) prendeva dal tavolo un grande annaffiatoio e danzava con passo leggero da una gabbia all'altra, riempiendo le vaschette.

La mia prima impressione, che gli uccelli fossero tutti canarini, era completamente sbagliata; con immensa gioia scoprii che c'erano cardellini dipinti come pagliacci di vivido color rosso, giallo e nero; verdoni gialli e verdi come foglie di limone nel pieno dell'estate; fanelli molto eleganti nel loro tweed color bianco-e-cioccolata; ciuffolotti col petto rigonfio e color rosa, e un mucchio di altri uccelli. In un angolo della stanza trovai delle piccole porte-finestre che davano su un terrazzo. Alle due estremità erano state costruite due grandi uccelliere, in una delle quali viveva un merlo maschio, nero e vellutato, con un becco di uno sgargiante color giallo banana; mentre nell'altra uccelliera c'era un uccello che sembrava un tordo, rivestito di uno splendido piumaggio azzurro, un celestiale insieme di sfumature che andavano dal blu marino all'opale.

«Un tordo montano» dichiarò Kralefsky, sporgendo improvvisamente la testa fuori della porta e indicandomi quel bell'uccello. «Me lo sono fatto mandare l'anno scorso che era ancora un uccellino da nido... dall'Albania, sai? Purtroppo non sono ancora riuscito a procurargli una signora».

Salutò amabilmente il tordo sventolando in aria l'annaffiatoio, poi tornò a scomparire nella soffitta. Il tordo mi fissò con un occhio furbo, gonfiò il petto ed emise una serie di piccoli suoni chioccianti che sembravano una risatina divertita. Dopo averlo contemplato avidamente a lungo, tornai nella soffitta, dove Kralefsky stava ancora riempiendo vaschette.

«Non ti dispiacerebbe aiutarmi?» mi domandò, fissandomi con occhi vacui, e l'annaffiatoio che gli penzolava dalla mano lasciava zampillare un piccolo rivoletto d'acqua sulla punta lustra di una delle sue scarpe. «Penso sempre che un lavoro come questo è molto più facile se lo fanno due paia di mani. Ora, se tu reggi l'annaffiatoio... così... io ti porgo le vaschette da riempire... benissimo! Così è perfetto! Ce la sbrigheremo in un baleno».

Così, mentre io riempivo d'acqua le piccole vaschette di terraglia, Kralefsky le teneva con cura tra l'indice e il pollice e le infilava destramente attraverso le porticine delle gabbie, come se stesse cacciando dei dolciumi nella bocca di un bambino. Lavorando continuava a parlare con assoluta imparzialità a me e agli uccelli, ma siccome il suo tono di voce non mutava affatto, qualche volta non sapevo bene se una certa frase era rivolta a me o a qualche occupante delle gabbie.

«Sì, oggi stanno proprio bene; è il sole, sai... non appena tocca questo lato della casa loro si mettono a cantare, sai? La prossima volta devi farne di più... due soltanto, carina mia, due soltanto! Con tutta la migliore volontà del mondo, *questa* non puoi chiamarla una covata. Ti piacciono questi semi nuovi? Ne allevi qualcuno anche tu, eh? Qui si trovano un sacco di pennuti interessantissimi... Nell'acqua pulita questo non lo devi fare... Certi allevarli è una fatica, naturalmente, ma ne vale la pena, secondo me, specie gli incroci. Di solito io ho avuto dei risultati ottimi con gli incroci... tranne quando tu ne fai soltanto due, naturalmente... briccone, *briccone*!».

Finalmente l'abbeveraggio terminò e Kralefsky rimase un momentino a contemplare i suoi uccelli, sorridendo tra sé e asciugandosi con cura le mani in un piccolo asciugamano. Poi mi accompagnò tutt'intorno alla stanza, fermandosi davanti a ogni gabbia per raccontarmi la storia dell'uccello, chi fossero i suoi antenati, e che cosa si riprometteva di farne lui. Stavamo contemplando – in compiaciuto silenzio – un ciuffolotto grasso e vivacissimo quando all'improvviso una forte e tremula scampanellata squillò superando il bailamme di tutti quei cinguettii. Con mio grande stupore, quel suono parve scaturire da qualche punto dentro lo stomaco di Kralefsky.

«Per Giove!» esclamò lui atterrito, girandosi a guardarmi con occhi angosciati. «Per Giove!».

Infilò l'indice e il pollice nel panciotto e tirò fuori l'orologio. Premette una levetta e lo squillo cessò. Rimasi un po' deluso nel constatare che quello squillo aveva un'origine tanto banale; avere un insegnante con uno stomaco che ogni tanto scampanava avrebbe notevolmente accresciuto il fascino delle lezioni. Kralefsky fissò l'orologio con occhi ansiosi e poi contorse la faccia disgustato.

«Per Giove!» ripeté debolmente «già mezzogiorno... è proprio vero che il tempo vola... Povero me, e tu devi andartene alle dodici e mezzo, no?».

Fece scivolare di nuovo l'orologio nel taschino e si lisciò la pelata.

«Be',» disse infine «credo che in mezz'ora non potremmo davvero fare molti progressi scolastici. Perciò, se per te è un passatempo piacevole, io proporrei di andarcene giù in giardino a raccogliere un po' di senecio per gli uccelli. Gli fa molto bene, sai, specialmente quando stanno per deporre le uova».

Così andammo nel giardino e raccogliemmo senecio finché la macchina di Spiro non arrivò schiamazzando per tutta la strada come un'anatra ferita.

«Credo che sia la tua macchina» disse Kralefsky educatamente. «Siamo riusciti a raccogliere un bel po' di verdura, nel frattempo. Il tuo aiuto è stato inestimabile. Allora, domani sarai qui alle nove in punto, sì? Perfetto! Possiamo anche dire che questa mattinata non è andata perduta; è stato un modo di presentarci, di valutarci a vicenda. E spero che sia stata toccata la corda dell'amicizia. Per Giove, sì, questo è molto importante! Be', *au revoir* a domani, allora».

Mentre chiudevo lo scricchiolante cancello di ferro battuto lui mi salutò gentilmente con la mano e poi si incamminò verso la casa, lasciandosi dietro una traccia di senecio dai fiori dorati, con la gobba che ballonzolava su e giù tra i cespugli di rose.

Quando tornai a casa, la famiglia mi domandò se mi era piaciuto il mio nuovo insegnante. Senza entrare in particolari, dissi che lo trovavo molto simpatico e che senza dubbio saremmo diventati amici. Quando mi domandarono che cosa avessimo studiato quella prima mattina, risposi, con una certa onestà, che quella mattinata l'avevamo dedicata all'ornitologia e alla botanica. La famiglia parve soddisfatta. Ma scoprii ben presto che il signor Kralefsky era molto intransigente in fatto di lavoro, e aveva fermamente deciso di istruirmi, checché ne pensassi io. Le lezioni erano di una noia mortale, perché lui aveva un metodo di insegnamento che doveva essere stato di moda verso la metà del diciottesimo secolo. La storia mi veniva servita a grossi bocconi indigesti, e bisognava imparare le date a memoria. Stavamo là seduti a ripeterle in una specie di monotono coro cantilenante finché diventavano come un incantesimo che noi salmodiavamo meccanicamente, pensando a tutt'altro.

Quanto alla geografia dovevo limitarmi, con mia grande noia, alle Isole Britanniche, e dovevo disegnare innumerevoli mappe e metterci dentro stormi di contee e di capoluoghi di contea. Poi bisognava imparare a memoria i nomi delle contee e dei capoluoghi, e anche quelli dei fiumi importanti, i prodotti principali dei vari luoghi, le popolazioni e molte altre notizie noiosissime e completamente inutili.

«Il Somerset» trillava lui, puntando contro di me un dito accusatore.

Io corrugavo la fronte nel tentativo disperato di ricordare qualcosa di quella contea. Mentre Kralefsky osservava quei miei sforzi mentali, l'ansia gli dilatava gli occhi.

«Be',» diceva infine, quando ormai appariva ovvio che le mie cognizioni sul Somerset erano inesistenti «be', lasciamo stare il Somerset e proviamo col Warwickshire. Allora, il Warwickshire: capoluogo di contea? Warwick! Perfetto! Ora, che cosa si produce a Warwick?».

Per quanto ne sapevo io, a Warwick non si produceva proprio niente, ma tirando a indovinare nominavo il carbone. Avevo scoperto che se uno continuava incessantemente a nominare un certo prodotto (qualunque fosse la contea o la città in discussione) prima o poi la risposta si sarebbe rivelata giusta. La sofferenza che i miei errori suscitavano in Kralefsky era autentica: il giorno in cui lo informai che l'Essex produceva acciaio inossidabile gli vennero le lacrime agli occhi. Ma questi lunghi periodi di depressione erano più che compensati dalla sua immensa gioia quando, per qualche strano caso, rispondevo bene a una domanda.

Una volta alla settimana ci torturavamo dedicando una mattinata al francese. Kralefsky parlava meravigliosamente il francese, e sentirmi massacrare quella lingua gli riusciva quasi intollerabile. Si accorse ben presto che era del tutto inutile cercare di insegnarmela sui normali libri di testo, sicché li mettemmo da parte preferendogli un'opera in tre volumi sugli uccelli; ma anche con questi era una fatica improba. Ogni tanto, mentre leggevamo per la ventesima volta la descrizione del piumaggio del pettirosso, la faccia di Kralefsky prendeva un'aria di feroce risolutezza. Chiudeva di colpo il libro, si precipitava nell'ingresso e un minuto dopo riappariva con un bel panama in testa.

«Credo che servirà a tonificarci un poco... a toglierci di dosso le ragnatele... se facciamo un *giretto*» mi annunciava, dando uno sguardo disgustato a *Les Petits Oiseaux de l'Europe.* «Che ne diresti di andare un po' a zonzo per la città e di tornarcene indietro lungo la Passeggiata? Perfetto! Ma non dobbiamo sprecare il nostro tempo, no? Sarà un'ottima occasione per fare un po' d'esercizio di francese *parlato,* non ti sembra? Perciò niente inglese, per favore, dobbiamo dire tutto in francese. È così che si impara bene una lingua».

Allora, in un silenzio quasi assoluto, ci incamminavamo per la città. Il bello di queste passeggiate era che, qualunque direzione prendessimo, in un modo o nell'altro finivamo sempre col ritrovarci al mercato degli uccelli. Sembravamo un po' come Alice nel giardino dello specchio: per quanto camminassimo decisi nella direzione opposta, in un batter d'occhio ci trovavamo nella piazzetta dove le bancarelle erano sepolte sotto cataste di gabbie di vimini e l'aria risonava del canto degli uccelli. Qui il francese veniva dimenticato: si allontanava nel limbo per raggiungere l'algebra, la geometria, le date storiche, i capoluoghi di contea e altri argomenti analoghi. Con gli occhi che ci luccicavano e i visi raggianti, passavamo da una bancarella all'altra esaminando con cura gli uccelli e contrattando ferocemente coi venditori, e a poco a poco le nostre braccia si riempivano di gabbie.

Poi, all'improvviso, l'orologio nel taschino del panciotto di Kralefsky ci riportava bruscamente sulla terra squillando delicatamente, e lui per poco non lasciava cadere il suo pericolante carico di gabbie negli sforzi che faceva per estrarre l'orologio e fermarlo.

«Per Giove! Mezzogiorno! Chi l'avrebbe detto, eh? Reggimi questo fanello, per piacere, mentre io fermo l'orologio... Grazie... Dobbiamo sbrigarci, eh? Mi sa che non ce la facciamo a piedi, carichi come siamo. Santo cielo! Sarà meglio prendere una carrozza. Un vero spreco, naturalmente, ma quando occorre bisogna fare di necessità virtù».

Così attraversavamo in fretta e furia la piazza, ammucchiavamo i nostri cinguettanti e svolazzanti acquisti in una carrozza e ci facevamo portare a casa di Kralefsky, tra il tintinnio dei finimenti e il tonfo degli zoccoli che si accompagnavano piacevolmente ai trilli del nostro carico alato.

Già da qualche settimana studiavo con Kralefsky quando scoprii che non viveva solo. Di tanto in tanto, nel corso della mattinata, lui si interrompeva tutt'a un tratto nel bel mezzo di una somma o di una filastrocca di capoluoghi di contea e piegava la testa da un lato come se tendesse l'orecchio.

«Scusami un momento» diceva «Devo andare a vedere mia madre».

A tutta prima questo mi lasciò un po' perplesso, perché ero convinto che Kralefsky fosse troppo vecchio per avere una madre ancora vivente. Dopo averci almanaccato sopra, arrivai alla conclusione che quello fosse soltanto un modo garbato di dire che desiderava andare al gabinetto, perché mi rendevo conto che non tutti avevano la disinvoltura della mia famiglia quando si toccava quel tasto. Non pensai affatto che, se la mia conclusione era giusta, Kralefsky si appartava molto più spesso di qualunque altra persona di mia conoscenza. Una mattina, a colazione, avevo mangiato nespole a tutto spiano, e cominciai a sentirne gli spiacevoli effetti mentre eravamo nel mezzo d'una lezione di storia. Visto che Kralefsky era tanto schizzinoso sull'argomento dei gabinetti decisi che dovevo esprimere la mia richiesta in modo educato, e la soluzione migliore mi parve quella di adottare lo strano termine che usava lui. Lo guardai fermamente negli occhi e gli dissi che avrei desiderato fare una visita a sua madre.

«A mia madre?» ripeté lui stupefatto. «Una visita a mia madre? Adesso?».

Non riuscii a capire che cosa ci fosse di tanto strano, sicché mi limitai ad annuire.

«Be',» disse in tono dubbioso «sono certo che mamma sarà felice di vederti, naturalmente, però sarà meglio che vada a vedere se non le è di disturbo».

Uscì dalla stanza, con un'aria ancora un po' perplessa, e tornò dopo qualche minuto.

«Mamma sarà felice di vederti,» annunciò «ma dice che devi scusarla se è un po' in disordine».

Pensai che parlare del gabinetto come se fosse un essere umano significava spingere la buona creanza un po' troppo in là, ma visto che Kralefsky su quell'argomento era palesemente un tantino eccentrico, sentii che era meglio assecondarlo. Gli dissi che non me ne importava neanche un po' se sua madre era in disordine, perché anche la nostra lo era molto spesso.

«Ah... ehm... sì, sì, lo immagino» mormorò lui dandomi un'occhiata un po' allarmata. Mi accompagnò lungo un corridoio, aprì una porta e, con mia enorme sorpresa, mi fece entrare in una vasta camera da letto in penombra. La stanza era una foresta di fiori; vasi, conche e recipienti di coccio erano posati un po' dappertutto, e da ognuno traboccava una massa di splendide corolle che scintillavano nell'oscurità, come pareti di gioielli in una grotta ombreggiata di verde. A un capo della stanza c'era un letto enorme, e nel letto, appoggiata a un mucchio di cuscini, giaceva una minuscola figura non più grande di un bambino. Quando mi avvicinai capii che doveva essere vecchissima, perché i suoi tratti fini e delicati erano coperti da un intrico di rughe che solcavano una pelle morbida e vellutata come quella di un fungo neonato.

Ma in lei la cosa stupefacente erano i capelli. Le ricadevano sulle spalle come una gonfia cascata e poi si spargevano per un tratto giù dal letto. Erano d'un intenso e bellissimo color rame, luminosi e scintillanti come se fossero in fiamme, e mi fecero pensare alle foglie d'autunno e al vivido pelo invernale delle volpi.

«Mamma cara,» disse dolcemente Kralefsky, attraversando la stanza e sedendosi su una sedia accanto al letto «mamma cara, Gerry è venuto a trovarti».

La minuscola figura sul letto sollevò le palpebre trasparenti e pallide e mi guardò con grandi occhi bruni, vispi e intelligenti come quelli di un uccello. Trasse dal folto della sua ramata capigliatura una mano sottile e bellissima, appesantita di anelli, e me la porse, sorridendo maliziosamente.

«Sono così lusingata che tu abbia chiesto di vedermi» disse con una voce sommessa e velata. «Al giorno d'oggi, tanta gente considera una persona della mia età una vera seccatura».

Imbarazzato, mormorai qualcosa, e gli occhi brillanti mi guardarono ammiccando, e lei diede in una garrula risatina da merlo e batté la mano sul letto. «Siediti qua,» mi invitò «siediti e chiacchieriamo un momentino».

Con grande cautela raccolsi la massa di capelli ramati e la spostai da una parte per potermi sedere sul letto. I capelli erano morbidi, serici e pesanti, come un'onda color fiamma che mi scorresse tra le dita. La signora Kralefsky mi sorrise e ne prese una ciocca, facendosela rigirare tra le dita perché scintillasse.

«L'unica vanità che mi sia rimasta,» disse «tutto quel che resta della mia bellezza».

Contemplò quell'ondata di capelli come se fosse un cucciolo, o qualche altra bestiolina che non avesse nulla a che fare con lei, e se li accarezzò affettuosamente.

«È strano,» disse «molto strano. Io ho una teoria, sai? Che alcune cose belle s'innamorano di se stesse, come Narciso. E quando questo succede, non hanno nessun bisogno di aiuto per vivere; diventano così prese dalla propria bellezza che vivono soltanto per quella, nutrendosi di se stesse, per così dire. In questo modo, più si fanno belle e più forti diventano; vivono in un circolo. I miei capelli hanno fatto proprio questo. Sono autosufficienti, crescono soltanto per se stessi, e il fatto che il mio corpo sia andato in rovina non li turba minimamente. Quando morirò, se ne potrà colmare tutta la mia bara, e probabilmente loro continueranno a crescere anche quando il mio corpo sarà ridotto in polvere».

«Su, su, mamma, non devi parlare così» la sgridò Kralefsky gentilmente. «Non mi piacciono questi tuoi pensieri morbosi».

Lei volse la testa e lo guardò teneramente, dando in una risatina sommessa.

«Ma non è morbosità, John; è soltanto una mia teoria» spiegò. «Del resto, pensa che bel sudario sarebbero».

Contemplò i suoi capelli, sorridendo felice. Nel silenzio l'orologio di Kralefsky squillò impaziente, e lui trasalì, lo tirò fuori dal taschino e lo guardò.

«Per Giove!» disse balzando in piedi «quella covata dovrebbe essere nata, a quest'ora. Scusami un minuto, mamma, devo assolutamente andare a vedere».

«Vai, vai» disse lei. «Gerry e io faremo quattro chiacchiere sino al tuo ritorno... non preoccuparti per *noi*».

«Perfetto!» esclamò Kralefsky, e attraversò rapidamente la stanza tra le siepi di fiori come una talpa che si scavasse la tana in un arcobaleno. La porta si chiuse con un sospiro alle sue spalle, e la signora Kralefsky girò la testa e mi sorrise.

«Dicono,» mi annunciò «*dicono* che quando si diventa vecchi, come lo sono io, il corpo si fa più lento. Io non ci credo. No, per me è completamente sbagliato. Io sono convinta che non siamo noi a farci più lenti, ma *la vita a farsi più lenta per noi.* Mi capisci? Tutto diventa languido, per così dire, e allora si notano tante e tante cose, quando tutto si muove lentamente. Quante cose si vedono! Quante cose straordinarie avvengono intorno a te, cose che non avevi mai nemmeno sospettate! È un'avventura incantevole, proprio incantevole!».

Sospirò soddisfatta, e si guardò intorno.

«Prendi i fiori» disse, indicandomi le corolle che riempivano la stanza. «Hai mai sentito *parlare* i fiori?».

Scossi la testa, molto perplesso; l'idea dei fiori che parlavano mi era del tutto nuova.

«Be', posso garantirti che *parlano*» disse lei. «Fanno delle lunghe conversazioni... almeno suppongo che siano conversazioni, perché naturalmente non capisco quello che dicono. Quando sarai vecchio come me, anche tu probabilmente riuscirai a sentirli; sempre che su certe cose tu rimanga di larghe vedute. Quasi tutti sostengono che man mano che si invecchia non si crede più in niente e non ci si stupisce più di niente, e così si diventa più aperti alle idee. Che sciocchezza! Tutti i vecchi che conosco hanno la mente chiusa come un'ostrica grigia e ruvida sin da quando avevano quindici anni».

Mi guardò acutamente.

«Pensi che sono stramba? Un po' tocca, eh? A parlare di fiori che conversano tra loro?».

In fretta, e con assoluta sincerità, le dissi di no. Le dissi che secondo me era più che probabile che i fiori conversassero tra loro. Le precisai che i pipistrelli emettevano dei piccoli squittii che io riuscivo a sentire, ma che gli adulti non avrebbero potuto captare perché era un suono troppo acuto.

«Ecco, ecco!» esclamò lei tutta contenta. «È questione di lunghezze d'onda. Io dico che tutto dipende da questo processo di rallentamento. Un'altra cosa di cui da giovani non ci si accorge è che i fiori hanno una personalità. Sono l'uno diverso dall'altro, proprio come le persone. Guarda, ora ti faccio vedere. Vedi quella rosa laggiù, quella che sta nel vaso da sola?».

Su un tavolino nell'angolo, racchiusa in un piccolo

portafiori d'argento, c'era una magnifica rosa vellutata, di un rosso-granato così cupo da sembrare quasi nero. Era un fiore splendido, dai petali squisitamente arricciolati, con una velatura di lanugine morbida e intatta come la peluria sull'ala di una farfalla appena uscita dalla crisalide.

«Non è uno splendore?» disse la signora Kralefsky. «Non è meravigliosa? Be', ce l'ho da due settimane. Non ci crederesti, no? E non era mica un bocciolo quando l'ho avuta. No, no, era già tutta aperta. Ma sai che era così malata che non credevo che sarebbe vissuta? La persona che l'ha colta è stata così sventata da metterla in un mazzo di aster. Un errore funesto, assolutamente funesto! Non hai idea di quanto sia crudele la famiglia delle composite, tutte quante. Sono fiori molto rozzi, molto terra terra, e naturalmente mettere in mezzo a loro un fiore aristocratico come la rosa significa proprio andare *in cerca* di guai. Quando è arrivata qui era così afflosciata e appassita che tra gli aster non l'ho nemmeno vista. Ma, per fortuna, li ho sentiti che ne parlavano. Ero qui assopita quando hanno cominciato, specialmente quelli gialli, mi è parso, che sono sempre così bellicosi. Be', naturalmente non sapevo che cosa stessero dicendo, ma sembrava qualcosa di *orribile.* A tutta prima non riuscivo a capire a *chi* stessero parlando; ho pensato che stessero litigando tra loro. Poi sono scesa dal letto per dare un'occhiata e ho trovato quella povera rosa, schiacciata in mezzo a loro, torturata a morte. L'ho tirata fuori, l'ho messa da sola e le ho dato mezza aspirina. L'aspirina è ottima per le rose. Le dracme per i crisantemi, l'aspirina per le rose, il brandy per i piselli dolci e una spruzzata di succo di limone per i fiori polposi, come le begonie. Be', tolta dalla compagnia degli aster e tonificata da quello stimolante, si è ripresa in un baleno, e sembra così grata; è chiaro che si sta sforzando di restare bella il più a lungo possibile per ringraziarmi».

Guardò con affetto la rosa che splendeva nel suo vaso d'argento.

«Sì, sui fiori ho imparato tante, tante cose. Sono proprio come le persone. Mettine molti tutti insieme e subito si danno reciprocamente ai nervi e cominciano ad appassire. Mescola diverse specie e il risultato è qualcosa che ha tutta l'aria di un'atroce differenza di classe. E poi, naturalmente, l'acqua è importantissima. Lo sai che certe persone pensano che sia molto gentile cambiare l'acqua tutti i giorni? Terribile! Se lo fai, poveri fiori, puoi proprio *sentirli* morire. Io cambio l'acqua una volta alla settimana, ci metto una manciata di terra e loro stanno benissimo».

Si aprì la porta e Kralefsky entrò tutto saltellante, sorridendo con aria di trionfo.

«Sono nati tutti quanti!» annunciò «tutt'e quattro. Sono proprio contento. Ero molto preoccupato perché è la sua prima covata».

«Bene, caro; ne sono veramente felice» disse la signora Kralefsky in tono compiaciuto. «Sarai soddisfatto, adesso. Bene, Gerry e io abbiamo fatto una chiacchierata interessantissima. Almeno, per me è stata molto interessante».

Mentre mi alzavo in piedi, io dissi che l'avevo trovata interessantissima anch'io.

«Devi tornare a trovarmi, se non ti annoia troppo» disse lei. «Troverai le mie idee un po' stravaganti, temo, ma vale la pena di sentirle».

Mi sorrise, lì sdraiata nel suo letto sotto il grande manto dei capelli, e alzò una mano in un cortese gesto di congedo. Seguii Kralefsky verso la porta, e sulla soglia mi volsi e sorrisi. Lei giaceva immobile, remissiva sotto il peso dei suoi capelli. Tornò a sollevare la mano per salutarmi. Mi parve, nella penombra, che i fiori le si fossero avvicinati, si fossero raccolti impazienti intorno al suo letto, come se aspettassero che lei gli raccontasse qualcosa. Una vecchia regina devastata, distesa in gran pompa, circondata dalla sua mormorante corte di fiori.

XV
I BOSCHI DEI CICLAMINI

A circa mezzo miglio dalla villa si ergeva una collina abbastanza grande e di forma conica, tutta coperta di erba e d'erica e inghirlandata da tre piccoli boschi di ulivi, separati tra loro da vasti folti di mirti. Questi tre boschetti io li chiamavo i Boschi dei Ciclamini, perché nella stagione giusta il terreno sotto gli ulivi diventava color rosso-magenta e rosso vino tant'era coperto di ciclamini, che là sembravano crescere più fitti e più rigogliosi che in qualunque altra parte del paese. I bulbi lustri e tondeggianti, con la loro sottile pellicola che si squamava, crescevano a grappoli come le ostriche, ognuno col suo ciuffo di foglie d'un verde cupo venato di bianco e una fontana di splendidi fiori che sembravano fatti di fiocchi di neve tinti in rosso-magenta.

I Boschi dei Ciclamini erano un posto bellissimo per trascorrere un pomeriggio. Distesi all'ombra degli ulivi, si dominava tutta la valle, un mosaico di campi, vigne e frutteti, sin dove il mare splendeva tra i tronchi, percorso da migliaia di vivide scintille mentre si strofinava con lento languore contro la riva. Pareva che la cima della collina avesse una brezza tutta sua, sia pure minuscola, perché per quanto caldo ci fosse giù nella valle, su nei tre uliveti spirava sempre un bel venticello, le foglie sussurravano e i ciclamini dalle teste recline s'inchinavano l'un l'altro in un eterno saluto. Era il posto ideale per riposarsi dopo una febbrile caccia alle lucertole, quando ti sentivi scoppiare la testa per l'afa, i vestiti ti si afflosciavano addosso tutti chiazzati di sudore, e i tre cani stavano là con le lingue rosee penzoloni e ansavano come vecchie locomotive in miniatura. Proprio mentre i cani e io ci stavamo riposando dopo una di quelle cacce, mi capitò di procurarmi due nuove bestioline, e, indirettamente, di far scattare una serie di coincidenze che coinvolse Larry e il signor Kralefsky.

I cani, con un metro di lingua di fuori, si erano buttati giù tra i ciclamini e stavano distesi a pancia sotto, con le zampe di dietro allungate per potersi godere al massimo, e con ogni punto del loro corpo, la frescura della terra. Avevano gli occhi semichiusi e le mascelle nerolustre di saliva. Io stavo appoggiato contro un ulivo che aveva passato gli ultimi cento anni a crescere nella forma giusta per diventare uno schienale perfetto, e guardavo i campi cercando di individuare nelle macchioline che vi si muovevano i miei amici contadini. Lontano lontano, sopra un biondo fazzoletto di granturco quasi maturo, apparve una piccola forma bianca e nera, simile a una croce di Malta chiazzata, che sfiorò a volo radente le piatte aree coltivate dirigendosi dritta verso la cima dove stavo io. Mentre volava verso di me la gazza emise tre brevi stridi rauchi, che risonarono un po' soffocati, come se avesse il becco pieno di cibo. Si tuffò dritta come una freccia nel folto di un ulivo poco lontano; ci fu una pausa, e poi tra le foglie si levò un coro di gridi acuti e affannati, che crebbero convulsi e poi si spensero lentamente. Sentii gracchiare di nuovo la gazza, in tono dolce e ammonitore, poi la vidi balzar fuori dalle foglie e planare ancora una volta giù rasente al pendio. Aspettai che l'uccello non fosse più che un puntolino, come un granello di polvere che fluttuava in aria sul ricciuto triangolo di vigne all'orizzonte, poi mi alzai in piedi e cautamente girai attorno all'albero dal quale erano venuti quegli strani suoni. Su su tra i rami, seminascosto dalle foglie verdi-argentee, riuscii a scorgere un grosso fascio ovale di ramoscelli, come un enorme e fronzuto pallone da football incuneato tra i rami. Tutto eccitato cominciai a scalare l'albero, mentre i cani si raccoglievano intorno al tronco e mi osservavano con interesse; quando ero quasi arrivato al nido, guardai giù e mi sentii contrarre lo stomaco, perché i musi dei cani, che mi fissavano avidamente, non mi apparivano più grandi dei fiori di anagallide. Cautamente, con le palme che mi sudavano, mi feci strada lungo i rami finché arrivai ad accovacciarmi accanto al nido in mezzo alle foglie fruscianti. Era una struttura massiccia, un grande cesto di rametti intrecciati con cura, con al centro una profonda ciotola di fango e di piccole radici. Il buco d'ingresso nella parete era piccolo, e i ramoscelli che lo circondavano erano irti di spine aguzze, come i fianchi del nido e il tetto di vimini a forma di cupola. Era proprio il tipo di nido progettato per scoraggiare il più zelante ornitologo.

Cercando di non guardare giù, mi misi a pancia sotto lungo il ramo e infilai cautamente la mano dentro quel fastello spinoso, brancolando nella ciotola di fango. Sentii sotto le dita un mucchietto tremante di pelle e di peluria, mentre da dentro il nido si levava uno stridulo coro di pigolii. Con cautela chiusi le dita intorno a un uccellino tiepido e grassoccio e lo tirai fuori. Nonostante il mio entusiasmo, anch'io dovevo riconoscere che non era una gran bellezza. Il becco tozzo, con una piega di pelle giallastra ai due lati, la testa calva e gli occhi cisposi e semichiusi gli davano un'aria un po' ebete da ubriaco. La pelle gli pendeva vizza e raggrinzita su tutto il corpo, come se i neri spuntoni di penne la tenessero fissata alle carni solo in alcuni punti. Tra le zampe magre penzolava un enorme stomaco flaccido, dalla pelle così sottile che si potevano intravedere gli organi interni che racchiudeva. L'uccellino si acquattò sulla mia mano, con la pancia ringonfia come un pallone pieno d'acqua, e pigolò speranzoso. Cercando a tentoni nel nido, constatai che c'erano altri tre piccoli tutti ripugnanti come quello che avevo in mano. Dopo averci pensato un po', e dopo averli esaminati ben bene, decisi di prenderne due e di lasciare gli altri due alla madre. Mi sembrò una cosa molto equa, e non vedevo perché la madre dovesse risentirsene. Scelsi il più grosso (perché sarebbe cresciuto presto) e il più piccolo (perché aveva un'aria molto patetica), li misi al sicuro dentro la mia camicia e cautamente scivolai giù dall'albero verso i cani in attesa. Quando si videro mostrare le due nuove perle del mio serraglio, subito Pipì e Vomito decisero che dovevano essere commestibili e cercarono di scoprire se avevano indovinato. Feci a tutti e due una bella ramanzina, poi mostrai gli uccelli a Roger. Lui li fiutò nel suo solito modo, poi si ritrasse in gran fretta quando gli uccelletti protesero le teste sui lunghi colli scarni, con le bocche rosse spalancate, e stridettero vigorosamente.

Mentre me ne tornavo a casa coi miei nuovi tesori cercai di decidere quali nomi mettergli; stavo ancora dibattendo questo problema quando arrivai alla villa, e proprio in quel momento tutta la famiglia, che era andata in città per compere, stava scendendo dalla macchina. Mostrando gli uccellini che tenevo nel cavo delle mani, domandai se qualcuno poteva suggerirmi un paio di nomi adatti per quei due. Bastò una sola occhiata, e ognuno di loro reagì secondo la propria indole.

«Non sono *carini*?» disse Margo.

«Che cosa gli darai da mangiare?» domandò mamma.

«Sono rivoltanti!» disse Leslie.

«*Ancora* animali!» proruppe Larry disgustato.

«Perbacco, signorino Gerry,» disse Spiro, con espressione schifata «che robe sono?».

Risposi, un po' freddamente, che erano gazze neonate, che non avevo chiesto la loro opinione, e che volevo semplicemente che mi aiutassero a trovargli un nome. Come dovevo chiamarli?

Ma loro non erano nella disposizione d'animo di rendersi utili.

«Che idea strapparli alla loro madre, povere creaturine» disse Margo.

«Speriamo che siano abbastanza cresciuti per mangiare, caro» disse mamma.

«Diosanto! Le cose che il signorino Gerry *trovi*» disse Spiro.

«Dovrete stare attenti a non farvi derubare» disse Leslie.

«*Derubare?*» disse Larry preoccupato. «Ma quelle che rubano non sono le cornacchie?».

«Anche le gazze» disse Leslie. «Sono delle ladre terribili, le gazze».

Larry tirò fuori di tasca un biglietto da una dracma e lo sventolò sopra gli uccellini, e loro subito protesero le teste verso l'alto, torcendo il collo, spalancando la bocca, stridendo e blaterando freneticamente. Larry fece un salto indietro.

«Accidenti: hai proprio ragione!» esclamò eccitato. «Non le hai viste? Hanno cercato di aggredirmi per prendere i soldi!».

«Non essere ridicolo, caro; hanno soltanto fame» disse mamma.

«Sciocchezze, mamma... le hai pur viste come mi sono saltate addosso, no? È stato per i soldi... hanno istinti criminali sin da neonate. Non può assolutamente tenerle; sarà come vivere con Arsenio Lupin. Riportale dove le hai prese, Gerry».

Con aria innocente e grande facciatosta, risposi che

non potevo farlo perché la madre le aveva abbandonate, e loro sarebbero morte di fame. Come avevo previsto, subito mamma e Margo si schierarono dalla mia parte.

«Non possiamo far morire di fame queste povere creature» protestò Margo.

«Non vedo che danno possa venircene se le teniamo» disse mamma.

«Te ne pentirai,» disse Larry «significa che i guai te li cerchi. Saccheggeranno la casa stanza per stanza. Dovremo seppellire tutti i nostri oggetti di valore e metterci di guardia un uomo armato. Questa è vera pazzia».

«Non fare lo sciocco» disse mamma conciliante. «Possiamo tenerle in gabbia e lasciarle libere solo per fargli fare un po' di moto».

«Moto!» proruppe Larry. «Come niente dirai che fanno del moto, quando svolazzeranno per tutta la casa con centinaia di dracme nei loro sporchi becchi».

Promisi solennemente che le gazze non avrebbero avuto mai e poi mai la possibilità di rubare. Larry mi gettò un'occhiata da incenerirmi. Ricordai a tutti che gli uccellini erano ancora senza nome, ma nessuno riuscì a trovarne uno che andasse bene. Restammo tutti là a contemplare le creaturine tremanti, ma non ci venne in mente proprio niente.

«Cosa lei pensi di fare di questi bastardi?» domandò Spiro.

Dissi in tono un po' acido che intendevo tenermeli e che, per giunta, non erano bastardi ma gazze.

«*Come* lei chiami?» domandò Spiro accigliandosi.

«Gazze, Spiro, gazze» disse mamma, pronunciando la parola lentamente e con chiarezza.

Spiro rimuginò quella nuova aggiunta al suo vocabolario, ripetendola tra sé e fissandosela ben bene nella mente».

«Garze,» disse infine «garze, eh?».

«Gazze, Spiro» lo corresse Margo.

«Questo io dico,» protestò Spiro sdegnato «garze».
Così da quel momento rinunciammo a cercare un nome da mettere agli uccelli e loro rimasero semplicemente le Garze.

A furia di satollarsi, le Garze crebbero e si rivestirono di tutte le loro piume, e a quel punto Larry si era talmente abituato a vedersele attorno che aveva del tutto dimenticato le loro pretese abitudini criminali. Grasse, lustre e garrule, appollaiate sul bordo del loro cesto sbattendo vigorosamente le ali, le Garze erano il ritratto dell'innocenza. Tutto andò bene finché non impararono a volare. Nei primi tentativi si limitarono a saltare giù dal tavolo della loggia, battendo freneticamente le ali, e a scivolare in planata sulle lastre di pietra a pochi metri di distanza. Il loro coraggio crebbe di pari passo con la forza delle ali, e ben presto fecero il loro primo vero volo, una specie di carosello intorno alla casa. Erano così adorabili con quelle lunghe code che scintillavano al sole, le ali sibilanti mentre loro si tuffavano per volare sotto la vite, che chiamai fuori tutti perché venissero a vederle. Consapevoli di avere un pubblico, le Garze volarono sempre più rapide, rincorrendosi, avventandosi contro i muri per poi virare all'ultimo momento, e abbandonandosi a mille acrobazie sui rami della magnolia. Infine una delle due, resa temeraria dai nostri applausi, calcolò male la distanza, sbatté contro la vite e cadde sulla loggia, trasformandosi da ardito e acrobatico asso dell'aria in un desolato mucchietto di piume che aprì il becco e stridette lamentoso quando lo raccolsi e lo consolai. Ma non appena si sentirono sicure delle proprie ali le Garze in quattro e quattr'otto rilevarono la mappa della villa e allora furono bell'e pronte per le loro imprese brigantesche.

Sapevano che la cucina era un ottimo posto da visitare, a patto che restassero sulla soglia e non si avventurassero all'interno; nella sala da pranzo e nel salotto non entravano mai se c'era qualcuno; delle camere da letto sapevano che l'unica dove sicuramente sarebbero state bene accolte era la mia. In quelle di mamma e di Margo ci sarebbero anche andate, ma là gli si diceva sempre di non far questo e di non far quest'altro, e per loro era una gran seccatura. Leslie permetteva che arrivassero fino al davanzale ma non oltre, ma loro smisero di fargli visita dal giorno che per sbaglio lui fece partire un colpo di fucile. Questo le snervò, e penso che avessero il vago sospetto che Leslie aveva attentato alla loro vita. Ma la camera da letto che realmente le attirava e le affascinava era, com'è ovvio, quella di Larry, e, credo, proprio perché non erano mai riuscite a vederla bene. Prima ancora che fossero riuscite a posarsi sul davanzale erano accolte da tali esplosioni di rabbia, seguite da un rapido lancio di proiettili, che si vedevano costrette a volar via per cercare scampo sulla magnolia. Non riuscivano a capire quell'atteggiamento di Larry; e – visto che si scalmanava tanto – conclusero che doveva avere qualcosa da nascondere, e perciò loro avevano il dovere di scoprire di che si trattasse. Scelsero con cura il momento buono, aspettando pazientemente un fatidico pomeriggio in cui Larry andò a fare una nuotata e lasciò la finestra aperta.

Finché non tornò Larry io non seppi che cosa avessero combinato le Garze; mi ero accorto che non erano in giro, ma avevo pensato che fossero andate chi sa dove a rubare qualche grappolo. Naturalmente sapevano benissimo che si stavano comportando male, perché sebbene di solito fossero loquaci, compirono la loro scorreria in perfetto silenzio e (secondo Larry) restarono a turno di sentinella sul davanzale. Mentre stava risalendo il pendio Larry vide, con immenso orrore, una delle Garze appollaiata sul davanzale e subito si mise a gridare furibondo. L'uccello gettò uno strido di avvertimento e l'altro uscì in volo dalla stanza e lo raggiunse; poi si rifugiarono sulla magnolia, gracchiando rauche, come scolaretti sorpresi a rubare in un frutteto. Larry entrò come un turbine e si precipitò in camera, afferrandomi *en route.* Non appena aprì la porta, emise un gemito da anima dannata.

Le Garze avevano passato la camera al setaccio con la diligenza di un agente segreto che sia alla ricerca dei piani rubati. Mucchi di fogli scritti e di fogli bianchi erano sparsi su tutto il pavimento come fronde d'autunno, quasi tutti punteggiati da un attraente arabesco di buchi. Le Garze perdevano sempre la testa quando vedevano la carta. La macchina da scrivere posava stolidamente sul tavolo, simile a un cavallo sbudellato nell'arena, col nastro che le si srotolava fuori dall'interno, i tasti imbrattati di escrementi. Il tappeto, il letto e il tavolo biancheggiavano di pezzetti di carta che parevano una coltre di brina. Le Garze, evidentemente sospettando che Larry fosse un corriere della droga, avevano coraggiosamente battagliato col barattolo del bicarbonato di sodio e ne avevano sparso il contenuto su una fila di libri, che adesso parevano una catena montuosa coperta di neve. Il tavolo, il pavimento, il manoscritto, il letto, e in particolar modo il cuscino, erano decorati da un'artistica e insolita serie di orme in inchiostro verde e rosso. Si sarebbe detto che ciascuno dei due uccelli avesse rovesciato l'inchiostro del suo colore preferito e ci avesse zampettato dentro. La bottiglia dell'inchiostro blu, che non sarebbe stato altrettanto appariscente, era intatta.

«Questa è l'ultima goccia,» disse Larry con voce tremante «questa è proprio l'ultima goccia! O tu provvedi in qualche modo a questi uccelli, o gli torco il collo con le mie mani».

Io protestai che non poteva prendersela con le Garze. Loro si interessavano alle cose, dissi; non potevano resistere, erano fatte così. Tutti i membri della tribù delle cornacchie, spiegai, appassionandomi alla mia arringa difensiva, erano naturalmente curiosi. Non si rendevano conto di far male.

«Non ti ho chiesto una conferenza sulla tribù delle cornacchie,» disse Larry minaccioso «non mi interessa affatto il senso morale delle gazze, ereditario o acquisito che sia. Ti sto dicendo che o te ne liberi o le rinchiudi, se no le squarto».

Gli altri della famiglia, constatando che quel litigio disturbava la loro siesta, vennero a vedere che cosa stesse succedendo.

«Santo cielo, caro! che cosa *hai fatto*?» domandò mamma girando lo sguardo nella stanza devastata.

«Mamma, non sono in vena di rispondere a delle domande idiote».

«Devono essere state le Garze» disse Leslie, con la gioia di un profeta che aveva predetto tutto. «Ti manca qualcosa?».

«No, non manca niente,» disse Larry in tono aspro «questo me l'hanno risparmiato».

«Hanno fatto un bel disastro con le tue carte» osservò Margo.

Larry la fissò per un istante, respirando profondamente.

«Che magistrale minimizzazione!» disse infine. «Tu hai sempre pronta la banalità più adatta per riassumere una catastrofe. Come invidio la tua capacità di essere inarticolata di fronte al Fato».

«Non c'è nessun bisogno di essere villani» disse Margo.

«Larry non intendeva esserlo, cara» spiegò mamma poco veridicamente. «È naturale che sia turbato».

«Turbato? *Turbato?* Quei rognosi avvoltoi svolazzano qua dentro come due critici letterari e strappano e inzaccherano il mio manoscritto prima ancora che sia finito, e tu dici che sono *turbato*?».

«È *molto* seccante, caro,» disse mamma, in un tentativo di apparire sdegnata dall'episodio «ma sono sicura che non l'hanno fatto apposta. Dopo tutto, non capiscono... sono soltanto uccelli».

«Ora non cominciare anche tu» disse Larry furioso.

«Ho già subìto una dissertazione sul senso del bene e del male nella tribù delle cornacchie. L'atteggiamento di questa famiglia verso gli animali è disgustoso; tutte queste sdolcinature antropomorfiche che continuate a sbavare come giustificazione! Perché non diventate tutti quanti Adoratori della Gazza, e non erigete una prigione in cui pregare? Da come vi comportate si direbbe che sono *io* da biasimare, e che è colpa *mia* se la mia stanza è ridotta come se l'avesse saccheggiata Attila l'Unno. Be', una volta per tutte: se non si provvede in qualche modo a quegli uccelli, e subito, ci penserò io».

Vista l'espressione sanguinaria di Larry, conclusi che probabilmente avrei fatto meglio a sottrarre le Garze al pericolo, sicché, con l'aiuto di un uovo crudo, le attirai nella mia camera e le rinchiusi nel loro cesto intanto che mi lambiccavo per trovare una soluzione. Era chiaro che bisognava chiuderle in qualche specie di gabbia, ma io ne volevo una molto grande, e sentivo che da solo non sarei riuscito a costruire una uccelliera veramente grossa. Era inutile chiedere ai miei di aiutarmi, sicché decisi di allettare a quest'opera edilizia il signor Kralefsky. Poteva venire a passare una giornata da noi, e una volta finita la gabbia avrebbe avuto tutto il tempo di insegnarmi la lotta. Da un pezzo stavo aspettando l'occasione buona per farmi dare qualche lezione di lotta, e questa mi sembrava l'occasione ideale. Avevo scoperto che l'abilità del signor Kralefsky nella lotta era soltanto uno dei suoi molti talenti nascosti.

A prescindere da sua madre e dai suoi uccelli, avevo scoperto che Kralefsky aveva un solo grande interesse nella vita, ossia un mondo completamente immaginario che lui aveva evocato nella propria mente, un mondo dove accadevano sempre delle strane e appassionanti avventure nelle quali comparivano soltanto due personaggi principali: lui (nelle vesti dell'eroe) e una rappresentante del sesso debole generalmente nota come una Signora. Constatando che avevo tutta l'aria di credere agli aneddoti che mi raccontava, lui si era fatto sempre più coraggioso, e giorno per giorno mi consentiva di addentrarmi un pochino di più nel suo paradiso personale. Tutto cominciò una certa mattina, durante un intervallo per prendere il caffè coi biscotti. Non so come, ci mettemmo a parlare di cani, e io confessai l'invincibile desiderio di possedere un bulldog – animali che trovavo di una bruttezza irresistibile.

«Per Giove, sì! I bulldog!» disse Kralefsky. «Belle bestie, fidate e coraggiose. Purtroppo, non si può dire la stessa cosa dei bullterrier».

Sorseggiò il caffè e mi guardò timidamente; sentendo che si aspettava che lo spronassi a parlare, gli domandai perché ritenesse i bullterrier particolarmente infidi.

«Traditori!» spiegò lui pulendosi la bocca. «*Terribilmente* traditori».

Si appoggiò all'indietro sulla sedia, chiuse gli occhi e unì le punte delle dita come se pregasse.

«Ricordo che una volta – molti anni fa, quand'ero in Inghilterra – contribuii a salvare la vita di una signora che era stata aggredita da una di quelle bestiacce».

Aprì gli occhi e mi scrutò; vedendomi tutto attento, li chiuse di nuovo e continuò.

«Era una bella mattina di primavera, e io stavo facendo la mia passeggiata igienica in Hyde Park. Poiché era molto presto, non c'era nessun altro in giro, e nel parco non si udiva alcun suono tranne il canto degli uccelli. Mi ero già inoltrato parecchio quando all'improvviso mi giunsero all'orecchio dei cupi, possenti latrati».

La sua voce si ridusse a un vibrante sussurro e, con gli occhi sempre chiusi, lui piegò la testa da una parte come se stesse ascoltando. Quel gesto era così realistico che anch'io ebbi l'impressione di udire i selvaggi, continui latrati che echeggiavano tra i narcisi.

«A tutta prima non ci feci caso. Pensai che un cane si stesse divertendo a dar la caccia agli scoiattoli. Poi, tutt'a un tratto, in quel feroce clamore, sentii delle grida di aiuto». Si irrigidì sulla sedia, corrugò la fronte, le sue narici vibrarono. «Mi precipitai in mezzo agli alberi, e all'improvviso mi trovai davanti a uno spettacolo terribile».

Tacque e si passò una mano sulla fronte, come se ancora adesso ricordare quella scena gli fosse quasi intollerabile.

«Là, con la schiena contro un albero, c'era una Signora. Aveva la gonna tutta strappata, le gambe sanguinanti per i morsi, e a colpi di sedia a sdraio si stava difendendo da un famelico bullterrier. La bestiaccia, con la bocca spalancata gocciolante di bava, si avventava e ringhiava, aspettando il momento buono. Era evidente che la Signora cominciava a dar segni di stanchezza. Non c'era un minuto da perdere».

Con gli occhi sempre serrati per veder meglio la visione, Kralefsky si raddrizzò sulla sedia, gonfiò il torace e il suo volto prese un'espressione di sfida beffarda, temeraria e noncurante – l'espressione di un uomo che è sul punto di salvare una Signora da un bullterrier.

«Sollevai il mio pesante bastone da passeggio e balzai avanti, gettando un grido per dar coraggio alla Signora. Il cane, attirato dalla mia voce, subito mi fu addosso, ringhiando in modo orribile, e io lo colpii sulla testa con tanta forza che il mio bastone si spezzò in due. La bestia, quantunque stordita, era ancora piena di vigore; e io ero là, disarmato, mentre lei raccoglieva le forze e mi balzava alla gola con le fauci spalancate».

Durante questo racconto, la fronte di Kralefsky si era imperlata di sudore, e lui fece una pausa per tirar fuori il fazzoletto e asciugarsela a colpettini rapidi. Io gli domandai impaziente che cosa fosse accaduto dopo. Kralefsky tornò ad unire le punte delle dita e proseguì.

«Feci l'unica cosa possibile. Avevo una probabilità su mille, ma dovevo rischiare. Mentre la bestia mi si avventava contro, le affondai la mano nelle fauci, afferrai la lingua e la torsi con tutte le mie forze. I suoi denti mi si affondarono nel polso, zampillò il sangue, ma io continuai a torcere con ferocia, ben sapendo che era in gioco la mia vita. Il cane continuò a dibattersi per un tempo che mi parve infinito. Ero estenuato. Sentivo di non poter resistere più a lungo. Poi, tutt'a un tratto, la bestia ebbe uno scatto convulso e morì. Avevo vinto. L'animale era rimasto soffocato dalla sua stessa lingua».

Sospirai estatico. Era una storia meravigliosa, e poteva anche essere vera. E se non era vera, era proprio il tipo di avventura che secondo me *sarebbe dovuta* capitare; e Kralefsky aveva tutta la mia comprensione se, visto che fino a quel momento la vita non gli aveva offerto un bullterrier da strangolare, se l'era procurato da solo. Dissi che a mio parere era stato coraggiosissimo ad affrontare il cane in quel modo. Kralefsky aprì gli occhi, arrossì tutto contento nel vedere il mio entusiasmo e sorrise modestamente.

«No, no, proprio coraggioso no» mi corresse. «La Signora era in difficoltà, capisci, e un gentiluomo non avrebbe potuto comportarsi in altro modo. Eh no, per Giove!».

Avendo trovato in me un ascoltatore ben disposto e affascinato, Kralefsky si fece sempre più ardito. Mi raccontava un'infinità di avventure che erano capitate a lui, e ognuna era più appassionante della precedente. Avevo scoperto che se una mattina gli ficcavo abilmente una certa idea nella testa, l'indomani, quando la sua immaginazione aveva avuto tutto il tempo di inventare una storia, lui mi raccontava un'avventura di quel tipo. Affascinato, appresi che lui e una Signora erano stati gli unici sopravvissuti di un naufragio avvenuto durante una traversata per Murmansk («avevo degli affari da sbrigare laggiù»). Lui e la Signora erano andati per due settimane alla deriva su un iceberg, coi vestiti gelati addosso, nutrendosi ogni tanto di pesce crudo o di qualche gabbiano, finché non li avevano salvati. La nave che li aveva scorti avrebbe potuto facilmente passare oltre senza vederli, non fosse stato per la prontezza d'ingegno di Kralefsky, che aveva usato la pelliccia della Signora per accendere un fuoco di segnalazione.

Rimasi incantato dalla storia di quella volta che i banditi lo avevano catturato nel deserto siriano («mentre accompagnavo una Signora a visitare certe tombe»), e quando quei ribaldi avevano minacciato di tenere in ostaggio la sua bella compagna finché non fosse arrivato il riscatto, lui si era offerto di prendere il suo posto. Ma naturalmente i banditi trovavano che la Signora era un ostaggio più grazioso, e avevano rifiutato. Kralefsky odiava gli spargimenti di sangue, ma in quelle circostanze che cosa poteva fare un gentiluomo? Li aveva uccisi tutti e sei con un coltello che teneva nascosto nello stivale. Durante la prima guerra mondiale, naturalmente, era stato nel servizio segreto. Con tanto di barba per camuffarsi, era stato lanciato dietro le linee nemiche per prendere contatto con un'altra spia inglese e procurarsi certi piani. Venne fuori, e la cosa non mi stupì affatto, che l'altra spia era una Signora. Il modo come erano scampati (con i piani) alla sparatoria nemica era un capolavoro di abilità inventiva. Chi se non Kralefsky avrebbe pensato di irrompere nell'armeria, caricare tutti i fucili a salve e poi, in quel bailamme di spari, fingersi morto?

Ero ormai così abituato alle storie straordinarie di Kralefsky che quelle rare volte che me ne raccontava una appena vagamente possibile io di solito ci credevo. Questo fu la sua rovina. Una volta mi raccontò che da giovane, quando viveva a Parigi, una sera stava facendo una passeggiata quando si era imbattuto in un omaccione brutale che malmenava una Signora. Kralefsky, ferito nel suo animo di gentiluomo, gli aveva subito dato un colpo in testa col suo bastone da passeggio. Quell'individuo era niente po' po' di meno che il campione francese di lotta, il quale gli chiese immediatamente soddisfazione dell'offesa; Kralefsky accettò. L'uomo gli propose di incontrarsi con lui sul ring e di risolvere la questione lottando; e Kralefsky accettò. Fu fissata la data, e Kralefsky cominciò ad allenarsi per lo scontro («una dieta vegetariana e molta ginnastica»), e quando arrivò il grande giorno lui non si era mai sentito tanto in forma. L'avversario di Kralefsky – che stando alla sua descrizione somigliava molto all'Uomo di Neanderthal sia come corporatura sia come mentalità – ebbe la sorpresa di scoprire che con Kralefsky aveva trovato pane per i suoi denti. Lottarono per un'ora da un capo all'altro del ring senza che nessuno dei due riuscisse ad abbattere l'avversario. Poi, all'improvviso, Kralefsky ricordò una certa mossa che gli aveva insegnata un suo amico giapponese. Con una torsione e uno scatto sollevò il suo massiccio avversario, lo fece mulinare in aria, poi lo scaraventò fuori del ring. Il poveretto aveva riportato delle ferite così gravi che rimase in ospedale per tre mesi. Come Kralefsky fece giustamente notare, era proprio la punizione che si meritava quel mascalzone così vile da alzare le mani su una Signora.

Affascinato da questo racconto, domandai a Kralefsky se fosse disposto a insegnarmi i rudimenti della lotta, perché avevo l'impressione che mi sarebbero stati molto utili nel caso che mi fossi imbattuto in una Signora in difficoltà. Kralefsky parve un po' riluttante; forse più in là, disse, quando avessimo avuto abbastanza spazio, mi avrebbe fatto vedere qualche mossa. Lui aveva dimenticato l'episodio, ma io no, sicché il giorno in cui venne ad aiutarmi a costruire la nuova casa delle Garze decisi di ricordargli la sua promessa. Mentre stavamo prendendo il tè aspettai che nella conversazione ci fosse una pausa conveniente e ne approfittai per ricordare a Kralefsky il suo famoso combattimento col Campione Francese di Lotta. A quanto mi parve, Kralefsky non fu per niente soddisfatto che gli si ricordasse quell'impresa. Si fece pallido e mi zittì concitatamente.

«Non ci si vanta di queste cose in pubblico» mi sussurrò in un rauco bisbiglio.

Io ero anche disposto a rispettare la sua modestia, purché mi desse una lezione di lotta. Precisai che volevo soltanto che mi facesse vedere alcuni dei trucchi più semplici.

«Be',» disse Kralefsky leccandosi le labbra «immagino di poterti mostrare qualcuna delle prese più *elementari*. Ma ci vuole molto tempo per diventare un lottatore esperto, sai?».

Tutto contento, gli domandai se avremmo lottato sulla loggia, dove la famiglia poteva assistere, o da soli nel salotto. Kralefsky optò per il salotto. Era molto importante non lasciarsi distrarre, disse. Così entrammo in casa e levammo di mezzo tutti i mobili, e Kralefsky, con molta riluttanza, si tolse la giacca. Spiegò che il principio fondamentale e importantissimo della lotta era cercare di far perdere l'equilibrio all'avversario. E ci si riusciva afferrandolo per la vita e dandogli un rapido strattone di fianco. E mi dimostrò che cosa intendesse dire prendendomi e gettandomi gentilmente sul divano.

«Allora!» disse, alzando un dito «hai afferrato l'idea?».

Io dissi che sì, mi pareva proprio di avere capito.

«Perfetto!» disse Kralefsky. «Ora prova tu ad atterrare *me*».

Deciso a fare onore al mio insegnante, mi accinsi al compito con grande entusiasmo. Mi avventai contro di lui, lo abbrancai per il torso, strinsi con tutte le mie forze per impedirgli di svincolarsi, e poi, con un'abile torsione del polso, lo scaraventai verso la sedia più vicina. Disgraziatamente, non lo scagliai con sufficiente energia, e lui mancò la sedia e crollò sul pavimento con un urlo che fece accorrere dalla loggia tutta la famiglia. Portammo a braccia sul divano il pallido e gemente campione di lotta, e Margo andò a prendere un po' di brandy.

«Che diavolo gli hai *fatto*?» domandò mamma.

Io dissi che mi ero limitato a seguire le sue istruzioni. Ero stato invitato ad atterrarlo e l'avevo atterrato. Era semplicissimo, e non vedevo che colpa si potesse darmi.

«Non ti rendi conto della tua *forza,* caro,» disse mamma «dovresti stare più attento».

«Hai fatto una cosa proprio stupida» disse Leslie. «Potevi ammazzarlo».

«Una volta ho conosciuto un tale che è rimasto storpio tutta la vita per una presa di lotta» osservò Larry in tono discorsivo.

Kralefsky gemette più forte.

«Francamente, Gerry, fai delle cose molto sciocche» disse mamma, sconvolta, evidentemente, dalla visione di Kralefsky immobilizzato per il resto dei suoi giorni su una sedia a rotelle.

Seccato da quelle che ritenevo delle critiche molto ingiuste, insistetti che non era stata colpa mia. Lui mi aveva fatto vedere come si atterra una persona, e poi mi aveva invitato a dimostrarlo. E io l'avevo atterrato.

«Certamente non intendeva che tu facessi di lui un simile spicinio,» disse Larry «potevi spezzargli la spina dorsale. Come a quel tizio che conoscevo, la spina dorsale gli si era spaccata come una banana. Stranissimo. Mi ha detto che gli venivano fuori dei pezzetti d'osso...».

Kralefsky aprì gli occhi e diede a Larry uno sguardo angosciato.

«Potrei avere un po' d'acqua?» domandò fioco.

In quel momento arrivò Margo col brandy, e noi ne facemmo bere un sorso a Kralefsky. Sul viso gli tornò un po' di colore, e lui si distese di nuovo e chiuse gli occhi.

«Be', se lei riesce a star seduto è già un buon segno,» disse Larry allegramente «per quanto, non credo che sia una prova veramente indicativa. Conoscevo un artista che cadde da una scala a pioli e si spezzò la schiena, e continuò a camminare per una settimana prima che se ne accorgessero».

«Dio santo, davvero?» disse Leslie interessatissimo. «Che cosa gli è successo?».

«È morto» disse Larry.

Kralefsky si sollevò a sedere e fece un pallido sorriso.

«Se foste così gentili da farmi accompagnare da Spiro, credo che forse sarebbe meglio se andassi in città a farmi visitare da un medico».

«Ma, certo, Spiro la accompagnerà subito» disse mamma. «Al suo posto, io andrei direttamente allo studio di Theodore e mi farei fare una lastra, così dopo si sentirà più tranquillo».

Così avvoltolammo Kralefsky, pallido ma composto, in un mucchio di coperte e lo deponemmo teneramente nel retro della macchina.

«Dica a Theodore che ci mandi un biglietto con Spiro per farci sapere che cosa le ha trovato» disse mamma. «Spero che si rimetterà presto. Sono proprio desolata di quello che è successo; Gerry è stato veramente sventato».

Fu il grande momento di Kralefsky. Abbozzò un sorriso di torturata indifferenza e sventolò fiaccamente una mano.

«No, no, la prego, non si preoccupi. Non ci pensi più» disse. «Non dia la colpa al ragazzo; non è stata colpa sua. Vede, sono *un po'* fuori esercizio».

Molto più tardi, quella sera stessa, Spiro tornò dalla sua missione caritatevole portandoci un biglietto di Theodore.

«Cara Signora Durrell,

dalle lastre che ho fatto al *torace* del signor Kralefsky risulta che ha due costole incrinate; una delle due, purtroppo, in modo piuttosto grave. Lui è stato reticente sulle cause di queste lesioni, ma deve essere stata usata una forza molto notevole. Comunque, se le tiene fasciate per una settimana, più o meno, non riporterà nessun danno *permanente.*

Con i migliori saluti per tutti
il vostro Theodore.

P.S. Per caso non ho lasciato da voi una piccola scatola nera quando sono venuto giovedì scorso? Contiene alcune zanzare Anofele che mi ero procurate, e a quanto pare devo averla perduta. Vi dispiacerebbe farmelo sapere?»

XVI

IL LAGO DEI GIGLI

Le Garze furono molto sdegnate della prigionia, nonostante le vaste dimensioni della loro dimora. Afflitte com'erano da una curiosità insaziabile, trovavano quanto mai deludente non poter indagare e far commenti su tutto quello che succedeva. Il loro campo visivo era limitato alla facciata della casa, perciò se accadeva qualcosa sul retro diventavano quasi frenetiche, e gracchiavano e stridevano di sdegno, svolazzando torno torno alla gabbia e protendendo la testa tra le sbarre nel tentativo di vedere che cosa succedesse. Imprigionate com'erano, avevano tutto il tempo di dedicarsi ai loro studi, ossia di impratichirsi nella lingua greca e in quella inglese e di imitare abilmente i suoni naturali. In brevissimo tempo furono in grado di chiamare per nome tutti i membri della famiglia, e con estrema astuzia aspettavano che Spiro fosse entrato in macchina e avesse percorso un bel tratto di strada giù per la collina, poi si precipitavano nell'angolo della loro gabbia e strillavano «*Spiro... Spiro... Spiro...*», al che lui si buttava sul freno e tornava indietro per vedere chi lo stesse chiamando. Si concedevano anche l'innocente spasso di gridare in rapida successione «Via di qua!» e «Venite qua!», sia in greco sia in inglese, facendo impazzire i cani. Un altro scherzo che le divertiva immensamente era quello di trarre in inganno lo sfortunato stuolo di polli che passavano la giornata a razzolare speranzosi tutt'intorno agli uliveti. A intervalli regolari, la domestica compariva sulla porta della cucina ed emetteva una serie di suoni pigolanti, intercalati da strani schiocchi, che per le galline erano il segnale della pappatoria e bastavano a farle convergere come per magia verso la porta posteriore. Non appena le Garze ebbero imparato alla perfezione quel richiamo mangereccio, spinsero quelle povere galline sull'orlo della follia. Per dar fiato alle trombe aspettavano il momento più inopportuno: quando le galline, con immensa fatica e molto scoccodare, erano riuscite ad appollaiarsi sugli alberi più piccoli, oppure quando, nelle ore più afose, si erano tutte sistemate all'ombra dei mirti per farsi un piacevole sonnellino. Non appena le vedevano sonnecchiare tutte beate, le Garze attaccavano il richiamo mangereccio, l'una facendo gli schiocchi e l'altra il pigolio. Le galline cominciavano a guardarsi intorno innervosite, ciascuna aspettando che un'altra di loro desse qualche segno di vita. Le Garze tornavano a chiamare, più allettanti e più insistenti che mai. Tutt'a un tratto una gallina dotata di minore autocontrollo delle altre balzava in piedi scoccodando e zampettava verso la gabbia delle Garze, e le altre, chiocciando e sbattendo le ali, si affrettavano a seguirla. Si precipitavano verso le sbarre della gabbia, urtandosi e strillando, pestandosi le zampe a vicenda, beccandosi tra loro, e là si radunavano in una folla disordinata e ansimante a guardar su nella gabbia dove le Garze, snelle ed eleganti nelle loro uniformi bianche e nere, le fissavano dall'alto e ridacchiavano, come due truffatori di città che siano riusciti a imbrogliare una folla di seriosi babbei di campagna.

Le Garze avevano simpatia per i cani, anche se approfittavano di tutte le occasioni per stuzzicarli. Volevano bene soprattutto a Roger, e lui andava a trovarle molto spesso, sdraiandosi vicino alle sbarre con le orecchie dritte, mentre le Garze se ne stavano acquattate sul pavimento della gabbia, a pochi centimetri dal suo muso, e gli parlavano con un sommesso, ansante chioccolio, interrotto ogni tanto da un rauco scoppio di risa, come se gli stessero raccontando una barzelletta oscena. Non stuzzicavano mai Roger come facevano con gli altri due, e non si azzardavano mai ad attirarlo con dolci blandizie vicino alle sbarre per poi accostarglisi svolazzando e tirargli la coda, come facevano molto spesso con Pipì e Vomito. Tutto sommato le Garze non avevano nessuna obiezione contro i cani, ma volevano che sembrassero *e* si comportassero come cani; sicché quando Dodo fece la sua comparsa tra noi, le Garze si rifiutarono nel modo più assoluto di credere che fosse un cane, e sin dal principio la trattarono con una specie di turbolento e beffardo disprezzo.

Dodo era di una razza che si chiama Dandy Dinmont. Questi cani hanno l'aspetto di lunghi e grassi palloni coperti di peli, con le zampe sottili e arcuate, enormi occhi sporgenti e lunghe orecchie pendule. Per quanto strano possa sembrare, questa bizzarra e deforme razza canina comparve tra noi per opera di mamma. Un nostro amico aveva una coppia di queste bestie che tutt'a un tratto (dopo anni di sterilità) aveva figliato sei cuccioli. Il pover'uomo non sapeva più a che santo votarsi per riuscire a sistemare bene tutta quella prole, e mamma, con molta bontà di cuore ma scarsa avvedutezza, si era offerta di prenderne uno. Partì un pomeriggio per andare a scegliersi il suo cucciolo, e un po' imprudentemente scelse una femmina. Sul momento non le parve sconsiderato far entrare una cagna in una casa popolata esclusivamente di cani molto mascolini. Così, stringendo sotto il braccio il cucciolo (che sembrava una salsiccia dotata di un barlume di consapevolezza), mamma salì in macchina e tornò trionfalmente a casa per mostrare alla famiglia il nuovo acquisto. Il cucciolo, ben deciso a rendere memorabile quell'evento, stette violentemente e persistentemente male dal momento in cui salì in macchina al momento in cui ne scese. La famiglia, riunita sulla loggia, vide il trofeo di mamma che barcollava lungo il sentiero, con gli occhi di fuori, le minuscole zampe frenetiche nel compito di spingere avanti il lungo corpo cascante, le orecchie svolazzanti, fermandosi di tanto in tanto a vomitare in un'aiola.

«Oh, quant'è *carino*!» gridò Margo.

«Dio santo! Sembra una lumaca di mare» disse Leslie.

«Mamma! Oh no!» disse Larry, contemplando Dodo con disgusto. «Dove sei andata a pescare quel Frankenstein canino?».

«Oh, ma è *carinissimo*» ripeté Margo. «Cosa c'è in lui che non va?».

«Non è un lui, è una lei» disse mamma, guardando con orgoglio il suo acquisto. «Si chiama Dodo».

«Be', in quell'essere ci sono già due cose che non vanno» disse Larry. «Per un animale è un nome spaventoso, e portare in casa una cagna con questi tre libertini in giro significa cercare guai. Ma a parte questo, guardatelo! Guardate la sua forma! Come ha fatto a diventare a quel modo? È stato un incidente o è nato così?».

«Non essere sciocco, caro; è la razza. È così che *devono* essere».

«Assurdo, mamma; è un mostro. Chi si sognerebbe di far nascere deliberatamente una cosa di quella forma?».

Io feci notare che i cani bassotti avevano suppergiù la stessa forma, e che proprio grazie a quella forma riuscivano a inseguire i tassi nelle tane. Probabilmente i Dandy Dinmont erano fatti a quel modo per una ragione analoga.

«Lei ha tutta l'aria d'essere fatta per inseguire le acque di rifiuto nelle fogne».

«Non essere disgustoso, caro. Sono dei cagnetti molto carini, e molto fedeli, a quanto sembra».

«Lo credo che devono essere fedeli a chi mostra interesse per loro; non possono avere molti ammiratori al mondo».

«Io trovo che sei molto cattivo con lei, e in ogni caso non sei la persona più adatta per parlare di bellezza; è solo una cosa superficiale, dopo tutto, e prima di scagliar pietre dovresti cercare la trave nel *tuo* occhio» disse Margo trionfante.

Larry apparve perplesso.

«È un proverbio, o stai citando la "Rivista dell'Edilizia"?» domandò.

«Secondo me vuol dire che chi non risica non trova travi» disse Leslie.

«Mi date il voltastomaco» disse Margo con dignitoso disprezzo.

«Be', raggiungi la piccola Dodo nell'aiola».

«Su, su,» disse mamma «non litigate per questo. È il mio cane e a me piace, e questo è quel che importa».

Così Dodo si sistemò in casa, e quasi subito manifestò quei difetti del suo temperamento che ci procurarono più guai che tutti gli altri cani messi insieme. Tanto per cominciare aveva una zampa posteriore debole, e da un momento all'altro, di giorno o di notte, le succedeva di lussarsi l'anca senza motivo apparente. Dodo, che non era affatto stoica, salutava questa catastrofe con una serie di urli strazianti che andavano crescendo con una così stridula intensità da riuscire insopportabili. Molto stranamente, quando andava a spasso o capriolava con elefantino entusiasmo sulla loggia rincorrendo una palla, la zampa non le dava mai dispiaceri. Ma immancabilmente ogni sera, quando ce ne stavamo tutti in santa pace a scrivere a leggere o a sferruzzare, tutt'a un tratto la zampa di Dodo andava fuori posto, e lei si rotolava sul dorso e gettava un urlo tale che noi sobbalzavamo perdendo il controllo di quello che stavamo facendo. Quando a furia di massaggi riuscivamo a rimetterle a posto la zampa, Dodo aveva urlato tanto da esaurirsi e subito cadeva in un sonno profondo e sereno, mentre noi eravamo così fiaccati che per tutta la serata non riuscivamo più a concentrarci su niente.

Ci accorgemmo ben presto che Dodo aveva un'intelligenza limitatissima. Nel suo cranio c'era posto per una sola idea alla volta, e quando quell'idea c'era entrata Dodo non la mollava più, qualunque cosa si facesse per dissuaderla. Decise in tenerissima età che mamma le apparteneva, ma a tutta prima non si dimostrò eccessivamente possessiva, sino a un certo pomeriggio in cui mamma andò in città per fare commissioni e lasciò Dodo a casa. Convinta che non l'avrebbe mai più rivista, Dodo si mise in lutto e cominciò ad aggirarsi ululando afflitta, e ogni tanto era così sopraffatta dal dolore che la zampa le andava fuori posto. Accolse il ritorno di mamma con incredula gioia, ma per paura che scappasse di nuovo decise che da quel momento non l'avrebbe più perduta di vista. Così si attaccò a mamma con la tenacia di una patella, senza mai allontanarsene di più di un passo. Se mamma si sedeva, Dodo si sdraiava ai suoi piedi; se mamma doveva alzarsi per prendere un libro o una sigaretta all'altro capo della stanza, Dodo l'accompagnava, poi tornavano indietro insieme e si sedevano di nuovo, e Dodo tirava un gran sospiro di soddisfazione al pensiero che ancora una volta aveva sventato il tentativo di fuga di mamma. Voleva essere presente persino quando mamma faceva il bagno, accovacciandosi tristemente accanto alla vasca e fissando il suo idolo con imbarazzante intensità. Ogni tentativo di lasciarla fuori della porta si concludeva con gli urli frenetici di Dodo, che cominciava a scagliarsi contro il battente e finiva quasi sempre col lussarsi l'anca. Doveva avere l'impressione che non fosse prudente lasciare andar mamma in bagno da sola anche se lei stava di guardia davanti alla porta. Sembrava convinta che c'era sempre la possibilità che mamma le sfuggisse scivolando giù nel tubo di scarico della vasca.

A tutta prima Roger, Pipì e Vomito trattarono Dodo con tollerante disprezzo; non ne avevano una grande opinione perché era troppo obesa e troppo bassa di carrozzeria per camminare a lungo, e ogni loro tentativo di giocarci insieme sembrava provocare in lei un attacco di mania di persecuzione che la spingeva a tornare a casa di galoppo per farsi proteggere. In complesso erano propensi a considerarla una noiosa e inutile aggiunta alla famiglia, finché non scoprirono che aveva una caratteristica superlativa e assolutamente irresistibile: andava in calore con monotona regolarità. Quanto a Dodo, di fronte ai fatti della vita dimostrava un'innocenza che era piuttosto commovente. Sembrava non soltanto stupita, ma addirittura spaventata di tutta quella popolarità di cui improvvisamente godeva, quando i suoi ammiratori arrivavano così numerosi che mamma doveva andare in giro armata di un grosso bastone. Proprio a causa di questa innocenza vittoriana Dodo si lasciò facilmente adescare dalle magnifiche sopracciglia fulve di Vomito e subì un destino peggiore della morte quando sbadatamente mamma li chiuse insieme nel salotto mentre lei soprintendeva ai preparativi per il tè. L'improvviso e inaspettato arrivo del cappellano inglese e di sua moglie, che vennero introdotti nella stanza dove la coppia felice si stava piacevolmente sollazzando, e i susseguenti sforzi di mantenere una conversazione normale lasciarono mamma esausta e con un feroce mal di testa.

Con meraviglia di tutti (Dodo compresa) da questa unione nacque un cucciolo, uno strano sgorbietto uggiolante con la figura della madre e l'insolita chiazzatura bianca e marrone del padre. Dodo scoprì che diventare madre così all'improvviso era molto demoralizzante e le venne quasi l'esaurimento nervoso, perché era divisa tra il desiderio di starsene in un angolino col suo cucciolo e il bisogno imperioso di seguire mamma passo passo. Noi però non ci eravamo resi conto di queste turbe psicologiche. Infine Dodo decise di arrivare a un compromesso, così seguiva mamma portando il cucciolo in bocca. Quando scoprimmo che cosa stava combinando era già tutta la mattina che faceva quell'operazione; il povero cucciolo le pendeva dalla bocca tenuto coi denti per la testa, dimenandosi da tutte le parti mentre Dodo zampettava alle calcagna di mamma. Visto che le sgridate e le suppliche non servivano a niente, mamma fu costretta a chiudersi in camera da letto con Dodo e il cucciolo, e noi portavamo su i loro pasti con un vassoio. Ma anche questo non risolse del tutto il problema, perché se mamma si alzava dalla sedia Dodo, sempre sul chi vive, afferrava il cucciolo e la fissava con gli occhi di fuori, pronta, se necessario, a buttarsi all'inseguimento.

«Se questa storia continua ancora per molto quel cucciolo diventerà una giraffa» osservò Leslie.

«Lo so, povera bestiolina,» disse mamma «ma che cosa posso *fare*? Lei lo afferra anche se mi vede accendere una sigaretta».

«La cosa più semplice sarebbe affogarlo» disse Larry. «Tanto diventerà una bestia mostruosa. Guarda i genitori».

«No, tu non l'affogherai proprio!» esclamò mamma indignata.

«Non essere *orripilante*» disse Margo. «Quella povera bestiola».

«Be', che tu ti lasci incatenare a una sedia da un cane a me sembra assolutamente ridicolo».

«È il mio cane, e se voglio star seduta qui *ci sto*» disse mamma con fermezza.

«Ma per quanto tempo? Questa storia può durare per mesi».

«Toverò una soluzione» disse mamma dignitosamente.

La soluzione che finalmente mamma riuscì a escogitare era semplice. Assunse la figlia più piccola della domestica perché portasse il cucciolo al posto di Dodo. Dodo parve molto soddisfatta di questa sistemazione, e mamma poté ricominciare a muoversi per casa. Passava da una stanza all'altra come un sovrano orientale, con Dodo che zampettava alle sue calcagna e la piccola Sophia che chiudeva la processione, con la lingua tra le labbra e gli occhi strabuzzati per lo sforzo, portando tra le braccia un grande cuscino sul quale era adagiato lo strano rampollo di Dodo. Quando mamma doveva restare nello stesso posto per un certo tempo, Sophia posava reverentemente il cuscino sul pavimento, e Dodo ci montava sopra e dava un gran sospiro. Non appena mamma era pronta a spostarsi in un altro punto della casa, Dodo scendeva dal cuscino, si dava una scrollata e prendeva il suo posto nel corteo, mentre Sophia sollevava alto il cuscino come se stesse portando una corona. Mamma dava un'occhiata al di sopra degli occhiali per assicurarsi che la processione fosse pronta, faceva un piccolo cenno con la testa, e tutti si incamminavano nella nuova direzione.

Tutti i pomeriggi mamma andava a fare una passeggiata con i cani, e per noi figli era un vero divertimento assistere a quel pellegrinaggio lungo il pendio. Roger, in quanto cane anziano, marciava alla testa della processione, seguito da Pipì e da Vomito. Poi veniva mamma, con in testa un enorme cappello di paglia che la faceva somigliare a un fungo ambulante, e in mano una grossa paletta per scavare tutte le piante selvatiche interessanti che trovava. Dietro di lei zampettava Dodo, con gli occhi sporgenti e la lingua penzoloni, e Sophia chiudeva il corteo, avanzando con andatura solenne e portando il cucciolo imperiale sul cuscino. Il Circo di mamma, lo chiamava Larry, e la faceva arrabbiare gridando dalla finestra:

«Ehi, signora, a che ora si tira su il tendone?».

Le aveva comprato una lozione per far crescere i capelli, spiegandole che doveva fare qualche esperimento su Sophia e cercare di trasformarla in donna barbuta.

«È proprio quello che *ci vuole* per il suo spettacolo, signora,» le diceva con la voce rauca da imbonitore «un po' di classe, ha capito? Non c'è niente come una donna barbuta per dare un pizzico di classe a uno spettacolo».

Ma nonostante tutto, ogni giorno alle cinque del pomeriggio mamma continuava a condurre la sua bizzarra carovana su per gli uliveti.

Nella parte settentrionale dell'isola c'era un lago che aveva il simpatico e tintinnante nome di Antiniotissa, e quel posto era una delle nostre mete preferite. Era lungo circa un miglio, un oblungo specchio d'acqua poco profonda circondato da una folta criniera di canne e di giunchi e delimitato a una delle estremità dal gentile profilo di una vasta duna di sabbia sottilissima e bianca che lo separava dal mare. Quando facevamo le nostre gite al lago, Theodore ci accompagnava sempre, perché là lui e io avevamo modo di fare fruttuose esplorazioni negli stagni, nei fossi e nelle marmitte acquitrinose che costellavano tutta la riva. Leslie invariabilmente si portava dietro una batteria di fucili perché la foresta di canne pullulava di selvaggina, mentre Larry continuava a portarsi un enorme arpione e stava per ore in piedi nel corso d'acqua che univa il lago al mare, sforzandosi di arpionare i grossi pesci che vi guizzavano dentro. Mamma era carica di cestini pieni di vettovaglie, di cestini vuoti per le piante e di vari attrezzi da giardinaggio per estrarre dal terreno le sue scoperte. Margo era forse, tra tutti, la persona equipaggiata più semplicemente, non avendo con sé che un costume da bagno, un grande asciugamano e una bottiglia di olio solare. Con tutto questo equipaggiamento le nostre gite ad Antiniotissa erano quasi delle vere e proprie spedizioni.

In un certo periodo dell'anno, però, il lago era più bello che mai, e questo avveniva durante la stagione dei gigli. La curva levigata della duna che si stendeva tra la baia e il lago era l'unico punto dell'isola dove crescessero questi gigli, strani bulbi deformi sepolti nella sabbia, che una volta all'anno facevano spuntare sulla superficie un ammasso di foglie verdi e carnose e di fiori bianchi, così che la duna si trasformava in un ghiacciaio di fiori. Noi andavamo sempre al lago in quel periodo, perché era un'esperienza indimenticabile. Dodo era diventata madre da non molto quando Theodore ci ricordò che la stagione dei gigli era prossima, e noi cominciammo a fare i preparativi per la nostra gita ad Antiniotissa. Ma scoprimmo ben presto che la presenza tra noi di una madre che allattava avrebbe complicato notevolmente le cose.

«Questa volta dovremo andarci per mare» disse mamma, sferruzzando con le ciglia aggrottate una difficile maglia che sembrava un mosaico.

«Diamine, per mare ci vuole il doppio del tempo» disse Larry.

«Non possiamo andare in macchina, caro, perché Dodo si sente male, e poi non ci staremmo tutti».

«Non vorrai *mica* portarti quella bestia, per caso?» domandò Larry orripilato.

«Ma non posso fare altrimenti, caro... due rovesci, una diminuita... non posso lasciarla... tre rovesci... lo sai com'è fatta».

«Be', allora noleggia una macchina speciale per lei. Non ho la minima intenzione di andarmene in giro per tutto il paese con l'aria di avere appena svaligiato un allevamento di cani».

«Lei non può viaggiare in macchina. È quello che sto cercando di spiegarti. Lo sai che soffre il mal di macchina... Ora sta' zitto un momento, caro, sto contando».

«È ridicolo...» cominciò Larry esasperato.

«Diciassette, diciotto, *diciannove, venti*» disse mamma con voce forte e veemente.

«È ridicolo che dobbiamo essere costretti a fare la strada più lunga solo perché Dodo vomita tutte le volte che vede una macchina».

«Ecco!» disse mamma seccata «mi hai fatto perdere il conto. Vorrei proprio che tu non discutessi con me quando sto lavorando a maglia».

«Come fai a sapere che non soffrirà il mal di mare?» domandò Leslie interessato.

«Chi soffre il mal di macchina non soffre il mal di mare» spiegò mamma.

«Non ci credo» disse Larry. «Questa è una fanfaluca bella e buona, non è vero, Theodore?».

«Be', io non mi pronuncio» disse Theodore con imparzialità. «L'ho sentito dire anch'io, ma se poi questo... uhm... be'... sia *vero,* io non lo so. Io so soltanto che finora non ho mai sofferto in macchina».

Larry lo guardò senza capire. «E questo che significa?» disse stupito.

«Be', il mal di mare lo soffro sempre» spiegò Theodore semplicemente.

«Magnifico!» disse Larry. «Se andiamo in macchina sta male Dodo, se andiamo in barca sta male Theodore. Scegli tu».

«Non sapevo che lei soffrisse il mal di mare, Theodore» disse mamma.

«Oh, sì, purtroppo. Ed è un grosso inconveniente».

«Be', con un tempo come questo il mare sarà calmissimo, perciò direi che dovrebbe star bene» osservò Margo.

«Purtroppo,» disse Theodore, dondolandosi sui tacchi «è esattamente la stessa cosa. A me fa male anche il... ehm... *più piccolo* movimento. Parecchie volte, infatti, quando mi è capitato di vedere al cinema delle scene di navi in mezzo al mare in tempesta sono stato costretto a... uhm... costretto a uscire».

«La cosa più semplice è dividerci» disse Leslie. «Metà si va in barca e metà si va in macchina».

«Questa è un'idea geniale!» disse mamma. «Il problema è risolto».

Ma viceversa non era risolto affatto, perché scoprimmo che la strada per Antiniotissa era bloccata da una piccola frana, e quindi era impossibile percorrerla in macchina. O si andava tutti per mare, o non si andava per niente.

Partimmo in una tiepida alba perlacea che faceva presagire una giornata calda e senza vento e un mare calmo. Per riuscire a trasportare tutta la famiglia, i cani, Spiro e Sophia dovemmo prendere sia l'*Opima-Culandrona* sia il *Dugongo*. Il doversi trascinare legata dietro la forma rotonda dell'*Opima-Culandrona* diminuiva di molto la velocità del *Dugongo*, ma non c'era altra scelta. Seguendo la proposta di Larry, i cani, Sophia, mamma e Theodore viaggiarono sull'*Opima-Culandrona*, mentre tutti noialtri ci ammucchiammo nel *Dugongo*. Purtroppo Larry non aveva tenuto conto di un fattore importante: la maretta provocata dal *Dugongo*. L'onda si curvò dalla poppa come un muro di vetro azzurro e raggiunse la sua altezza massima proprio mentre sbatteva contro l'ampio fianco dell'*Opima-Culandrona*, sollevandola in aria e facendola ricadere giù con un tonfo. Per parecchio tempo noi non ci accorgemmo delle conseguenze di quell'ondata, perché il rumore del motore soffocava i frenetici gridi di aiuto di mamma. Quando finalmente ci fermammo lasciando che l'*Opima-Culandrona* si avvicinasse ballonzolando, scoprimmo che stavano male non soltanto Theodore e Dodo, ma anche tutti gli altri, compreso un esperto e incallito marinaio come Roger. Dovemmo farli salire sul *Dugongo* e stenderli tutti in fila, mentre Spiro, Larry, Margo e io prendevamo il loro posto nell'*Opima-Culandrona*. Quando eravamo ormai vicini ad Antiniotissa tutti si sentivano meglio, all'infuori di Theodore, che stava ancora il più vicino possibile al bordo della barca guardando con occhi vitrei le proprie scarpe e rispondendo a monosillabi. Girammo intorno all'ultimo promontorio di rocce rosse e d'oro, stratificate in cumuli pericolanti come pile di giganteschi giornali fossilizzati o come i relitti rugginosi e ammuffiti della biblioteca di un colosso, e il *Dugongo* e l'*Opima-Culandrona* si inoltrarono nella vasta baia azzurra che si stendeva all'imboccatura del lago. La curva di sabbia bianco-perla aveva alle spalle la grande duna coperta di gigli, migliaia di fiori candidi nello splendore del sole come una moltitudine di corni d'avorio che alzavano le loro bocche verso il cielo ma dai quali non sgorgava musica, bensì un profumo acuto e intenso che era l'essenza distillata dell'estate, una calda fragranza che ogni tanto ti spingeva a respirare profondamente per cercare di trattenerla dentro di te. Il motore tacque dopo un ultimo colpo di tosse che echeggiò brevemente tra le rocce, poi le due barche si avviarono frusciando verso riva, e il profumo dei gigli si riversò sull'acqua per venirci incontro.

Dopo aver portato a terra e sistemato sulla sabbia tutto il nostro equipaggiamento, ce ne andammo tutti per le nostre faccende. Larry e Margo se ne rimasero mezzo addormentati nell'acqua bassa, facendosi cullare dalle lievi increspature. Mamma, armata di una pala e di un cestino, portò il suo corteo a fare una piccola passeggiata. Spiro, in mutande e simile in tutto e per tutto a un bruno e peloso uomo preistorico, si inoltrò nel ruscello che scorreva dal lago al mare e, con l'acqua che gli arrivava alle ginocchia, rimase a scrutare nella corrente limpida, con un tridente pronto in mano, mentre i banchi di pesci guizzavano intorno ai suoi piedi. Theodore e io tirammo a sorte con Leslie quale riva del lago ci toccava, e poi partimmo in direzioni opposte, noi di qua e lui di là. Il segno che serviva da confine sulla riva era un grosso ulivo particolarmente contorto. Una volta arrivati a quell'ulivo, facemmo dietro-front e tornammo indietro, mentre Leslie faceva altrettanto dalla parte sua. Questo eliminava il pericolo che potesse spararci per sbaglio in qualche fitto e intricato canneto. Così, mentre Theodore e io ci inoltrammo tra gli stagni e i ruscelletti per le nostre ricerche, come due avidi aironi, Leslie attraversò con passo deciso la vegetazione dall'altra parte del lago, e ogni tanto uno sparo che echeggiava di lontano ci segnalava la sua avanzata.

Arrivò l'ora di pranzo e noi ci radunammo affamati sulla spiaggia, Leslie con un carniere rigonfio di selvaggina, lepri lorde di sangue, pernici e quaglie, beccaccini e colombacci; Theodore e io con le nostre provette e le nostre bottiglie brulicanti di minuscola vita. C'era un gran fuoco che ardeva, i cibi erano ammucchiati sulle coperte, e qualcuno andò a prendere il vino sulla riva, dov'era rimasto sino allora in fresco nell'acqua bassa. Larry stese il suo angolo di coperta contro la duna, in modo da potersi sdraiare quant'era lungo in mezzo alle bianche trombe dei gigli. Theodore stava seduto eretto e composto, e mentre masticava con metodica lentezza la sua barba si muoveva ritmicamente su e giù. Margo si era elegantemente distesa al sole, piluccando con gesto raffinato da un gran mucchio di frutta e di ortaggi. Mamma e Dodo erano sistemate all'ombra di un grande ombrellone. Leslie si era accovacciato alla turca sulla sabbia, col fucile posato sulle cosce, reggendo un enorme pezzo di carne fredda con una mano e accarezzando pensieroso con l'altra le canne dell'arma. Accanto a lui Spiro stava acquattato vicino al fuoco, col sudore che gli scorreva lungo la faccia ispida e gli ruscellava in gocce scintillanti nel folto vello di peli neri che aveva sul petto, mentre era intento a improvvisare e a rigirare sulle fiamme certi spiedini di legno d'ulivo con sopra infilzati sette beccaccini belli grassi.

«Che posto paradisiaco!» biascicò Larry con la bocca piena, sdraiato tra i fiori splendenti come un sibarita. «Sento che questo posto è stato creato per me. Vorrei restarmene per sempre disteso qui, circondato da stormi di nude e voluttuose driadi che mi cacciassero in bocca cibi e vino. Nel corso dei secoli, naturalmente, a forza di respirare a pieni polmoni e con ritmo regolare, finirei con l'imbalsamarmi di questo profumo, e un bel giorno le mie fedeli driadi mi troverebbero morto, e di me non rimarrebbe che il profumo. Qualcuno vorrebbe buttarmi uno di quei fichi dall'aspetto così *delizioso*?».

«Una volta ho letto un libro interessantissimo sull'imbalsamazione» disse Theodore con entusiasmo. «Certo che in Egitto si sobbarcavano a una bella fatica per preparare i corpi. Devo dire che il loro metodo di... ehm... estrarre il cervello attraverso il naso mi è sembrato *estremamente* ingegnoso».

«Lo tiravano fuori dalle narici con una specie di aggeggio a forma di uncino, vero?» domandò Larry.

«Larry caro, non mentre stiamo *mangiando*».

Finito il pranzo ci sparpagliammo all'ombra degli ulivi là intorno e trascorremmo assopiti le ore più calde del pomeriggio, mentre su di noi si riversava il canto acuto e sonnacchioso delle cicale. Ogni tanto qualcuno di noi si alzava per arrivare sino al mare e gettarsi un momentino in acqua, poi tornava rinfrescato a riprendere la siesta. Alle quattro Spiro, che se n'era rimasto sdraiato come un ciocco, ronfando con ricchi gorgoglii, tornò alla vita e scese sulla spiaggia a riaccendere il fuoco per il tè. Noialtri ci svegliammo lentamente, tutti insonnoliti, stiracchiandoci e sospirando, e ci incamminammo alla spicciolata sulla sabbia verso la teiera che fumava e ronzava. Mentre stavamo seduti sulla sabbia con le tazze in mano, ancora impigriti e con gli occhi socchiusi, tra i gigli comparve un pettirosso che saltellò verso di noi, col petto splendente, gli occhietti scintillanti. Si fermò a qualche metro da noi e ci esaminò con aria critica. Decidendo che ci occorreva un po' di svago, saltellò verso due gigli che formavano un bell'arco, ci si mise sotto in posa teatrale, gonfiò il petto e con voce argentina cinguettò un canto trillante. Quand'ebbe finito, abbassò improvvisamente la testa in un gesto che parve la parodia di un inchino, e poi frullò via in mezzo ai gigli spaventato dalle nostre risate.

«I pettirossi sono *proprio* delle creaturine incantevoli» disse mamma. «In Inghilterra ce n'era uno che quando lavoravo in giardino stava accanto a me per delle ore. Quanto mi piace quando gonfiano il petto in quel modo».

«Questo ha chinato la testa proprio come se facesse un inchino» disse Theodore. «Devo dire che quando ha... ehm... gonfiato il petto sembrava proprio una cantante d'opera piuttosto... diciamo... *ben stazzata*».

«Sì, mentre canta qualcosa di spumeggiante e vivace... Strauss, direi» convenne Larry.

«A proposito di opere,» disse Theodore con un luccichio negli occhi «vi ho mai raccontato dell'ultima opera che è stata data a Corfù?».

Noi dicemmo di no, che non ce ne aveva parlato, e ci disponemmo ad ascoltarlo, divertendoci alla vista di Theodore che raccontava la storia quasi quanto alla storia in sé e per sé.

«Era... uhm... una di quelle compagnie liriche girovaghe. Mi sembra che venisse da Atene, ma può anche darsi che venisse dall'Italia. Comunque, la loro prima rappresentazione doveva essere la *Tosca*. La cantante che faceva la parte dell'eroina era eccezionalmente... ehm... *ben sviluppata,* come del resto sono tutte. Be', come sapete, nell'ultimo atto dell'opera l'eroina si getta per uccidersi dai merli di una fortezza – o meglio di un *castello*. La prima sera l'eroina si arrampicò sulle mura del castello, cantò la romanza finale e poi si gettò per... come si dice... per cercare la *morte* sulle rocce sottostanti. Disgraziatamente sembra che i macchinisti avessero dimenticato di mettere sotto le mura qualcosa su cui lei potesse *atterrare*. Di conseguenza il tonfo del suo atterraggio e i suoi immediati... ehm... strilli di dolore attenuarono un poco l'impressione che lei si fosse fracassata giù sulle rocce. Il cantante che stava per l'appunto deplorando il fatto che lei fosse morta fu costretto a cantare... ehm... *a pieni polmoni* per soffocare le sue urla. L'eroina, com'è logico, rimase un po' sconvolta da quest'incidente, sicché la sera successiva i macchinisti si accinsero con tutto l'impegno a procurarle un atterraggio morbido. L'eroina, un po' malconcia, riuscì alla meno peggio a sostenere la sua parte finché non arrivò alla... ehm... scena finale. Allora tornò ad arrampicarsi sui merli, cantò la romanza finale e si gettò incontro alla morte. Disgraziatamente i macchinisti, dato che la prima volta avevano reso l'atterraggio *troppo* duro, erano andati all'estremo opposto. L'enorme pila di materassi e... ehm... di quei, come si dice, di quei sacconi a molle dei letti, era così *elastica* che l'eroina ci piombò sopra e poi rimbalzò in aria. Così mentre tutti i cantanti stavano al... ehm... come si chiama?... ah, sì, alla *ribalta,* ripetendosi l'un l'altro che lei era morta, le parti superiori dell'eroina riapparvero due o tre volte al di sopra dei merli, lasciando il pubblico un po' confuso».

Il pettirosso, che durante quel racconto era tornato ad avvicinarsi saltellando, al nostro scoppio di risa si spaventò e scappò via di nuovo.

«Senti, Theodore, giuro che tu passi il tuo tempo libero a inventare queste storie» protestò Larry.

«No, no,» disse Theodore, sorridendo felice tra la barba «in qualunque altro posto del mondo sarei costretto a farlo, ma qui a Corfù la gente... ehm... anticipa l'arte, per così dire».

Dopo il tè, Theodore e io risalimmo lungo la riva del lago e riprendemmo le nostre ricerche finché non fu troppo buio per vederci; allora tornammo lentamente verso la spiaggia, dove il fuoco che Spiro aveva acceso palpitava e scintillava come un enorme crisantemo tra i gigli d'un bianco spettrale. Spiro aveva arpionato tre grossi pesci e li stava arrostendo su una griglia, assorto e accigliato, mettendo ora una fettina d'aglio, ora un po' di succo di limone o una spruzzatina di pepe sulla delicata carne bianca che appariva nei punti dove la pelle rosolata cominciava a staccarsi. La luna spuntò da dietro le montagne rendendo argentei i gigli, tranne dove le fiamme guizzanti li illuminavano di un riflesso roseo. Le ondine correvano sul mare inargentato dalla luna e sospiravano di sollievo quando finalmente raggiungevano la riva. I gufi cominciarono a fischiare negli alberi, e nelle ombre cupe le lucciole in volo baluginavano, accendendo e spengendo le loro indistinte luci verde giada.

Finalmente, sbadigliando e stiracchiandoci, riportammo tutta la nostra roba giù alle barche. Raggiungemmo a remi l'imboccatura della baia e poi, mentre Leslie armeggiava col motore, ci volgemmo a guardare Antiniotissa. I gigli erano come un campo di neve sotto la luna, e il cupo sfondo di ulivi era punteggiato dalle luci delle lucciole. Il fuoco che avevamo calpestato ben bene prima di andarcene splendeva come un blocco di granati accanto al bordo dei fiori.

«Senza dubbio è un posto... ehm... molto *bello*» disse Theodore con immensa soddisfazione.

«È un posto splendido,» disse mamma, e poi gli concesse quella che per lei era la più alta onorificenza «vorrei essere sepolta qui».

Il motore tossicchiò incerto, poi emise un cupo ruggito; il *Dugongo* acquistò velocità e si avventò lungo la costa, tirandosi dietro l'*Opima-Culandrona,* oltre la quale la nostra scia si allargò a ventaglio, bianca e delicata come una tela di ragno sull'acqua cupa, brillantata qua e là da una fuggevole scintilla di fosforescenza.

XVII
I CAMPI A SCACCHIERA

Sotto la villa, tra la fila di colline su cui essa si ergeva e il mare, si stendevano i Campi a Scacchiera. Il mare si insinuava nella costa formando una grande baia quasi del tutto chiusa, poco profonda e vivida, e sul terreno piatto lungo i suoi bordi si stendeva l'intricato disegno dei canali che una volta, ai tempi di Venezia, erano state delle saline. Ognuno di quei simmetrici pezzetti di terra incorniciati dai canali era intensamente coltivato e tutto rigoglioso di vegetazione, dalle messi del granturco alle patate, ai fichi, alle vigne. Questi campi, minuscoli e vividi riquadri contornati dalle acque scintillanti, si stendevano come una vasta scacchiera multicolore sulla quale si muovevano da un punto all'altro le colorate figure dei contadini.

Era una delle aree che preferivo per le mie esplorazioni, perché i piccoli canali e il sottobosco lussureggiante albergavano una moltitudine di creature. Era una zona dove ci si smarriva facilmente, perché se stavi inseguendo una farfalla e, preso dall'entusiasmo, attraversavi un ponticello di legno tra un'isola e l'altra, ma non quello giusto, rischiavi di girare a vuoto per un pezzo, cercando di orientarti in un labirinto sconcertante di alberi di fico, canneti e fitti sipari di granturco. Quasi tutti quei campi appartenevano ad amici miei, famiglie contadine che vivevano sulle colline, sicché quando scorrazzavo da quelle parti ero sempre sicuro di potermi riposare un po' facendo quattro chiacchiere e piluccando un grappolo d'uva con qualche conoscente, o di venire a sapere qualche notizia interessante, per esempio che c'era un nido d'allodola sotto le piante di melone nel podere di Georgio. Se attraversavi dritto la scacchiera senza farti distrarre dagli amici, e senza lasciarti allettare a cambiar strada dalle tartarughe che scivolavano giù lungo gli argini fangosi e si tuffavano nell'acqua, o dall'improvviso ronzio sfrigolante di una libellula che ti passava vicino, finalmente raggiungevi quel punto dove tutti i canali si allargavano e sparivano in una vasta e piatta estensione di sabbia, tutta ondulata in una fitta e regolare pieghettatura dalla marea della notte precedente. Qui le lunghe e serpeggianti catene di relitti segnavano il lento ritrarsi del mare, affascinanti catene piene di alghe colorate, aguglie morte, sugheri di reti da pesca che sembravano buoni da mangiare – come pezzi di panfrutto pieni di uvetta – frammenti di vetro così smerigliati e cesellati dalla marea e dalla sabbia che parevano gioielli luccicanti, conchiglie puntute come porcospini, altre lisce, ovali, e d'un rosa delicato, come le unghie di una dea annegata. Questo era il regno degli uccelli marini: beccaccini, beccapesci, piovanelli e sterne sparpagliati in piccoli gruppi saltellanti sulla riva del mare, dove le onde lunghe correvano verso la terra e si frangevano in lunghi collari intorno alle dune di sabbia. Qui, se avevi fame, potevi entrare nell'acqua bassa e pescare i gamberi carnosi e trasparenti che a mangiarli crudi erano dolci come l'uva, o scavare con le dita dei piedi nella sabbia finché non trovavi i molluschi dai gusci rotondi come nocciole e striati.

Se ne mettevi due l'uno contro l'altro, cerniera contro cerniera, e poi li giravi bruscamente in direzione opposta, si aprivano a vicenda; e l'interno, anche se un po' troppo consistente, era succoso e squisito.

Un pomeriggio, non avendo niente di meglio da fare, decisi di andarmene coi cani nei campi. Avrei fatto un altro tentativo di catturare la Vecchia Tònfete, poi sarei andato sino al mare per una bella scorpacciata di molluschi, e poi sarei tornato a casa passando per il podere di Petro, così mi sarei fermato a far quattro chiacchiere con lui gustando un cocomero o qualche polposa melagrana. La Vecchia Tònfete era una grossa e vecchia tartaruga che viveva in uno dei canali. Cercavo di catturarla da più di un mese, ma nonostante la sua età era molto scaltra e rapida, e benché mi avvicinassi con estrema cautela quando se ne stava addormentata sull'argine fangoso, al momento cruciale lei si svegliava sempre, agitava freneticamente le zampe e sgambettava giù per la discesa per poi tuffarsi in acqua con un tonfo, come quando si butta un grosso salvagente. Avevo catturato molte tartarughe, naturalmente, sia quelle nere tutte maculate di fitti puntolini d'oro piccoli come capocchie di spillo, sia quelle grigio chiaro a righe beige; ma la Vecchia Tònfete era una cosa speciale e io la volevo a tutti i costi. Era più grossa di tutte le tartarughe che avevo viste, e così vecchia che la sua corazza malconcia e la sua pelle rugosa erano diventate completamente nere, e avevano perso tutte le caratteristiche che forse avevano avute nella lontana giovinezza. La volevo assolutamente, e visto che l'avevo lasciata in pace per tutta la settimana pensai che era tempo di sferrare un altro attacco.

Con la mia sacca di bottiglie e scatolette, il mio retino, e un cesto nel quale mettere la Vecchia Tònfete se fossi riuscito a catturarla, scesi coi cani giù dalla collina. Le Garze mi gridarono dietro «Gerry!... Gerry!... *Gerry...*» con accento supplichevole e tormentato, poi, visto che non mi giravo, si misero a schernirmi, a schiamazzare e a fare rumori sconvenienti. Le loro voci rauche si affievolirono quando ci inoltrammo negli uliveti, poi furono cancellate dal coro delle cicale, il cui canto faceva fremere l'aria. Ci incamminammo lungo la strada, bollente, bianca e soffice come un piumino da cipria sotto i piedi. Mi fermai a bere alla fonte di Yani, poi mi affacciai al porcile rustico fatto di rami di ulivo nel quale vivevano i due maiali, che si rotolavano con gioia rumoreggiante in un mare di melma appiccicosa. Dopo avere aspirato profondamente e con soddisfazione il loro odore e dato una bella pacca sul didietro sporco e sussultante del più grosso, continuai per la mia strada. Alla curva successiva ebbi una vivace discussione con due grasse dame del contado che portavano in bilico sulla testa delle grandi ceste di frutta ed erano infuriate con Pipì. Lui si era avvicinato di soppiatto mentre erano tutte prese dai loro discorsi, e dopo averle annusate aveva fatto onore al proprio nome sulle loro sottane e sulle loro gambe. La discussione per stabilire di chi fosse la colpa ci tenne felicemente occupati per dieci minuti, e continuò anche dopo che avevo ripreso a camminare, finché non fummo separati da una distanza così grande che non potevamo più né sentire né apprezzare i reciproci insulti.

Tagliando attraverso i primi tre campi, mi fermai un momento nel podere di Taki per assaggiare la sua uva. Lui non c'era, ma sapevo che non gli sarebbe dispiaciuto. L'uva era quella piccola e succosa, dal dolce sapore di muschio. Quando ne spremevi un chicco l'intero contenuto, morbido e senza semi, ti saltava dritto in bocca, lasciandoti tra le dita la pelle flaccida. I cani e io ne mangiammo quattro grappoli e io misi nella mia sacca altri due grappoli per le future esigenze, dopo di che proseguimmo lungo il bordo del canale verso il posto dove c'era l'argine fangoso che la Vecchia Tònfete preferiva. Ci eravamo già piuttosto vicini e stavo per avvertire i cani che era necessario il più assoluto silenzio, quando da un campo di grano sbucò fuori un grosso ramarro verde che se la diede subito a gambe. I cani, latrando furiosamente, si buttarono al suo inseguimento. Quando arrivai all'argine fangoso della Vecchia Tònfete, trovai soltanto una serie di ondine che si allargavano lentamente sull'acqua a testimoniare la sua presenza in quel luogo. Mi sedetti e aspettai che i cani tornassero, ripassandomi nella mente i pesanti e pittoreschi insulti con cui li avrei bombardati. Ma con mia grande sorpresa non tornarono. I loro latrati lontani si spensero, ci fu un silenzio, poi li sentii abbaiare in coro – quell'abbaiare monotono e a intervalli regolari che significava che avevano trovato qualcosa. Domandandomi di che cosa si trattasse mi affrettai a raggiungerli.

Stavano a semicerchio intorno a un ciuffo d'erba sul bordo dell'acqua, e mi vennero incontro saltando e guaendo di eccitazione, con le code che sferzavano l'aria, Roger col labbro di sopra rialzato in un sorriso compiaciuto perché io ero andato a esaminare la loro scoperta. A tutta prima non riuscii a vedere che cosa avesse potuto suscitare tutta quell'eccitazione; poi quella che avevo preso per una piccola radice si mosse, e mi trovai a contemplare due grossi e bruni serpenti d'acqua, avviluppati in un abbraccio appassionato sull'erba, i cui occhi argentei mi fissavano con indifferenza dalle teste a forma di vanga. Era una scoperta emozionante, e quasi quasi mi compensava della perdita della Vecchia Tònfete. Da un pezzo desideravo catturare uno di quei serpenti, ma erano dei nuotatori così veloci e abili che non ero mai riuscito ad avvicinarmi abbastanza da catturarli. Ora i cani avevano trovato quella bella coppia che se ne stava sdraiata al sole – là per farsi prendere, per così dire.

I cani, dopo aver fatto il loro dovere trovando quelle creature e segnalandomele, ora si ritrassero a rispettosa distanza (perché non si fidavano dei rettili) e si accovacciarono osservandomi con interesse. Molto lentamente, armeggiai col mio acchiappafarfalle finché non riuscii a svitarne il manico; fatto questo, mi ero procurato un bastone col quale eseguire la cattura, ma il problema era: *come* catturare due serpenti con un solo bastone? Mentre stavo cercando di risolverlo, uno dei due lo risolse per me, srotolandosi senza fretta e scivolando nell'acqua giù a piombo come una lama. Pensando di averlo perduto, guardai seccato il suo lungo corpo ondulante che si confondeva col riflesso dell'acqua. Poi, con mia grande gioia, vidi una colonna di fango che saliva lentamente attraverso l'acqua e si allargava come una rosa sulla superficie; il rettile si era sepolto nel fondo, e io sapevo che sarebbe rimasto là finché non pensava che me ne fossi andato. Rivolsi la mia attenzione alla sua compagna, spingendola col bastone giù nell'erba folta; lei si contorse in un complicato nodo e aprendo la bocca rosea sibilò contro di me. Io la presi forte per il collo tra l'indice e il pollice, e lei rimase tutta molle nella mia mano mentre le accarezzavo il bel ventre bianco e il dorso bruno dove le scaglie erano leggermente sollevate come la superficie di una pigna. La misi con gesto tenero nel cestino, e poi mi accinsi a catturare l'altro. Scesi un po' lungo l'argine, immersi il manico del retino nel canale per saggiarne la profondità, e appurai che l'acqua era alta poco più di mezzo metro su un metro di fango molle e fremente. Dato che l'acqua era torbida, e il serpente era sepolto nella melma, il sistema più semplice mi parve quello di cercarlo con gli alluci (come facevo quando cercavo i molluschi) e, dopo averlo localizzato, acchiapparlo a tutta velocità.

Mi tolsi i sandali e mi immersi nell'acqua calda, sentendo il fango liquido che si sollevava sotto i miei piedi e mi accarezzava le gambe, morbido come cenere. Due grandi nuvole nere fiorirono intorno alle mie cosce e si allargarono lungo il canale. Mi avvicinai al punto dove stava nascosta la mia preda, spostando i piedi lentamente e con molta cautela nella mobile cortina di fango. Tutt'a un tratto sentii sotto il mio piede il corpo viscido, e subito affondai il braccio nell'acqua sino al gomito e feci per afferrarlo. Le mie dita strinsero soltanto il fango, che fluì tra di esse e si allargò tutt'intorno in lente nuvole tumultuose. Stavo per maledire la mia sfortuna quando il serpente affiorò alla superficie a circa un metro da me e cominciò a nuotare muovendosi sinuosamente. Con un grido di trionfo mi gettai su di lui con tutto il corpo.

Ci fu un momento un po' confuso quando finii sotto l'acqua scura e il fango mi gorgogliò negli occhi, nelle orecchie e nella bocca, ma sentivo il corpo del rettile che si contorceva furiosamente nella stretta decisa della mia mano sinistra, e un empito di gioia mi invase. Ansimando e sputacchiando sotto il mio strato di fango, mi sedetti nel canale e afferrai il serpente per il collo prima che lui avesse il tempo di riprendersi e di mordermi; poi per un bel po' continuai a sputare per liberarmi i denti e le labbra dal sottile strato sabbioso che li ricopriva. Quando finalmente mi alzai in piedi e mi volsi per tornare sull'argine, scoprii con grande meraviglia che il mio pubblico di cani era stato numericamente accresciuto dall'arrivo silenzioso di un uomo, che se ne stava comodamente seduto alla turca e mi osservava con un'espressione tra interessata e divertita.

Era un individuo basso e robusto la cui faccia bruna era sormontata da un caschetto di capelli color tabacco tagliati quasi a zero. I suoi occhi grandi e azzurrissimi avevano uno sguardo simpatico e arguto, e agli angoli la pelle fine era segnata da una raggiera di rughette. Un corto naso aquilino si curvava su una bocca larga e arguta. Indossava una camicia di cotone azzurro così scolorita che ormai aveva preso il color di un non-ti-scordar-di-me seccato dal sole, e vecchi pantaloni di flanella grigia. Non lo conoscevo, e immaginai che fosse un pescatore di qualche villaggio più in giù lungo la costa. Mi guardò con espressione grave mentre io m'inerpicavo su per l'argine, poi sorrise.

«Salute» disse con voce piena e profonda.

Ricambiai educatamente il saluto, e poi mi accinsi al difficile compito di infilare il secondo serpente nel cestino senza far scappare il primo. Mi aspettavo che lui mi facesse una predica sulla velenosità degli innocui serpenti d'acqua e sui pericoli che correvo prendendoli in mano, ma con mia grande sorpresa restò zitto, osservandomi interessato mentre spingevo nel cestino il rettile che si contorceva. Fatto questo, mi lavai le mani e tirai fuori l'uva che avevo sgraffignata nei campi di Taki. L'uomo ne accettò una parte e restammo là seduti senza parlare, succhiando con rumorosa soddisfazione la polpa dell'uva. Quando anche l'ultima pelle era finita nel canale, l'uomo tirò fuori il tabacco e con le dita tozze e brune si arrotolò una sigaretta.

«Sei straniero?» domandò, aspirando profondamente e con immensa soddisfazione.

Dissi che ero inglese, e che vivevo con la mia famiglia in una villa sulle colline. Poi aspettai le inevitabili domande sul sesso, il numero e l'età dei miei parenti, il loro lavoro e le loro aspirazioni, seguite da un abile interrogatorio per appurare il perché vivevamo a Corfù. Questa era la solita prassi dei contadini; lo facevano in modo non antipatico, ed erano spinti soltanto da un amichevole interesse. Loro ti raccontavano tutte le loro faccende personali con la massima semplicità e franchezza, e si sarebbero offesi se tu non avessi fatto altrettanto. Ma con mia grande sorpresa l'uomo parve soddisfatto della mia risposta, non mi fece altre domande e continuò a soffiare sottili sbuffi di fumo verso il cielo e a guardarsi intorno con azzurri occhi sognanti. Scalfii con l'unghia un bell'arabesco sulla crosta di fango grigio che mi copriva la coscia, e decisi che prima di tornare a casa dovevo scendere sino al mare per lavarmi e lavare i miei vestiti. Mi alzai e mi misi in spalla la sacca e i retini; anche i cani si alzarono, si diedero una bella scrollata e sbadigliarono. Più per cortesia che per altro, domandai all'uomo dove fosse diretto. Dopo tutto, far domande era una regola dell'etichetta contadina. Dimostrava il vostro interesse per la persona con cui parlavate. Sino a quel momento non gli avevo domandato niente.

«Vado giù al mare,» disse lui, facendo un gesto con la sigaretta «giù alla mia barca... E tu dove vai?».

Dissi che anch'io andavo al mare, prima di tutto per lavarmi e poi per mangiare qualche mollusco.

«Vengo con te» disse lui, alzandosi e stiracchiandosi. «In barca ho un cesto pieno di molluschi; puoi mangiare un po' di quelli, se vuoi».

Attraversammo i campi senza parlare, e quando arrivammo sulla sabbia lui mi indicò la sagoma lontana di una barca a remi appoggiata comodamente su un fianco, con un'increspata sottana di ondine intorno alla poppa. Mentre camminavamo in quella direzione, gli domandai se era un pescatore, e se lo era, di quale paese.

«Io vengo da qui... da queste colline» rispose. «Per lo meno, la mia casa è qui, ma ora io sto a Vido».

Questa risposta mi lasciò perplesso, perché Vido era una minuscola isoletta al largo della città di Corfù, e a quanto ne sapevo io non ci viveva nessuno tranne detenuti e guardie carcerarie, perché era la prigione dell'isola. E glielo dissi.

«Infatti,» disse lui, chinandosi a dare una pacca a Roger che gli passava accanto «è proprio così. Io sono un detenuto».

Pensai che stesse scherzando e gli diedi un'occhiata attenta, ma la sua espressione era serissima. Allora, dissi, l'avevano appena rimesso in libertà?

«No, no, purtroppo» disse con un sorriso. «Devo fare altri due anni. Ma sono un detenuto bravo, sai? Sono fidato e non creo fastidi. Quelli come me, quelli di cui loro sanno che si possono fidare, hanno il permesso di costruirsi delle barche e di tornare a casa per il finesettimana, se non abitano troppo lontano. Io devo tornare là lunedì mattina presto».

Una volta spiegata, naturalmente, la cosa era semplice. Non mi passò nemmeno per la testa che si trattava di una procedura insolita. Sapevo che dalle carceri inglesi non si va a casa per il finesettimana, ma quella era Corfù, e a Corfù poteva succedere di tutto. Morivo dalla curiosità di sapere quale crimine avesse commesso, e stavo giusto cercando le parole adatte per domandarglielo senza offenderlo quando arrivammo alla barca, e dentro la barca c'era una cosa che scacciò dalla mia mente ogni altro pensiero. A poppa, legato al sedile per una zampa gialla, stava appollaiato un enorme gabbiano dal dorso nero che mi contemplò con beffardi occhi gialli. Mi feci avanti con impeto e tesi la mano verso il largo dorso scuro.

«Bada... sta' attento! È un gran boia, quello là!» mi disse in fretta l'uomo.

Il suo avvertimento arrivò troppo tardi, perché io avevo già posato la mano sul dorso dell'uccello e stavo gentilmente accarezzando il suo serico piumaggio. Il gabbiano si rannicchiò, aprì leggermente il becco e le iridi scure dei suoi occhi si contrassero per la meraviglia, ma era rimasto talmente allibito della mia audacia che non fece nulla.

«Spiridione!» disse l'uomo stupefatto «devi piacergli; non si è mai lasciato toccare da nessuno senza beccarlo».

Gli affondai le dita nelle piume bianche e duricce che aveva sul collo, e mentre lo grattavo gentilmente il gabbiano chinò la testa e i suoi occhi si fecero sognanti. Domandai all'uomo dove fosse riuscito a catturare un uccello così splendido.

«In primavera sono andato in Albania per vedere se riuscivo a prendere qualche lepre, e l'ho trovato in un nido. Era piccolo, allora, e morbido come un agnello. Adesso sembra un'anatra enorme» disse l'uomo, fissando il gabbiano con aria pensierosa «sei un'anatra grassa, un'anatra brutta, un'anatra che morde, non è così, forse?».

Nel sentirsi parlare in quel modo il gabbiano aprì un occhio ed emise un breve, rauco strido, che poteva essere tanto di diniego quanto di consenso. L'uomo si chinò e tirò fuori un grosso cesto da sotto il sedile; era pieno sino all'orlo di grandi molluschi che tintinnarono musicalmente. Ci sedemmo nella barca a mangiare i frutti di mare, e per tutto il tempo io continuai a guardare il gabbiano, affascinato dalla testa e dal petto bianchi come la neve, dal lungo becco ricurvo e dagli occhi crudeli, gialli come crochi in primavera, dal suo largo dorso e dalle sue ali possenti, d'un nero fuligginoso. Dalle piante dei piedi palmati alla punta del becco era, a mio giudizio, addirittura splendido. Mangiai ancora un mollusco, mi pulii le mani sul fianco della barca e domandai all'uomo se la prossima primavera avrebbe potuto procurarmi un piccolo gabbiano.

«Ne vuoi uno?» disse meravigliato. «Ti piacciono?».

Quell'espressione mi parve estremamente inadeguata per descrivere i miei sentimenti. Mi sarei venduto l'anima per un gabbiano come quello.

«Be', se lo vuoi prenditelo» disse l'uomo in tono disinvolto, indicando il gabbiano col pollice.

Non riuscivo a credere alle mie orecchie. Perché era incredibile che qualcuno possedesse una creatura così meravigliosa e la offrisse in regalo con tanta noncuranza. Lui non lo *voleva*? gli domandai.

«Sì, mi piace,» disse l'uomo, guardando l'uccello con aria pensierosa «ma mangia più di quanto riesco a procurargli, ed è talmente cattivo che morde tutti; agli altri detenuti e ai guardiani non piace affatto. Ho cercato di lasciarlo andar via, ma lui *non vuole* andarsene – continua a tornare. Avevo deciso di portarlo in Albania e di lasciarlo là, uno di questi finesettimana. Perciò, se sei sicuro che lo vuoi, tientelo pure».

Sicuro che lo volevo? Era come se mi avessero offerto un angelo. Un angelo dall'aria un po' sardonica, questo è vero, ma con due ali assolutamente magnifiche. Nel mio entusiasmo non mi fermai nemmeno a domandarmi come la mia famiglia avrebbe accolto l'arrivo di un uccello grosso quanto un'oca e con un becco come un rasoio. Nel timore che l'uomo cambiasse idea mi affrettai a togliermi i vestiti, a scrollarne via a manate quanto più fango secco possibile e a fare una rapida nuotata nell'acqua bassa. Poi mi rimisi i vestiti, fischiai ai cani e mi preparai a portare a casa il mio trofeo. L'uomo slegò la corda, sollevò il gabbiano e me lo porse; io me lo cacciai sotto il braccio, stupito che un uccello così grosso fosse leggero come una piuma. Ringraziai sentitamente l'uomo per il suo splendido regalo.

«Lui sa il suo nome» osservò l'uomo, stringendo tra le dita il becco del gabbiano e scuotendolo gentilmente. «Io lo chiamo Alecko. Quando lo chiami viene».

Alecko, nel sentire il suo nome, agitò furiosamente i piedi e girò la testa per guardarmi con gialli occhi interrogativi.

«Dovrai procurarti del pesce da dargli» osservò l'uomo. «Domani verso le otto esco in barca. Se vuoi venire potrai pescarne un bel po'».

Dissi che sarei andato volentieri, e Alecko diede in uno strido soddisfatto. L'uomo si appoggiò contro la prua della barca per spingerla in acqua, e tutt'a un tratto mi tornò in mente una cosa. Col tono il più indifferente possibile, gli domandai come si chiamasse e perché stava in prigione. Lui volse la testa e mi fece un sorriso incantevole.

«Mi chiamo Kosti,» disse «Kosti Panopoulos. Ho ucciso mia moglie».

Si appoggiò contro la prua della barca e spinse: essa scivolò frusciando sulla sabbia e poi nell'acqua, e le ondine saltellarono intorno alla poppa lambendola come cuccioli sfrenati. Kosti si arrampicò a bordo e prese i remi.

«Salute» gridò. «A domani».

I remi scricchiolarono ritmicamente, e la barca scivolò rapida sull'acqua limpida. Io mi volsi, tenendo ben stretto sotto il braccio il mio prezioso gabbiano, e cominciai ad arrancare sulla sabbia verso i Campi a Scacchiera.

La scarpinata fino a casa fu piuttosto lunga. Conclusi che avevo valutato male il peso di Alecko, perché pareva che si facesse sempre più pesante man mano che procedevamo. Era un peso morto che continuava a scivolarmi da sotto il braccio, sicché ogni tanto ero costretto a tirarlo su con uno scossone, e lui protestava gettando un poderoso strido. Eravamo a metà strada per i campi quando vidi un provvidenziale fico che, pensai, ci avrebbe fornito sia l'ombra sia il sostentamento, così decisi di riposarmi un po'. Mentre ero sdraiato nell'erba alta e mi facevo una scorpacciata di fichi, Alecko stava vicino a me, immobile come se fosse scolpito nel legno, osservando i cani senza mai battere le palpebre. L'unico segno di vita erano le sue iridi, che si allargavano e si contraevano di eccitazione ogni volta che uno dei cani si muoveva.

Poco dopo, riposato e ristorato, proposi alla mia banda di affrontare l'ultima tappa del viaggio; i cani si alzarono obbedienti, ma Alecko arruffò le penne, che frusciarono come foglie secche, e a quell'idea rabbrividì tutto. Evidentemente disapprovava quel mio modo di portarlo in giro sotto il braccio come un sacco vecchio, scompigliandogli tutte le penne. Ora che mi aveva persuaso a posarlo in un posto così gradevole, non aveva nessuna intenzione di continuare quello che a lui sembrava un viaggio noioso e non necessario. Quando mi chinai per prenderlo lui sbatté il becco, emise un grido forte e rauco e alzò le ali all'indietro nella posizione solitamente adottata dagli angeli sulle tombe. Mi fissò. Perché, sembrava dirmi il suo sguardo, lasciare quel posto? C'era ombra, erbetta morbida su cui star seduti, e acqua a portata di mano; che gusto c'era a lasciarlo per farsi sballottare per la campagna in modo scomodo e poco dignitoso? Discussi e ragionai con lui per un certo tempo, poi, quando mi parve che si fosse calmato, feci un altro tentativo di prenderlo. Questa volta non ci furono dubbi sul suo desiderio di restare dov'era. Il suo becco si protese così rapidamente che non potei evitarlo, e colpì con la massima precisione la mia mano che si avvicinava. Fu come se mi avesse colpito una piccozza. Avevo le nocche livide e doloranti, e il sangue sgorgava a profusione da un taglio lungo almeno cinque centimetri. Alecko sembrava così orgoglioso e soddisfatto di quell'attacco che io andai su tutte le furie. Afferrato il mio acchiappafarfalle glielo calai sopra con gesto abile e, con sua grande sorpresa, ce lo imprigionai dentro. Poi, prima che potesse riprendersi dal colpo, gli saltai sopra e gli afferrai il becco con una mano. Glielo fasciai ben bene col mio fazzoletto che legai strettamente con un pezzo di spago, poi mi tolsi la camicia e gliel'avvolsi intorno al corpo in modo da immobilizzargli completamente le ali che sbattevano. Lui rimase là, legato come un salame, fissandomi con occhi feroci e mugolando soffocati stridi di rabbia. Io raccolsi con aria truce il mio equipaggiamento, mi cacciai Alecko sotto il braccio e mi misi in marcia verso casa. Visto che ero riuscito ad avere il gabbiano, non ero disposto a sopportare capricci per portarmelo a casa. Per il resto del viaggio Alecko continuò a emettere un'ininterrotta serie di gridi selvaggi e strangolati particolarmente acuti, sicché quando arrivammo a casa ero addirittura furibondo con lui.

Entrai a passo di carica in salotto, misi Alecko sul pavimento e cominciai a sfasciarlo, mentre lui accompagnava l'operazione con rauchi versi. Quel rumore fece accorrere mamma e Margo dalla cucina. Alecko, ormai liberato dalla mia camicia, stava in mezzo alla stanza col fazzoletto ancora legato intorno al becco e strombazzava furiosamente.

«Che diavolo è quello?» ansimò mamma.

«Che uccello *enorme*!» esclamò Margo. «Che cos'è, un'aquila?».

La mancanza di cognizioni ornitologiche della mia famiglia mi aveva sempre infastidito molto. Spiegai stizzosamente che non era un'aquila ma un gabbiano col dorso nero, e raccontai come l'avevo avuto.

«Ma, caro, come diamine lo *nutriremo*?» domandò mamma. «Mangia il pesce?».

Alecko, dissi speranzoso, avrebbe mangiato qualunque cosa. Cercai di afferrarlo per togliergli il fazzoletto dal becco, ma evidentemente lui ebbe l'impressione che cercassi di aggredirlo, sicché stridette e strombazzò con feroce vigore attraverso il fazzoletto. Questa nuova esplosione fece uscire Larry e Leslie dalle loro camere.

«Chi diavolo sta suonando la *cornamusa*?» domandò Larry entrando come una furia.

Alecko si fermò un momento, esaminò freddamente il nuovo venuto, poi, tirate le sue conclusioni, gettò uno strido acuto e beffardo.

«Dio mio!» disse Larry, affrettandosi ad arretrare e urtando contro Leslie. «Che diavolo è *quello lì*?».

«È un nuovo uccello che si è procurato Gerry» spiegò Margo. «Non ha l'aria *feroce*?».

«È un gabbiano» disse Leslie, guardando oltre la spalla di Larry. «Che razza di colosso!».

«Macché!» disse Larry. «È un albatro».

«No, è un gabbiano».

«Non dire scemenze. Quando mai si è visto un gabbiano di quelle dimensioni? Ti dico che è un grosso albatro, accidenti».

Alecko fece qualche passo verso Larry e gettò un altro strido.

«Fallo fermare» comandò Larry. «Gerry, tieni sotto *controllo* quell'accidente, mi sta aggredendo».

«Tu resta fermo. Non ti farà niente» consigliò Leslie.

«Fai presto a dirlo, tu stai dietro di me! Gerry, prendi subito quell'uccello prima che mi ferisca in modo irreparabile».

«Non gridare così, caro, lo spaventerai».

«Questa è bella! Un pennuto che sembra un drago alato svolazza per casa aggredendo tutti, e tu dici a me di non spaventarlo!».

Riuscii ad avvicinarmi alle spalle di Alecko e lo afferrai; poi, tra le sue assordanti proteste, gli tolsi il fazzoletto dal becco. Quando lo lasciai andare lui tremò sdegnato e sbatté il becco due o tre volte con un suono che sembrava uno schiocco di frusta.

«Sentilo!» esclamò Larry. «Sta digrignando i denti!».

«Non hanno mica i denti» osservò Leslie.

«Be', sta digrignando *qualcosa*! Mamma, voglio sperare che non gli permetterai di tenerlo. È chiaro che è una bestia pericolosa, guarda gli occhi! E poi porta sfortuna».

«Perché porta sfortuna?» domandò mamma, che aveva un profondo interesse per la superstizione.

«È risaputo. Anche se in casa hai soltanto le *penne*, tutti muoiono di peste o diventano matti o qualcosa del genere».

«Tu volevi parlare del pavone, caro».

«No, ti dico che è l'albatro. È risaputo».

«No, caro, sono i pavoni a portare sfortuna».

«Be', comunque non possiamo tenerci in casa quell'affare. Sarebbe pura pazzia. Guarda quello che è successo al Vecchio Marinaio. Dovremo dormire tutti quanti con la balestra sotto il cuscino».

«Francamente, Larry, tu *complichi* le cose» disse mamma. «A me sembra del tutto mansueto».

«Aspetta quando una bella mattina ti svegli e scopri che ti ha cavato gli occhi».

«Quante sciocchezze dici, caro. Ha l'aria assolutamente innocua».

In quel momento Dodo, che ci metteva sempre un po' di tempo ad afferrare gli avvenimenti molto rapidi, notò Alecko per la prima volta. Ansando forte, con gli occhi più di fuori che mai per l'interesse, si fece avanti e lo fiutò. Il becco di Alecko scattò, e se Dodo non avesse girato la testa in quel preciso momento – reagendo istintivamente al mio grido di allarme – avrebbe avuto il naso tagliato di netto; invece si buscò un colpo di striscio sul lato della testa e questo la meravigliò talmente che il femore le andò fuori posto. Lei buttò indietro la testa e gettò un penetrante guaito. Alecko, evidentemente persuaso che si trattasse di una competizione vocale, fece del suo meglio per sopraffare la voce di Dodo, e sbatté le ali con tanto vigore che rovesciò la lampada più vicina.

«Eccoti servita» disse Larry trionfante. «Che ti avevo detto? È in casa da meno di cinque minuti e già ti ammazza il cane».

Mamma e Margo massaggiarono Dodo riuscendo a zittirla, e Alecko rimase là fermo a osservare l'operazione con interesse. Sbatté bruscamente il becco, come se fosse stupito della fragilità della tribù canina, decorò doviziosamente il pavimento e agitò la coda con la spavalderia di chi ha fatto una prodezza.

«Ma che carino!» disse Larry. «Ora ci toccherà girare per la casa sprofondando nel guano sino alla vita».

«Non sarebbe meglio che lo portassi fuori, caro?» suggerì mamma. «Dove pensi di tenerlo?».

Dissi che avevo pensato di dividere la gabbia delle Garze e di tenere Alecko là dentro. Mamma disse che era un'ottima idea. Finché la gabbia non fu pronta lo tenevo legato sulla loggia, avvertendo a turno tutti i membri della famiglia sulla sua ubicazione.

«Be',» osservò Larry mentre eravamo a cena «non prendetevela con *me* se la casa sarà colpita da un ciclone. Io vi ho avvertiti, non posso fare di più».

«Perché un ciclone, caro?».

«Gli albatri portano sempre il cattivo tempo».

«È la prima volta che sento chiamare un ciclone 'cattivo tempo'» osservò Leslie.

«Ma sono i *pavoni* a portare sfortuna, caro; continuo a ripetertelo» disse mamma in tono querulo. «Lo so, perché una mia zia teneva in casa alcune penne della coda e morì la cuoca».

«Mia cara mamma, l'albatro è famoso in tutto il mondo come un uccello di malaugurio. Vecchi e incalliti lupi di mare diventano pallidi e sgomenti quando ne vedono uno. Te lo dico io, una notte troveremo il fuoco di sant'Elmo sul comignolo e prima di sapere dove siamo annegheremo nei nostri letti sotto un'inondazione».

«Avevi detto che sarebbe stato un ciclone» precisò Margo.

«Un ciclone *e* un'inondazione,» disse Larry «probabilmente accompagnati da una piccola scossa di terremoto e una o due eruzioni vulcaniche. Tenere quella bestia significa tentare la provvidenza».

«Dove l'hai preso, comunque?» mi domandò Leslie.

Raccontai del mio incontro con Kosti (tralasciando di accennare ai serpenti d'acqua, perché per Leslie tutti i serpenti erano tabù) e di come lui mi avesse dato il gabbiano.

«Nessuno con la testa a posto farebbe un regalo del genere» osservò Larry. «Ma comunque, chi è quest'uomo?».

Senza pensarci, dissi che era un detenuto.

«Un *detenuto*?» belò mamma. «Che intendi dire un detenuto?».

Spiegai che Kosti aveva il permesso di andare a casa per il finesettimana perché era un membro fidato della comunità di Vido. E soggiunsi che la mattina dopo saremmo andati a pescare insieme.

«Non so se sia molto saggio, caro» disse mamma dubbiosa. «Non mi piace l'idea che tu te ne vada in giro con un detenuto. Non sai nemmeno che cosa ha fatto».

Sdegnato, dissi che sapevo benissimo che cosa aveva fatto. Aveva ucciso la moglie.

«*Un assassino?*» disse mamma allibita. «Ma come fa ad andarsene in giro così per la campagna? Perché non l'hanno impiccato?».

«Qui la pena di morte c'è soltanto per i briganti,» spiegò Leslie «ti becchi tre anni per assassinio e cinque anni se ti colgono a pescare con la dinamite».

«Ridicolo!» disse mamma sdegnata. «Non ho mai sentito una cosa tanto scandalosa!».

«Secondo me questo dimostra un giusto valore dell'importanza delle cose» disse Larry. «Le acciughe prima delle donne».

«In ogni caso, non ti permetto di andare in giro con un assassino» mi disse mamma. «Potrebbe tagliarti la gola o qualcosa del genere».

Dopo un'ora di discussioni e di suppliche, finalmente mamma mi permise di andare a pesca con Kosti, a patto che Leslie venisse con me e prima gli desse un'occhiata. Così la mattina dopo andai a pesca con Kosti, e quando tornammo con tanto di quel pesce da tenere occupato Alecko per un paio di giorni, dissi al mio amico di venire su alla villa, così mamma avrebbe potuto esaminarlo di persona.

Dopo notevoli sforzi mentali, mamma era riuscita a imparare a memoria due o tre parole greche. Quella scarsità di vocabolario aveva un effetto limitativo sulla sua conversazione anche nei momenti migliori, ma quando dovette affrontare l'impresa di scambiare quattro chiacchiere con un assassino lei dimenticò immediatamente tutto il greco che sapeva. Così dovette restarsene seduta sulla loggia sorridendo nervosamente, mentre Kosti, con la sua camicia stinta e i pantaloni stracciati, beveva un bicchiere di birra e io traducevo tutto quello che diceva.

«Sembra un uomo così *simpatico*» disse mamma quando Kosti andò via. «Non ha affatto l'aria di un assassino».

«Come ti immaginavi che fosse un assassino?» domandò Larry. «Un tipo col labbro leporino e il piede deforme e che stringe in mano una bottiglia con su scritto VELENO?».

«Non essere sciocco, caro, naturalmente no. Ma pensavo che avesse un'aria... be', ecco, un po' più *assassina*».

«Ma non puoi giudicare una persona dall'aspetto fisico,» precisò Larry «puoi giudicarla soltanto dalle sue azioni. Io avrei potuto dirtelo subito che era un assassino».

«Perché, caro?» domandò mamma molto perplessa.

«Elementare» disse Larry con un sospiro di modestia. «Soltanto un assassino avrebbe pensato di regalare a Gerry quell'albatro».

XVIII

UN RICEVIMENTO CON ANIMALI

La casa ronzava di attività. Gruppi di contadine cariche di cesti di derrate e di mucchi di galline starnazzanti si affollavano intorno alla porta sul retro. Spiro arrivava due e qualche volta anche tre volte al giorno con la macchina stracolma di casse di vino, sedie, tavoli smontabili e scatole di cibarie. Le Garze, contagiate da tutta quell'eccitazione, svolazzavano da un punto all'altro della loro gabbia, sporgendo la testa tra le sbarre e commentando con forti e rauchi stridi quell'attivo trambusto. Nella sala da pranzo, Margo stava sdraiata sul pavimento circondata da enormi fogli di carta marrone sui quali stava tracciando col gesso grandi e coloratissimi disegni; in salotto Leslie era circondato da enormi mucchi di mobili e stava calcolando matematicamente il numero di sedie e di tavoli che la casa poteva contenere senza diventare inabitabile; in cucina mamma (assistita da due garrule contadinotte) si muoveva in un'atmosfera che sembrava l'interno di un vulcano, circondata da nuvole di vapore e da fuochi sfavillanti tra il sommesso e sibilante mormorio delle pentole; i cani e io passavamo da una stanza all'altra aiutando dove potevamo, dando consigli e rendendoci genericamente utili; Larry dormiva serafico nella sua stanza al piano di sopra. La famiglia si stava preparando per il ricevimento.

Come sempre, avevamo deciso di dare il ricevimento da un minuto all'altro, e per la semplice ragione che all'improvviso ce n'era venuta voglia. Traboccanti del latte dell'umana gentilezza, i miei familiari avevano invitato tutte le persone di cui erano riusciti a ricordarsi, anche quelle che detestavano cordialmente. Tutti si erano buttati con entusiasmo nei preparativi. Visto che era il principio di settembre, avevamo deciso di chiamarlo un ricevimento di Natale, e per evitare che tutta la faccenda fosse troppo semplice, avevamo invitato i nostri ospiti a pranzo, al tè e a cena. Questo comportava la preparazione di una vasta quantità di piatti, e mamma (armata di una pila di gualciti libri di ricette) scompariva in cucina e ci restava per ore e ore. Anche quando ne emergeva, con gli occhiali appannati dal vapore, era quasi impossibile fare con lei una conversazione che non fosse limitata esclusivamente al cibo.

In genere, quelle rare volte in cui tutti i membri della famiglia erano unanimi nel loro desiderio di intrattenere degli ospiti, si cominciava a organizzare i festeggiamenti così in anticipo e con tanto zelo che quando spuntava l'alba del gran giorno erano tutti esausti e coi nervi a fior di pelle. Inutile dire che i nostri ricevimenti non andavano mai come avevamo immaginato noi. Per quanto facessimo, all'ultimo momento c'era sempre qualche intoppo che spostava lo scambio e faceva deviare i nostri accuratissimi piani incanalandoli su un binario completamente diverso da quello previsto. Era una cosa a cui con gli anni ci eravamo abituati, e sia ringraziato il cielo, perché altrimenti il nostro ricevimento di Natale sarebbe andato a carte quarantotto sin dal principio, perché il suo controllo ci fu quasi completamente sottratto dalle bestie. Tutto cominciò, in modo piuttosto innocuo, coi pesci rossi.

Da ultimo, con l'aiuto di Kosti, avevo catturato la vecchia tartaruga che chiamavo la Vecchia Tònfete. Dopo avere ottenuto un così regale e interessante esemplare da aggiungere alla mia collezione di animali domestici, sentii che dovevo fare qualcosa per commemorare l'evento. Decisi che la cosa migliore sarebbe stata di riorganizzare il mio stagno delle tartarughe, che era semplicemente una vecchia tinozza di latta. Sentivo che era una tana troppo umile per una creatura come la Vecchia Tònfete, sicché mi feci dare il permesso di usare una larga vasca quadrata di pietra (che una volta era servita per tenerci dentro l'olio d'oliva) e mi accinsi a decorarla artisticamente con rocce, piante acquatiche, sabbia e ciottoli. Una volta sistemata aveva un aspetto estremamente naturale, e le tartarughe e i serpenti d'acqua ne parvero contenti. Io però non ne ero del tutto soddisfatto. Sebbene fosse innegabilmente un'opera notevole, mi sembrava che mancasse qualcosa. Dopo averci pensato molto arrivai alla conclusione che quel che occorreva per dare il tocco finale erano i pesci rossi. E il problema era: dove procurarmeli? Il posto più vicino dove poterli comprare era Atene, ma la faccenda comportava qualche complicazione e, per giunta, parecchio tempo. Io volevo che il mio stagno fosse pronto per il giorno del ricevimento. Sapevo bene che in famiglia erano tutti troppo occupati per poter dedicare un po' di tempo all'impresa di procurarmi dei pesci rossi, così sottoposi il mio problema a Spiro. Dopo che gli ebbi descritto in tutti i minimi particolari di quali pesci rossi si trattasse, lui disse che a parer suo la mia richiesta era impossibile; a Corfù lui non aveva mai visto pesci del genere. Comunque, disse che avrebbe visto quel che poteva fare. Seguì un lungo periodo di attesa, durante il quale pensai che se ne fosse dimenticato, poi, il giorno prima del ricevimento, lui mi chiamò con un cenno in un angolino tranquillo e si guardò intorno per accertarsi che nessuno ascoltasse.

«Signorino Gerry, credo che io posso trovare i pesci rossi» borbottò in un rauco bisbiglio. «Lei non dici niente a nessuno. Lei vieni in città con me stasera, quando io porto sua madre a farsi i suoi capelli, e lei porti qualcosa per metterli dentro».

Eccitato da questa notizia, perché l'aria cospirativa di Spiro aggiungeva un gusto piccante di pericolo e di complotto all'acquisto dei pesci rossi, passai il pomeriggio a preparare un recipiente per portarli a casa. Quella sera Spiro arrivò tardi, e mamma e io aspettavamo da parecchio tempo sulla loggia quando finalmente la sua macchina percorse il viale strombazzando e ruggendo e si fermò con un grande stridio di freni davanti alla villa.

«Perbacco, signora Durrell, io mi dispiace che sono così tardi» si scusò mentre aiutava mamma a salire in macchina.

«Non importa, Spiro. Temevamo soltanto che avesse avuto un incidente».

«Incidente?» disse Spiro beffardo. «Io mai ho incidente. No, era di nuovo i meteorismi».

«I *meteorismi*?» disse mamma un po' perplessa.

«Sì, io prendo sempre i meteorismi a quest'ora» disse Spiro con aria seccata.

«Non dovrebbe vedere un dottore, se ha questo fastidio?» suggerì mamma.

«Un dottore?» ripeté Spiro meravigliato. «Per che fare?».

«Be', i meteorismi possono dare molti disturbi, sa?» precisò mamma.

«*Disturbi*?».

«Sì, se uno li trascura».

Spiro si accigliò un momento, pensieroso.

«Io dico i meteorismi dell'aeronautica» disse infine.

«I meteorismi dell'*aeronautica*?».

«Sì. Li porto a casa, a quest'ora».

«Ma lei vuol dire i *meteorologi* dell'aeronautica!».

«Ma sì, è quello che io dico» proruppe Spiro indignato.

Era l'imbrunire quando lasciammo mamma dal parrucchiere, e Spiro mi condusse all'altro capo della città, e parcheggiò la macchina davanti a un enorme cancello di ferro battuto. Scese, si guardò intorno furtivamente, poi si avvicinò al cancello e fece un fischio. Poco dopo un vecchio e baffutissimo individuo uscì dai cespugli e i due tennero un bisbigliato consulto. Poi Spiro tornò alla macchina.

«Mi dai il bidone, signorino Gerry, e lei stai qua» borbottò. «Faccio presto».

L'individuo baffuto aprì il cancello, Spiro entrò, e in punta di piedi sparirono tutti e due tra i cespugli. Mezz'ora dopo ricomparve Spiro, col bidone stretto contro il petto, le scarpe che facevano cic ciac e i pantaloni che grondavano acqua.

«Ecco qua, signorino Gerry» disse passandomi il bidone. Dentro nuotavano cinque grassi e lucenti pesci rossi.

Immensamente soddisfatto, mi profusi in ringraziamenti.

«Tutto a posto» disse, mettendo in moto la macchina. «Solo non dici una cosa a nessuno, eh?».

Gli domandai dove li avesse presi? a chi apparteneva quel giardino?

«Lei non ci pensa» disse burbero. «Solo lei tieni queste cose nascoste, e non dici niente a un'anima viva».

Soltanto alcune settimane dopo, in compagnia di Theodore, mi capitò di passare davanti a quel cancello di ferro battuto, e domandai di chi fosse quella villa. Lui mi spiegò che era il palazzo dove risiedeva il re di Grecia (o qualunque altro membro della famiglia reale) quando veniva in visita sull'isola. La mia ammirazione per Spiro non ebbe più limiti: scassinare praticamente un palazzo e rubare pesci rossi dallo stagno del Re mi parve un'impresa straordinaria. E ai miei occhi, inoltre, questo accrebbe considerevolmente il prestigio dei pesci, e diede nuovo lustro alle loro forme pingui mentre diguazzavano disinvolti tra le tartarughe.

Fu la mattina del ricevimento che le cose cominciarono a succedere davvero. Tanto per cominciare, mamma scoprì che Dodo aveva scelto proprio quel giorno per andare in calore. Si dovette distaccare una delle contadine, armata di scopa, davanti alla porta posteriore per respingere i corteggiatori, in modo che mamma potesse cucinare senza contrattempi, ma nonostante questa precauzione ci furono alcuni momenti di panico quando uno dei Romei più arditi riuscì a entrare in cucina passando dalla porta davanti.

Dopo la colazione mi precipitai a vedere i miei pesci rossi e scoprii con orrore che due di loro erano stati uccisi e parzialmente divorati. Nella mia gioia di avere ottenuto i pesci, avevo dimenticato che sia le tartarughe sia i serpenti d'acqua non disdegnavano di quando in quando un bel pesce grasso. E così fui costretto a trasferire i rettili in certe latte di cherosene finché non fossi riuscito a trovare una soluzione. In tutto il tempo che mi ci volle per pulire e dar da mangiare alle Garze e ad Alecko non mi venne in mente nessun sistema per riuscire a tenere insieme i pesci e rettili, e si stava avvicinando l'ora di pranzo. L'arrivo dei primi ospiti era imminente. Mi aggiravo con aria tetra intorno al mio stagno preparato con tanta cura quando scoprii con immenso orrore che qualcuno aveva spostato la latta dei serpenti d'acqua lasciandola in pieno sole. I due rettili affioravano alla superficie, così molli e scottanti che per un attimo pensai che fossero morti; era chiaro che soltanto un immediato pronto soccorso poteva salvarli, sicché presi la latta e mi precipitai in casa. Mamma era in cucina, affannata e distratta, sforzandosi di dividere la propria attenzione tra la gastronomia e i corteggiatori di Dodo.

Le spiegai la tragedia dei serpenti e le dissi che l'unico rimedio in grado di salvarli era una lunga e fresca immersione nella vasca da bagno. Potevo metterli nella vasca per un'oretta?

«Be', sì, caro, credo che non ci siano difficoltà. Però assicurati che tutti abbiano già fatto il bagno, e dopo non dimenticarti di disinfettare la vasca, va bene?» disse lei.

Riempii la vasca di tanta bell'acqua fresca e vi immersi teneramente i serpenti; pochi minuti dopo loro diedero chiari segni di riprendersi. Molto soddisfatto, li lasciai a mollo e andai su a cambiarmi. Quando tornai giù, feci una capatina sulla loggia per dare un'occhiata al tavolo da pranzo, che era stato imbandito all'ombra della vite. In mezzo a quello che era stato un decorativo centro floreale erano appollaiate le Garze, che oscillavano leggermente di qua e di là. Agghiacciato dalla costernazione, esaminai la tavola. Le posate erano sparpagliate a casaccio, uno strato di burro copriva i piattini accanto a ogni posto, e tutta la tovaglia era cosparsa di orme burrose. Il pepe e il sale erano serviti per decorare in modo molto pittoresco i resti imbrattati del chutney contenuto in una salsiera. E per dare all'insieme l'ultimo, inimitabile tocco da Garze, il tutto era stato inondato dall'acqua della brocca rovesciata.

E constatai che le colpevoli avevano un contegno molto strano; invece di volar via in tutta fretta, se ne stavano acquattate tra i fiori distrutti, con gli occhietti lustri, dondolandosi ritmicamente e scambiandosi fievoli stridi di soddisfazione. Dopo avermi fissato un momento con estatica attenzione, una delle due attraversò la tavola con passo malfermo, tenendo un fiore nel becco, perse l'equilibrio sull'orlo della tovaglia e cadde pesantemente al suolo. L'altra diede in una rauca risata divertita, mise la testa sotto l'ala e si addormentò. Questo comportamento così stravagante mi lasciò perplesso. Poi notai sul pavimento una bottiglia di birra rotta. Era chiaro che le Garze si erano concesse un ricevimento tutto privato e adesso erano ubriache. Le presi agevolmente tutt'e due, sebbene quella sulla tavola cercasse di nascondersi sotto un tovagliolo abbondantemente imburrato e facesse finta di non esserci. E stavo là con quelle due nelle mani, domandandomi se sarei riuscito a cavarmela rimettendole furtivamente nella gabbia e facendo lo gnorri, quando comparve mamma che portava una salsiera. Colto, per così dire, con le mani nel sacco, non avevo la minima probabilità di essere creduto se attribuivo quel disastro a un improvviso colpo di vento, o ai topi, o a qualsiasi altra causa che mi fosse passata per la mente. Le Garze e io dovevamo ingoiare la pillola.

«Francamente, caro, *devi* stare attento allo sportello della gabbia. Lo sai come sono fatte» disse mamma in tono querulo. «Be', non preoccuparti, è stato un incidente. E immagino che non siano veramente responsabili, se sono *ubriache*».

Nel rimettere le ottenebrate e svigorite Garze nella gabbia scoprii, come avevo temuto, che anche Alecko aveva approfittato dell'occasione per filarsela. Rimisi le Garze nel loro scomparto e gli feci una solenne ramanzina; loro avevano ormai raggiunto la fase bellicosa e attaccarono con furore la mia scarpa. Poi, altercando per stabilire a chi toccasse l'onore di mangiarsi il laccio, cominciarono ad aggredirsi tra loro. Le lasciai che svolazzavano in cerchi frenetici e vacillanti, tentando senza riuscirci di colpirsi col becco, e andai in cerca di Alecko. Frugai in giardino e in tutta la casa, ma non mi riuscì di trovarlo. Pensai che fosse volato sino al mare per farsi una nuotatina e provai un certo sollievo all'idea che si fosse levato di torno.

Ormai erano arrivati i primi ospiti e stavano bevendo sulla loggia. Li raggiunsi, e ben presto mi trovai ingolfato in una discussione con Theodore; mentre stavamo parlando, rimasi stupito nel vedere Leslie che usciva dagli uliveti, col fucile sotto il braccio, reggendo una rete piena di beccaccini e una grossa lepre. Avevo dimenticato che era andato a caccia nella speranza di prendere qualche beccaccia d'inizio stagione.

Leslie scomparve in casa per cambiarsi; mamma comparve e si sedette sulla balaustra, con Dodo ai piedi. Quel cortese comportamento da padrona di casa era però un tantino guastato dal fatto che continuava a interrompere la conversazione per fare smorfie selvagge e brandire un grosso bastone contro l'ansimante gruppo di cani radunati in giardino. Tra i corteggiatori di Dodo scoppiava ogni tanto un'irosa e ringhiante battaglia, e tutte le volte l'intera famiglia si voltava urlando: «Smettetela!» in tono minaccioso. Col risultato che i più nervosi tra i nostri ospiti continuavano a versarsi addosso quel che stavano bevendo. Dopo ognuna di queste interruzioni mamma sorrideva radiosa a tutti quanti e si sforzava di riportare la conversazione alla normalità. Era appena riuscita a farlo per la terza volta quando un ruggito dall'interno della casa fece ammutolire tutti. Era il genere di urlo che avrebbe emesso il minotauro in preda al mal di denti.

«Che stia succedendo qualcosa a Leslie?» domandò mamma.

Quel dubbio fu presto dissipato, perché lui comparve sulla loggia vestito soltanto di un piccolo asciugamano.

«Gerry!» urlò con la faccia paonazza di rabbia. «Dov'è quel disgraziato?».

«Su, *su,* caro» disse mamma cercando di calmarlo, «che cosa succede?».

«Serpenti,» ringhiò Leslie, facendo con le mani un gesto smisurato per indicare una lunghezza enorme, e poi riafferrando al volo l'asciugamano che gli stava scivolando di dosso «serpenti, ecco che cosa succede».

L'effetto sugli ospiti fu interessante. Quelli che ci conoscevano stavano seguendo la scena con avida attenzione; i non iniziati si stavano domandando se per caso Leslie non fosse un po' matto, ed erano incerti se ignorare l'intero episodio e continuare a parlare tra loro o saltargli addosso prima che aggredisse qualcuno.

«Di *che cosa* stai parlando, caro?».

«Quel deficiente ha riempito la vasca di fottutissimi *serpenti*» disse Leslie rendendo tutto chiarissimo.

«Modera il linguaggio caro,» disse mamma meccanicamente, aggiungendo con aria distratta «e mettiti qualcosa addosso, ti prenderai un raffreddore, conciato così».

«Certi affari grossi come i tubi dei pompieri... miracolo che non mi hanno morso».

«Calmati, caro, in realtà è colpa mia. Gliel'ho detto io di metterli là» si scusò mamma, e poi, sentendo che gli ospiti avevano diritto a qualche spiegazione, soggiunse: «Avevano preso un'insolazione, poveretti».

«Be', mamma!» proruppe Larry. «Mi sembra che questo sia un po' troppo».

«Adesso non cominciare *tu,* caro» disse mamma in tono fermo. «È stato Leslie a fare il bagno con i serpenti».

«Non so proprio perché Larry debba sempre intromettersi» osservò Margo acidamente.

«Intromettermi? Io non mi sto intromettendo. Quando mamma cospira con Gerry per riempire il bagno di serpenti ritengo mio preciso dovere lamentarmene».

«Oh, sta' zitto» disse Leslie. «Io voglio sapere soltanto quando si deciderà a togliere quei maledetti cosi».

«A me sembra che tu stia facendo un sacco di storie senza motivo» disse Margo.

«Se siamo obbligati a fare le nostre abluzioni in un nido di vipere mi vedrò costretto a trasferirmi» ci comunicò Larry.

«Insomma, posso farmi un bagno o no?» domandò Leslie con voce strozzata.

«Ma perché non li togli di là tu?».

«Soltanto san Francesco d'Assisi si sentirebbe veramente a suo *agio* in questa casa...».

«Oh santiddio sta' zitto!».

«Ho il tuo stesso diritto di esprimere le mie idee...».

«Io voglio fare un *bagno* e basta. Non mi sembra che sia chiedere troppo...».

«Su, su, cari, non litigate» disse mamma. «Gerry, sarà meglio che tu vada a togliere i serpenti dalla vasca. Per il momento mettili nel lavabo o in qualche altro posto».

«No! Nella stanza da bagno non li voglio!».

«Va bene, caro, non gridare».

Alla fine andai in cucina a farmi dare una pentola e ci misi dentro i serpenti. Con mia grande gioia si erano completamente ripresi e quando li tolsi dalla vasca sibilarono con grande vigore. Tornai sulla loggia, in tempo per sentire Larry che concionava a tutto spiano davanti agli ospiti riuniti.

«Vi assicuro che la casa è una trappola mortale. Ogni angolo e ogni fessura traboccano di fauna malevola che aspetta di balzarti addosso. Ancora non mi capacito come abbia fatto a non restare mutilato per tutta la vita. Un atto semplice e innocuo come accendersi una sigaretta è pericolosissimo. Non viene rispettata nemmeno la santità della mia camera da letto. Prima sono stato aggredito da uno scorpione, una creatura orribile che schizzava dappertutto veleno e bambini. Poi la mia stanza è stata distrutta dalle gazze. Ora abbiamo i serpenti nel bagno e fitti stormi di albatri che svolazzano per la casa, facendo rumori molto simili a quelli dei tubi di scarico difettosi».

«Larry, caro, ora *esageri*» disse mamma sorridendo in modo vago agli ospiti.

«Cara mamma, semmai sto minimizzando i fatti. Che mi dici di quella notte che Quasimodo decise di dormire nella mia stanza?».

«Non è poi stata una cosa così terribile, caro».

«Be',» disse Larry con dignità «forse a *te* fa piacere essere svegliata alle tre e mezzo del mattino da un piccione che sembra deciso a cacciarti il suo retto nell'occhio...».

«Va bene, sì, ora abbiamo parlato abbastanza di animali» si affrettò a dire mamma. «Credo che il pranzo sia pronto, vogliamo metterci a tavola?».

«Comunque,» disse Larry mentre attraversavamo la loggia verso la tavola apparecchiata «quel ragazzo è un pericolo... ha una passione sviscerata per le bestie».

Agli ospiti furono indicati i loro posti, ci fu un grande strusciare di sedie mentre le allontanavano dal tavolo, poi tutti si sedettero e si sorrisero a vicenda. Un attimo dopo due degli ospiti gettarono alte grida di dolore e balzarono su dalle sedie come razzi.

«Oh Dio mio, e *adesso* che cosa succede?» disse mamma tutta agitata.

«Come niente ricominciamo con gli scorpioni» disse Larry, lasciando in fretta il suo posto.

«Sono stato morso... morso a una gamba!».

«Ecco fatto!» proruppe Larry, guardandosi intorno trionfante. «*Proprio* quello che ho detto! Come niente troverete un paio di orsi sotto il tavolo».

L'unico a non restare gelato dall'orrore all'idea di qualche minaccia nascosta accanto ai propri piedi fu Theodore, che si chinò con aria grave, sollevò l'orlo della tovaglia e cacciò la testa sotto il tavolo.

«Ah ah!» disse interessato, e la sua voce ci arrivò soffocata.

«Che c'è?» disse mamma.

Theodore riapparve da sotto la tovaglia.

«Sembra una qualche specie di... ehm... di *uccello*. Un grosso uccello bianco e nero».

«È quell'albatro!» disse Larry eccitato.

«No, no,» lo corresse Theodore «è una specie di *gabbiano,* credo».

«Non vi muovete... restate fermi, se no rischiate di farvi amputare le gambe all'altezza del ginocchio» comunicò Larry alla compagnia.

Se con quell'avvertimento aveva contato di placare i timori si era sbagliato di grosso. Tutti si alzarono come un sol uomo e si allontanarono dal tavolo.

Da sotto la tovaglia Alecko gettò un lungo strido minaccioso; era difficile dire se fosse uno strido di rabbia perché aveva perduto le sue vittime o di protesta per tutto quel baccano.

«Gerry, cattura immediatamente quell'uccello!» mi ordinò Larry tenendosi a debita distanza.

«Sì, caro» approvò mamma. «Faresti meglio a riportarlo nella sua gabbia. Non può restare là sotto».

Sollevai lentamente l'orlo della tovaglia, e Alecko, regalmente acquattato sotto il tavolo, mi fissò con furibondi occhi gialli. Io tesi una mano verso di lui, e lui alzò le ali e sbatté furiosamente il becco. Appariva chiaro che non era affatto in vena di sopportare scherzi. Io presi un tovagliolo e feci qualche tentativo di avvicinarlo al suo becco.

«Ti serve aiuto, ragazzo mio?» domandò Kralefsky, sentendo evidentemente che la sua reputazione di ornitologo lo costringeva a offrirsi volontario.

Con suo palese sollievo rifiutai l'aiuto. Spiegai che Alecko era di cattivo umore e non si sarebbe lasciato catturare tanto presto.

«Be', per l'amore del cielo, sbrigati! la minestra si sta raffreddando» scattò Larry seccato. «Non puoi allettare quella bestiaccia con qualche cosa? Che diavolo mangiano?».

«Tutti i gabbiani che si rispettino amano i gabbieri» osservò Theodore con immensa soddisfazione.

«Oh, Theodore, ti prego!» gemette Larry. «Nei momenti di crisi no!».

«Per Giove! Ha proprio l'aria feroce!» disse Kralefsky mentre io battagliavo con Alecko.

«Probabilmente ha fame,» disse Theodore tutto felice «e nel vederci tutti seduti a tavola si è sentito infelice e gabbato».

«Theodore!».

Riuscii finalmente ad afferrare Alecko per il becco, e lo tirai fuori schiamazzante e starnazzante da sotto il tavolo. Quando infine gli immobilizzai le ali e lo riportai nella sua gabbia, ero tutto scapigliato e in un bagno di sudore. Lo lasciai che mi gridava insulti e minacce e me ne tornai al mio pranzo interrotto.

«Ricordo che una volta un mio vecchio e caro amico fu molestato da un grosso gabbiano» osservò Kralefsky abbandonandosi alle reminiscenze mentre sorbiva la sua zuppa.

«Davvero?» disse Larry. «Non sapevo che fossero uccelli così depravati».

«Stava passeggiando lungo i dirupi con una signora,» continuò Kralefsky senza badare a Larry «quando l'uccello piombò giù dal cielo e li aggredì. Il mio amico mi disse che dovette faticare non poco per riuscire a respingerlo col suo ombrello. Per Giove, non è un'esperienza invidiabile, eh?».

«Straordinario!» disse Larry.

«Avrebbe dovuto seguire un altro sistema» disse Theodore con grande serietà. «Puntargli contro l'ombrello e gridare: "Indietro o sparo"!».

«E perché mai?» domandò Kralefsky molto perplesso.

«Il gabbiano gli avrebbe creduto e sarebbe scappato via terrorizzato» spiegò Theodore soavemente.

«Ma non capisco bene...» cominciò Kralefsky aggrottando la fronte.

«Vede, è terribilmente facile gabbare i gabbiani» disse Theodore trionfante.

«Francamente, Theodore, sembri proprio una vecchia copia del "Punch"» brontolò Larry.

Il pranzo procedeva tra un gran tintinnio di bicchieri, l'argentino ticchettare delle posate e il glu-glu delle bottiglie di vino. Le leccornie si susseguivano l'una dopo l'altra, e tutte le volte che i commensali manifestavano la loro unanime approvazione mamma sorrideva modestamente. Com'era logico, la conversazione continuava ad aggirarsi sugli animali.

«Ricordo che una volta, da bambini, ci mandarono in visita da una delle nostre numerose zie vecchiotte e piuttosto eccentriche. Aveva una vera idolatria per le api; ne allevava delle quantità enormi, il giardino era pieno zeppo di centinaia di arnie che ronzavano come pali telegrafici. Un pomeriggio lei si mise un velo enorme e un paio di guanti, ci chiuse tutti a chiave nel villino perché fossimo al sicuro e si accinse all'impresa di tirar fuori un po' di miele da una delle arnie. Evidentemente non le istupidì abbastanza, o non so quello che si fa in questi casi, e quando tolse il coperchio ci fu come un enorme spruzzo di api che le si posarono tutte addosso. Noi non eravamo pratici di api, sicché pensammo che fosse una cosa normale finché non la vedemmo correre per tutto il giardino cercando disperatamente di liberarsi dalle api, col velo che le si impigliava in tutti i rosai. Finalmente arrivò al villino e si gettò contro la porta. Noi non potevamo aprire perché la chiave l'aveva lei. Continuavamo a ripeterglielo in tutti i toni, ma i suoi gridi straziati e il ronzio delle api soffocavano le nostre voci. Credo che sia stato Leslie ad avere l'idea geniale di gettarle addosso un secchio d'acqua dalla finestra della camera da letto. Disgraziatamente, nella foga, gettò anche il secchio. Beccarsi una doccia fredda e poi un grosso secchio di ferro zincato sulla testa è già seccante, ma se al tempo stesso dovete scacciare uno sciame di api la situazione si fa veramente difficile. Quando finalmente riuscimmo a farla entrare era così gonfia da non riconoscerla». Larry interruppe il suo racconto e sospirò con aria afflitta.

«Che cosa terrificante, per Giove!» esclamò Kralefsky facendo tanto d'occhi. «Potevano ammazzarla come niente!».

«Eh sì» disse Larry. «Nella fattispecie, quell'incidente mandò in malora la mia vacanza».

«Si è ristabilita, poi?» domandò Kralefsky. Era chiaro che stava ideando un'Avventura delle Api Infuriate da poter vivere con la Sua Signora.

«Oh, sì, dopo qualche settimana d'ospedale» rispose Larry in tono disinvolto. «Ma a quanto pare non le tolse la mania delle api. Poco dopo un intero sciame si infilò nel comignolo, e lei, nel tentativo di cacciarle via affumicandole, diede fuoco al villino. Quando finalmente arrivarono i pompieri, della casa non restava che l'ossatura carbonizzata con nugoli di api tutt'intorno».

«Terrificante, *terrificante*!» mormorò Kralefsky.

Theodore, imburrando meticolosamente un pezzetto di pane, emise un piccolo suono divertito. Si cacciò il pane in bocca, lo masticò vigorosamente per circa un minuto, inghiottì, e si forbì accuratamente la barba col tovagliolo.

«A proposito di incendi,» cominciò, con gli occhi scintillanti di malizioso umorismo «vi ho raccontato di quel periodo in cui il Corpo dei Vigili del Fuoco di Corfù adottò le tecniche moderne? A quanto pare, il Comandante dei vigili era stato ad Atene ed era rimasto profondamente... ehm... *impressionato* dalle nuove attrezzatture anti-incendio che c'erano là. Gli parve che fosse tempo che Corfù si liberasse del suo carro-cisterna a cavalli e se ne procurasse uno nuovo... ehm... possibilmente in un bel *rosso* vivo. E aveva in programma parecchie altre innovazioni. Tornò qui acceso di... ehm... sacro *entusiasmo*. Per prima cosa fece fare un buco rotondo nel soffitto della caserma dei pompieri, per consentire agli uomini di scivolare giù lungo un palo secondo la giusta prassi. Ma nella fretta di modernizzarsi si dimenticò del palo, sicché la prima volta che fecero una *prova* due vigili si spezzarono le gambe».

«No, Theodore, mi rifiuto di crederci. Non può essere vero».

«Ma sì, ti garantisco che è verissimo. Hanno portato i feriti da me per fargli fare le lastre. A quanto sembra, il Comandante non aveva parlato del palo, e i suoi uomini avevano creduto di dover *saltare* nel buco. Questo fu soltanto il principio. Per una cifra notevolissima fu acquistata un'enorme... ehm... autocisterna.

Il Comandante volle a tutti i costi la *più grande* e la *migliore.* Disgraziatamente era così grande che c'era un solo sistema per portarla da un punto all'altro della città – sapete come sono strette la maggior parte delle strade. Molto spesso la si vedeva correre scampanellando a tutto spiano in direzione *opposta* all'incendio. Una volta fuori della città, dove le strade sono un po' più larghe, potevano fare una deviazione e raggiungere il luogo dell'incendio. Ma per me la cosa più strana fu la faccenda del modernissimo sistema di allarme che il Comandante si era fatto mandare: sapete, era uno di quegli aggeggi in cui si rompe il vetro e dentro c'è una specie di... ehm... piccolo telefono. Be', ci furono delle grandi discussioni per stabilire dove si dovesse metterlo. Il Comandante mi disse che era molto difficile prendere una decisione, perché non sapevano con certezza *dove* sarebbero scoppiati gli incendi. Così, per evitare confusioni, lo attaccarono sulla *porta* della caserma».

Theodore fece una pausa, si grattò la barba col pollice e bevve un sorso di vino.

«A malapena erano riusciti a organizzarsi, quando scoppiò il primo incendio. Per fortuna ero nelle vicinanze e potei assistere a tutto quello che accadde. L'incendio era scoppiato in un garage, e stava già divampando ben bene quando il proprietario riuscì a correre sino alla caserma dei vigili e a rompere il vetro sull'aggeggio del segnale d'allarme. E allora, a quanto sembra, ci fu un vivace battibecco, perché il Comandante si seccò molto che il suo sistema d'allarme finisse in pezzi così *presto.* Disse a quel tale che avrebbe dovuto bussare alla porta; il sistema d'allarme era nuovo di zecca, e ci sarebbero volute delle settimane per rimettere il vetro. Finalmente fu fatta uscire l'autocisterna e i vigili accorsero. Il Comandante fece un breve fervorino, esortando gli uomini a fare il loro... ehm... dovere. Poi ognuno prese il suo posto. Ci fu un certo trambusto per stabilire chi dovesse suonare la campana, ma finalmente il Comandante decise che toccava a lui. Devo dire che quando arrivò l'autocisterna c'era di che restare impressionati. Saltarono tutti a terra e si diedero un gran da fare, e sembravano efficientissimi. Svolsero un enorme tubo, e subito si presentò una nuova difficoltà. Nessuno riusciva a trovare la chiave che apriva il retro dell'autocisterna in modo da poter attaccare il tubo. Il Comandante disse che l'aveva data a Yani, ma a quanto pare quella era la serata libera di Yani. Dopo un sacco di discussioni, mandarono in fretta e furia qualcuno a casa di Yani, che era... ehm... *per fortuna,* non troppo lontana. Durante l'attesa, i vigili ammiravano l'incendio, che a quel punto era un gran bell'incendio. L'uomo tornò e disse che Yani non era a casa, ma sua moglie gli aveva detto che era andato a vedere l'incendio. Cercarono tra la folla e con grande sdegno del Comandante trovarono Yani in mezzo agli spettatori, con la chiave in tasca. Il Comandante era su tutte le furie, e dichiarò che erano proprio *quelle* le cose che facevano una cattiva impressione. Aprirono il retro dell'autocisterna, attaccarono il tubo e misero in funzione l'acqua. Ma a quel punto, naturalmente, del garage restava ben poco da... ehm... *salvare dalle fiamme*».

Dopo il pranzo, gli ospiti erano troppo rimpinzati di cibo per fare qualcosa all'infuori della siesta sulla loggia, e i tentativi di Kralefsky di organizzare una partita di cricket furono accolti con una totale mancanza di entusiasmo. I più energici di noi si fecero portare da Spiro sulla spiaggia per fare una nuotata, e ce ne stemmo in acqua finché non fu l'ora di tornare per il tè, un altro dei trionfi gastronomici di mamma. Cumuli vacillanti di focaccine calde, friabili biscotti sottilissimi, torte che parevano mucchi di neve, tutte gocciolanti di marmellata, torte scure, sostanziose e inzuppate, tutte piene di frutta, pasticcini al brandy croccanti come il corallo e traboccanti di miele. La conversazione era cessata quasi del tutto; si sentiva soltanto il gentile tintinnio delle tazze, e il profondo sospiro di qualche ospite, già ultrasatollo, che accettava un'altra fetta di torta. Dopo rimanemmo in piccoli gruppi sulla loggia, chiacchierando torpidamente e a lunghi intervalli, mentre l'ondata del verde crepuscolo dilagava tra gli uliveti e incupiva l'ombra sotto le viti così che le facce diventavano confuse nell'oscurità.

Poco dopo Spiro, che era scappato via in macchina per qualche sua misteriosa spedizione, tornò a gran velocità lungo i sentieri alberati, col clacson che strombazzava per avvertire tutti e tutto del suo arrivo.

«Ma *perché* Spiro deve distruggere la calma serale con questo fracasso atroce?» disse Larry in tono affranto.

«Ha ragione, ha ragione» mormorò Kralefsky con voce assonnata. «A quest'ora bisognerebbe sentire gli usignoli, non i clacson delle macchine».

«La prima volta che andai in macchina con Spiro,» disse la voce di Theodore scaturendo dall'ombra, con un tono un tantino divertito «ricordo che rimasi molto perplesso. Non saprei dire di che cosa stessimo parlando ma tutt'a un tratto lui osservò: "Sì, dottore, la gente è poca quando io guidi per un villaggio". Io ebbi... ehm... una strana visione mentale di villaggi totalmente deserti, e di enormi cumuli di cadaveri lungo la strada. Poi Spiro continuò: "Sì, quando io passo un villaggio io suono mie trombe fortissime e li spavento tutti a morte"».

La macchina prese la curva verso casa, e la luce dei fari percorse brevemente la loggia, rivelando il fronzoluto soffitto delle foglie di vite di un verde nebbioso, gli sparsi gruppi di ospiti che chiacchieravano e ridevano, le due contadinotte, con in testa le loro sciarpe rosse, che pesticciavano sommessamente avanti e indietro, strascicando i piedi nudi sul lastrico, intente ad apparecchiare la tavola. La macchina si fermò, il rumore del motore tacque, e Spiro risalì il sentiero, stringendosi al petto un pacco avvolto in carta scura, enorme e si sarebbe detto pesante.

«Dio santo! Guardate!» proruppe Larry in tono drammatico, puntando un dito tremante. «Gli editori mi hanno rimandato un'altra volta il manoscritto!».

Spiro, che stava per entrare in casa, si fermò e volse la faccia aggrondata.

«Perbacco, no, signorino Larry,» spiegò con grande serietà «questi è i tre tacchini che mia moglie ha cucinato per sua madre».

«Ah, allora c'è ancora speranza» sospirò Larry con ostentato sollievo. «Questo colpo mi ha quasi fatto svenire. Andiamo tutti dentro a bere qualcosa».

Dentro, le stanze scintillavano di luci, e i coloratissimi fogli di carta disegnati da Margo si muovevano gentilmente sulle pareti mentre l'arietta della sera li gonfiava coscienziosamente. I bicchieri cominciarono a tintinnare argentini, i turaccioli schioccavano con quel suono che fanno i sassi quando li lasci cadere in un pozzo, i sifoni sospiravano come treni stanchi. Gli ospiti ripresero vita, i loro occhi scintillavano, la conversazione si rianimava.

Annoiata del ricevimento, e nell'impossibilità di attirare l'attenzione di mamma, Dodo decise di fare da sola una breve visita al giardino. Uscì zampettando sotto il chiaro di luna e scelse un punto adatto dietro la magnolia per comunicare con la natura. Tutt'a un tratto, con suo grande sgomento, si trovò davanti una muta di ispidi, bellicosi e zotici cani che ovviamente avevano nei suoi confronti le peggiori intenzioni possibili. Con un guaito di paura fece dietrofront e tornò a rifugiarsi in casa con tutta la rapidità che le sue gambe corte e grasse le consentivano. Ma i suoi ardenti corteggiatori non intendevano rinunciare senza lotta. Avevano passato un afoso e irritante pomeriggio cercando di far conoscenza con Dodo, e non intendevano perdere quest'occasione apparentemente piovuta dal cielo per stringere con lei dei rapporti più intimi. Dodo entrò di galoppo nel salotto affollato, gridando aiuto, e alle sue calcagna si riversò dentro l'ansimante muta di cani che ringhiavano e si spingevano l'un l'altro. Roger, Pipì e Vomito, che se l'erano svignata in cucina per fare uno spuntino, tornarono in tutta fretta e rimasero orripilati dalla scena. Sentirono che se qualcuno doveva sedurre Dodo, toccava a uno di loro, e non a qualche sparuto paria di campagna. Si scagliarono con entusiasmo contro gli inseguitori di Dodo, e in un momento la stanza divenne un campo di battaglia di cani ringhianti che lottavano e di ospiti isterici che saltavano qua e là cercando di evitare i morsi.

«I lupi!... Avremo un inverno freddo!» urlò Larry saltando agilmente su una sedia.

«State calmi, state calmi!» ruggì Leslie mentre afferrava un cuscino e lo scagliava contro il più prossimo groviglio di cani in lotta. Il cuscino atterrò, fu immediatamente afferrato da cinque bocche furiose e fatto a pezzi. Una grande nuvola di piume turbinò in aria come un vortice e ricadde sulla scena.

«Dov'è Dodo?» disse mamma con voce tremolante. «Trovate Dodo... le faranno male».

«Fermateli! Fermateli! Si stanno ammazzando» strillava Margo, e afferrato un sifone di soda si affrettò a inondare ospiti e cani con assoluta imparzialità.

«Io credo che per le battaglie di cani il *pepe* sia un ottimo rimedio,» osservò Theodore, mentre le piume gli si posavano sulla barba come fiocchi di neve «però non l'ho mai sperimentato *personalmente*».

«Per Giove!» gridava Kralefsky «state attenti... salvate le signore!».

E seguì questo consiglio aiutando la femmina più vicina a salire sul divano e inerpicandosi accanto a lei.

«Anche l'acqua è ritenuta un buon rimedio» continuò Theodore con aria pensosa, e come se volesse accertarsene rovesciò con meticolosa precisione il suo bicchiere di vino su un cane di passaggio.

Seguendo il suggerimento di Theodore, Spiro veleggiò in cucina e ne tornò stringendo nelle mani enormi una latta di cherosene colma d'acqua. Si fermò sulla soglia e sollevò il recipiente sopra la sua testa.

«Attento!» muggì. «Io sistemo i bastardi».

Gli ospiti scapparono in tutte le direzioni, ma non abbastanza in fretta. La lustra, scintillante massa d'acqua descrisse un arco in aria e colpì il pavimento, per poi risollevarsi ad arco e infrangersi come un maroso per tutta la stanza. Per quanto concerneva gli ospiti più vicini fu un vero disastro, ma ebbe un effetto straordinario e immediato sui cani. Spaventati dal rimbombo e dalla sferzata dell'acqua, mollarono tutto e fuggirono nella notte, lasciandosi dietro una scena di carneficina che mozzava il fiato. La stanza sembrava un pollaio colpito da un ciclone; i nostri amici si aggiravano tutti bagnati e incrostati di piume; alcune piume si erano posate sulle lampade, e bruciando riempivano di fumo acre tutta la stanza. Mamma, stringendo Dodo tra le braccia, si guardò intorno.

«Leslie, caro, va' a prendere degli asciugamani così possiamo asciugarci. La stanza è terribilmente in disordine. Poco male, andiamo tutti sulla loggia, vi va?» disse, e annuì dolcemente. «Mi dispiace tanto che sia successo tutto questo. È Dodo, capite? In questo momento i cani la trovano molto *interessante*».

Finalmente gli ospiti furono asciugati e liberati dalle piume, i bicchieri vennero riempiti e si poté tornare tutti sulla loggia dove la luna stampigliava sul pavimento le ombre, nere come l'inchiostro, delle foglie di vite. Larry, masticando a tutto spiano, pizzicava sommessamente le corde della sua chitarra e canticchiava mugolando; attraverso le porte-finestre potevamo vedere Leslie e Spiro, tutt'e due con la fronte aggrottata per la concentrazione, intenti a smembrare con grande abilità i grossi tacchini ben rosolati; mamma continuava ad aggirarsi nell'oscurità, domandando ansiosamente a tutti quanti se avevano abbastanza da mangiare; Kralefsky stava appollaiato sul muretto della loggia – col suo corpo da granchio in silhouette, la luna che faceva capolino sopra la sua gobba – e raccontava a Margo una storia lunga e complicata; Theodore faceva al dottor Androuchelli una conferenza sulle stelle, indicando le costellazioni con una coscia di tacchino un po' smangiucchiata.

Fuori, lo splendore della luna spandeva su tutta l'isola striature e chiazze blu nero e argento. In lontananza, tra i cupi cipressi, i gufi si gettavano l'un l'altro sereni richiami. Il cielo era nero e morbido come la pelle di una talpa, cosparso di una delicata rugiada di stelle. La magnolia era come una vasta ombra sopra la casa, coi rami pieni di fiori bianchi, che parevano centinaia di minuscole lune riflesse, e il loro soave, intenso profumo persisteva languidamente sulla loggia, quel profumo che era come un incantesimo che ti allettava a inoltrarti nella misteriosa campagna inondata di luna.

Il ritorno

Con una nobile onestà che mi riuscì molto difficile perdonare, il signor Kralefsky aveva informato mamma che ormai mi aveva insegnato tutto quello che era in grado di insegnarmi, e secondo lui era tempo che andassi in qualche paese come l'Inghilterra o la Svizzera a completare la mia istruzione. Disperato, io polemizzai contro una simile idea; dissi che mi *piaceva* essere istruito a metà; che si rimaneva molto più *stupiti* di tutto quando si era ignoranti. Ma mamma fu irremovibile. Dovevamo tornare in Inghilterra e passare là un mesetto per consolidare la nostra situazione (il che significava discutere con la banca), poi avremmo deciso dove dovevo continuare i miei studi. Per soffocare gli irosi brontolii di rivolta della famiglia, ci disse che dovevamo considerarla semplicemente una vacanza, un viaggio piacevole. Presto saremmo tornati a Corfù.

Così riempimmo le nostre casse, valigie e bauli di tutta la nostra roba, preparammo le gabbie per gli uccelli e le tartarughe, e i cani, coi loro collari nuovi, apparivano infelici e leggermente colpevoli. Facemmo le nostre ultime passeggiate tra gli ulivi, scambiammo gli ultimi lacrimosi addii coi nostri numerosi amici contadini, e poi i carri, stracarichi dei nostri possessi, sfilarono lentamente lungo il viale, in una processione che, come disse Larry, somigliava parecchio al funerale di un rigattiere che avesse fatto fortuna.

La montagna di tutti i nostri beni fu sistemata nell'ufficio della Dogana, e mamma vi rimase accanto facendo tintinnare un enorme mazzo di chiavi. Fuori, nella vivida e abbagliante luce del sole, il resto della famiglia chiacchierava con Theodore e Kralefsky che erano venuti ad accompagnarci. Il funzionario della Dogana comparve e si afflosciò leggermente nel vedere la montagna del nostro bagaglio, coronata da una gabbia dalla quale le Garze spiavano con aria malevola. Mamma sorrise nervosamente e scosse le sue chiavi, con l'aria colpevole di un contrabbandiere di diamanti. L'uomo fissò mamma e il bagaglio, si assestò la cintura e aggrottò la fronte.

«Quelli sua?» domandò, tanto per esserne sicuro.

«Sì, sì, tutti miei» cinguettò mamma, eseguendo un rapido assolo con le chiavi. «Vuole che apra tutto quanto?».

L'uomo ci pensò sopra, stringendo le labbra con aria meditabonda.

«Hai lei uova abeti?» domandò.

«Scusi?» disse mamma.

«Hai lei uova abeti?».

Mamma si guardò disperatamente intorno in cerca di Spiro.

«Mi scusi tanto. Non ho afferrato bene...».

«Hai lei uova abeti... *uova abeti*?».

Mamma sorrise con disperato fascino.

«Mi rincresce, non riesco proprio...».

Il funzionario della Dogana la fissò con occhi collerici.

«Madame,» disse minaccioso, protendendosi sul banco «lei parli inglese?».

«Oh, sì,» esclamò mamma, felice di averlo capito «sì, *un poco*».

L'arrivo tempestivo di Spiro la salvò dall'ira del funzionario. Spiro entrò con passo pesante, sudando a profusione, calmò mamma, placò il funzionario, spiegò che da anni non compravamo abiti nuovi, e fece portare il bagaglio sulla banchina quasi prima ancora che qualcuno riuscisse a riprendere fiato. Poi si fece prestare il gessetto del funzionario e segnò lui stesso tutto il bagaglio in modo che non ci fossero ulteriori difficoltà.

«Be', non vi dirò addio ma soltanto *au revoir*» borbottò Theodore, stringendo formalmente la mano a ciascuno di noi. «Spero che tornerete tra noi... ehm... *molto presto*».

«Addio, addio» flautava Kralefsky, saltellando dall'uno all'altro. «Aspetteremo con ansia il vostro ritorno. Per Giove, sì! E divertitevi, godetevela questa vostra permanenza nella vecchia Inghilterra. Fatevi una *vera* vacanza, eh? Perfetto!».

Spiro ci salutò a uno a uno stringendoci la mano in silenzio, poi restò lì a fissarci, con la faccia tutta contratta dal suo solito cipiglio, rigirandosi il berretto tra le mani enormi.

«Be', io dico addio» cominciò, e la voce gli tremò e gli venne meno, mentre dei grossi lacrimoni gli sgorgavano dagli occhi e gli scorrevano lungo le guance ispide. «Non dico bugie, io non volevi piangere» disse con voce rotta, mentre il suo ampio stomaco era scosso dai singhiozzi «ma è stessa cosa come se io dico addio alle mie famiglie. Io sento che voi mi appartiene».

La lancia dovette aspettare con santa pazienza mentre noi lo confortavamo. Poi, quando il suo motore cominciò a rombare ed essa si allontanò nell'acqua azzurro cupo, i nostri tre amici si stagliarono contro lo sfondo multicolore, quel precipizio di case aggrappate sul fianco della collina: Theodore elegante ed eretto, col suo bastone da passeggio sollevato in aria in un grave saluto, la barba che scintillava al sole; Kralefsky che saltellava in su e in giù e si sbracciava a tutto spiano; Spiro, enorme come un barile e tutto aggrondato, che alternativamente si asciugava gli occhi col fazzoletto e lo sventolava verso di noi.

Mentre la nave faceva la traversata e Corfù sprofondava tutta luccicante nella foschia perlacea all'orizzonte, fummo presi da una cupa depressione che durò per tutto il viaggio sino all'Inghilterra. Il treno sudicio filava da Brindisi verso la Svizzera, e noi ce ne stavamo in silenzio, senza alcun desiderio di parlare. Sopra le nostre teste, sulla reticella, i fringuelli cantavano nelle loro gabbie, le Garze chiocciavano e battevano i becchi come martelli, e Alecko gettava ogni tanto un lugubre strido. Intorno ai nostri piedi i cani russavano. Alla frontiera svizzera un funzionario vergognosamente solerte esaminò i nostri passaporti. Li restituì a mamma, unendovi un piccolo foglio di carta, si inchinò senza sorridere e ci lasciò alla nostra tetraggine. Dopo qualche momento mamma diede un'occhiata al modulo che il funzionario aveva riempito, e mentre leggeva si irrigidì tutta.

«Ma guarda che cos'ha scritto,» proruppe sdegnata «che *impertinente*!».

Larry guardò il modulo e sbuffò derisorio.

«Be', questa è la punizione che ti meriti perché hai lasciato Corfù» le fece notare.

Sul piccolo foglio di carta, nella colonna intitolata *Descrizione dei Passeggeri,* c'era scritto, in nitide maiuscole: UN CIRCO AMBULANTE AL COMPLETO.

«Se è una cosa da scrivere...» disse mamma continuando a ribollire di rabbia. «C'è della gente proprio *strana*».

Il treno sferragliava verso l'Inghilterra.

Le cure dedicate da Gerald Durrell bambino al suo piccolo zoo, sotto gli occhi perplessi e pazienti dei familiari, furono l'inizio di un impegno costante in difesa delle specie in pericolo. Ciò che Durrell apprese a Corfù da mentori come Theo ispirò la sua crociata per preservare la ricca varietà della vita animale sul nostro pianeta.

Questa crociata non è terminata con la morte di Durrell (1995). E la sua opera prosegue grazie all'attività instancabile dei tre Wildlife Preservation Trusts da lui fondati.

Nel corso degli anni molti lettori di Gerald Durrell sono stati fortemente motivati dalle sue esperienze e dalle sue idee, tanto da voler continuare la storia per conto loro sostenendo i suoi Trusts. Speriamo che voi farete altrettanto, perché con i suoi libri e con la sua vita Gerald Durrell ci ha lanciato una sfida. «Gli animali sono la grande maggioranza senza voto e senza voce,» egli ha scritto «che può sopravvivere soltanto grazie al nostro aiuto».

Ci auguriamo che il vostro interesse per la conservazione della natura non si dilegui quando voltate questa pagina. Scriveteci subito e vi diremo come potrete partecipare alla crociata per salvare gli animali dall'estinzione.

Per altre informazioni o per l'invio di contributi in denaro scrivete oggi a:

Jersey Wildlife Preservation Trust, Les Augres Manor, Jersey JE3 5BP, ENGLISH CHANNEL ISLANDS

Wildlife Preservation Trust International, 3400 West Girard Avenue, Philadelphia, Pennsylvania 19104-1196, USA

Wildlife Preservation Trust Canada, 56 The Esplanade, Toronto, Ontario M5E 1A7, CANADA

GLI ADELPHI

ULTIMI VOLUMI PUBBLICATI:

290. Georges Simenon, *Gli scrupoli di Maigret* (4ª ediz.)
291. William S. Burroughs, *Pasto nudo* (4ª ediz.)
292. Andrew Sean Greer, *Le confessioni di Max Tivoli* (2ª ediz.)
293. Georges Simenon, *Maigret e i testimoni recalcitranti* (4ª ediz.)
294. R.B. Onians, *Le origini del pensiero europeo*
295. Oliver Sacks, *Zio Tungsteno* (2ª ediz.)
296. Jack London, *Le mille e una morte*
297. Vaslav Nijinsky, *Diari*
298. Ingeborg Bachmann, *Il trentesimo anno* (2ª ediz.)
299. Georges Simenon, *Maigret in Corte d'Assise* (4ª ediz.)
300. Eric Ambler, *La frontiera proibita*
301. James Hillman, *La forza del carattere* (2ª ediz.)
302. Georges Simenon, *Maigret e il ladro indolente* (4ª ediz.)
303. Azar Nafisi, *Leggere Lolita a Teheran* (10ª ediz.)
304. Colette, *Il mio noviziato*
305. Sándor Márai, *Divorzio a Buda*
306. Mordecai Richler, *Solomon Gursky è stato qui* (2ª ediz.)
307. Leonardo Sciascia, *Il cavaliere e la morte* (2ª ediz.)
308. Alberto Arbasino, *Le piccole vacanze* (3ª ediz.)
309. Madeleine Bourdouxhe, *La donna di Gilles* (2ª ediz.)
310. Daniel Paul Schreber, *Memorie di un malato di nervi*
311. Georges Simenon, *Maigret si confida* (3ª ediz.)
312. William Faulkner, *Mentre morivo*
313. W.H. Hudson, *La Terra Rossa*
314. Georges Simenon, *Maigret si mette in viaggio* (4ª ediz.)
315. *Elisabetta d'Austria nei fogli di diario di Constantin Christomanos*
316. Pietro Citati, *Kafka*
317. Charles Dickens, *Martin Chuzzlewit*
318. Rosa Matteucci, *Lourdes*
319. Georges Simenon, *Maigret e il cliente del sabato* (5ª ediz.)
320. Eric Ambler, *Il levantino* (2ª ediz.)
321. W. Somerset Maugham, *Acque morte* (2ª ediz.)
322. Georges Simenon, *La camera azzurra* (5ª ediz.)
323. Gershom Scholem, *Walter Benjamin. Storia di un'amicizia*
324. Georges Simenon, *Maigret e le persone perbene* (4ª ediz.)
325. Sándor Márai, *Le braci* (4ª ediz.)
326. Hippolyte Taine, *Le origini della Francia contemporanea. L'antico regime*

327. Rubén Gallego, *Bianco su nero*
328. Alicia Erian, *Beduina*
329. Anna Maria Ortese, *Il mare non bagna Napoli* (3ª ediz.)
330. Pietro Citati, *La colomba pugnalata*
331. Georges Simenon, *Maigret e i vecchi signori* (3ª ediz.)
332. Benedetta Craveri, *Amanti e regine* (2ª ediz.)
333. Daniil Charms, *Casi* (2ª ediz.)
334. Georges Simenon, *Maigret perde le staffe* (2ª ediz.)
335. Frank McCourt, *Ehi, prof!* (3ª ediz.)
336. Jiří Langer, *Le nove porte*
337. Russell Hoban, *Il topo e suo figlio*
338. Enea Silvio Piccolomini, *I commentarii*, 2 voll.
339. Georges Simenon, *Maigret e il barbone* (3ª ediz.)
340. Alan Bennett, *Signore e signori* (2ª ediz.)
341. Irène Némirovsky, *David Golder*
342. Robert Graves, *La Dea Bianca* (2ª ediz.)
343. James Hillman, *Il codice dell'anima* (2ª ediz.)
344. Georges Simenon, *Maigret si difende*
345. Peter Cameron, *Quella sera dorata* (2ª ediz.)
346. René Guénon, *Il Regno della Quantità e i Segni dei Tempi*
347. Pietro Citati, *La luce della notte*
348. Goffredo Parise, *Sillabari*
349. Wisława Szymborska, *La gioia di scrivere* (3ª ediz.)
350. Georges Simenon, *La pazienza di Maigret* (2ª ediz.)
351. Antonin Artaud, *Al paese dei Tarahumara*
352. Colette, *Chéri · La fine di Chéri* (2ª ediz.)
353. Jack London, *La peste scarlatta* (2ª ediz.)
354. Georges Simenon, *Maigret e il fantasma* (2ª ediz.)
355. W. Somerset Maugham, *Il filo del rasoio*
356. Roberto Bolaño, *2666*
357. Tullio Pericoli, *I ritratti*
358. Leonardo Sciascia, *Il Consiglio d'Egitto*
359. Georges Simenon, *Memorie intime*
360. Georges Simenon, *Il ladro di Maigret*
361. Sándor Márai, *La donna giusta*

FINITO DI STAMPARE NEL GENNAIO 2010
DA L.E.G.O. S.P.A. STABILIMENTO DI LAVIS

Printed in Italy

GLI ADELPHI
Periodico mensile: N. 7/1990
Registr. Trib. di Milano N. 284 del 17.4.1989
Direttore responsabile: Roberto Calasso